Grandes Figuras
de la Humanidad

Grandes Figuras
de la Humanidad

Edición Especial para:
Bookspan
15 E 26th Street, 4 th floor
New York, NY 10010
U.S.A.

Impreso en U.S.A. - Printed in U.S.A.
ISBN 0-7394-5479-x

Presentación

L a biografía comparte con la ciencia histórica la pasión por el dato objetivo, el conocimiento exacto de los hechos y la comprensión de las circunstancias y las mentalidades. Pero es, además, un género literario que a menudo se acerca a la ficción en su capacidad para, con los recursos propios de la narrativa, penetrar en el mundo interior de sus personajes y describir sus motivaciones.

La importancia que la historiografía actual reconoce al género biográfico estriba precisamente en esa doble naturaleza que lo caracteriza. En efecto, superadas las posiciones extremas representadas por el historiador británico Thomas Carlyle, que concibió la Historia como la obra de los genios y los héroes, y por los historiadores materialistas, que tendieron a negar la influencia de los grandes hombres en la Historia buscando siempre explicaciones meramente socioeconómicas, la historiografía actual ha destacado que el hombre es a la vez sujeto activo y pasivo del proceso histórico, que lo contingente y lo inevitable, el azar y la necesidad, se entremezclan de forma inextricable en la maraña de la Historia.

Desde esta nueva perspectiva historiográfica la relevancia del género biográfico como acercamiento a la realidad histórica resulta palmaria, puesto que su vocación es precisamente la de comprender a los grandes protagonistas de la historia en relación a sus circunstancias, mostrando cómo detrás de las grandes revoluciones sociopolíticas, estéticas y científicas, que han conducido hasta el mundo contemporáneo, existieron hombres y mujeres que se movieron por sus anhelos y motivaciones personales, a veces nobles, otras ruines, pero siempre comprensibles para nosotros, que, como ellos, nos movemos, a tientas, por los nuestros.

Ése es el espíritu que ha presidido la elaboración de estas biografías que nos complacemos en presentar: acercar a los lectores la vida y la obra de un escogido grupo de hombres y mujeres de todos los tiempos, pero trascendiendo el dato puramente informativo para hacerlos revivir en su momento histórico, junto a las personas que los educaron y los ayudaron, amaron u odiaron, siguieron o persiguieron. Son textos que ofrecen un gran caudal de información, pero que también abundan en anécdotas reveladoras e interpretaciones históricas.

El aspecto iconográfico ha sido especialmente cuidado; las biografías están ilustradas con reproducciones de óleos, grabados o fotografías del personaje biografiado en diversos momentos de su trayectoria personal.

En definitiva, la obra se inscribe plenamente en los postulados actuales del género biográfico, recurriendo a la historia, la psicología y las técnicas narrativas para crear semblanzas biográficas llenas de vida. Pero además el carácter antológico y el orden cronológico de presentación dan a la obra una nueva dimensión: al recorrer personaje a personaje las sucesivas etapas de la Historia, ésta se convierte en el verdadero protagonista del libro.

Los editores

Confucio
(h. 551-h. 479 a.C.)

La ética propuesta por Confucio, basada en la perfección moral y la justicia, conmovió los cimientos de la China feudal y corrupta del 500.

El aspecto del hombre que moldeó el pensamiento y las costumbres de la China altomedieval nos parecería un tanto cómico si pudiéramos conocerle en persona: tenía la nariz con anchas aletas acampanadas, los ojos saltones y cándidos, una curiosa depresión en la cúspide del cráneo y los bigotes colgándole del rostro en largos flecos. El quimono y un alto bonete de colores completarían la extravagante imagen.

Era un hombre de aventajada estatura y complexión vigorosa. Fue cazador infatigable, músico inspirado y un genio en el campo intelectual. Pero lo que se sabe del verdadero Confucio histórico es poco: algunos nombres, escasas fechas aproximativas y una serie de anécdotas de dudosa autenticidad.

Administrador, enseñante y político

Kong-Fu-Tsen nació en Ku-Fu, aldea del pequeño país de Lu (actual Shan-tong), en el seno de una familia que pretendía descender de antiguos reyes. Creció huérfano y pobre, y desde niño mostró una gran inclinación por los objetos rituales. Era sumamente ordenado y meticuloso. Se especializó en la preparación de ceremoniales, aprendió a tocar el laúd y la cítara y se trasladó a la capital para estudiar en profundidad las reglas de la música y la etiqueta. A

los dieciocho años contrajo matrimonio. Después desempeñó las funciones de intendente de graneros y rebaños en casa del barón Ki, haciendo que todo prosperase en torno suyo, fueran cosechas o bueyes. Apenas se le encomendaba una nueva misión, se aplicaba a ella con afán minucioso. A la edad de veintidós años se puso a enseñar lo que aprendía en los libros antiguos y encontró gran placer en el ejercicio del magisterio. No cobraba una cantidad fija; a los jóvenes carentes de recursos pero dotados de talento les impartía sus enseñanzas gratuitamente. Se dice que conoció al viejo Lao-Tse y que llegó a reunir hasta tres mil discípulos apiñados en torno suyo para oír sus enseñanzas.

Al mismo tiempo, luchó denodadamente para que alguno de los príncipes feudales le confiase cargos importantes en la administración pública y le diese ocasión de llevar a cabo las reformas sociales que imaginaba. No lo consiguió hasta los cincuenta y dos años, cuando el duque Ding de Lu le nombró gobernador de Tchan-Fu, que de la noche a la mañana se convirtió en una ciudad modélica. Luego ascendió a ministro de Justicia del país, mandó ejecutar a los promotores de desórdenes y convirtió Lu en una balsa de aceite. Pero procedía con más franqueza de lo que conviene a un político. El duque lo relevó de sus deberes y Confucio tuvo que abandonar

Lu, acompañado por el primer núcleo de sus fieles. Viajó de corte en corte y sufrió diversas desgracias que le proporcionaron la oportunidad de demostrar su madera de santo. En 48l a.C., durante el curso de una cacería, se capturó un animal que nadie había visto nunca: el maestro Kong reconoció al unicornio y comprendió que su último día se acercaba. Dos años después cayó enfermo y murió, a los setenta y dos años.

Maestro para diez mil generaciones

Confucio no habló sobre Dios o el alma. Tampoco hizo metafísica. Su enseñanza es moral y política, una apuesta arriesgada para la China feudal y corrupta. No pretendió ser santo, ni profeta, ni poseer la clave de los secretos del Universo. Su doctrina se resume en un precepto: «No hagas a los demás lo que no desees que los demás te hagan a ti.» Propuso una nueva ética personal basada en la idea de justicia y otorgó al término «nobleza» un sentido de perfección moral. Su mente enfocaba los problemas de un modo científico, invitando a reemplazar el dogma por la investigación de los hechos. Combatió las supersticiones y la subordinación del pensamiento al deseo. Ensalzó las virtudes de la sinceridad y la meditación. Trató de racionalizar las antiguas religiones y

minimizó el poder de los cielos para que el hombre fuera un poco más dueño de sí mismo. Como haría Platón doscientos años después, Confucio trazó los planes de una república ideal, mas no ideó una sociedad estricta y reglamentada sino una sola, vasta y bien avenida familia en la que la relación entre soberano y súbdito fuese la misma que entre padre e hijo. No creía en la aristocracia de sangre y afirmaba que, por naturaleza, todos los hombres eran iguales. Pero era descabellado pedir a los chinos, acostumbrados a estrechos vínculos familiares, que tratasen a todos sus semejantes como a parientes. Por ello, Confucio murió creyendo que su predicación había sido inútil y su vida un total fracaso.

Sus discípulos le lloraron como a un padre. Y puesto que en China era entonces costumbre que los hijos guardasen tres años de luto por su progenitor, ellos emplearon ese tiempo en anotar y recordar las enseñanzas del maestro. Las compilaciones resultantes se convirtieron en textos sagrados. Confucio pasó a ser el «rey sin reino» y el «maestro para diez mil generaciones». Hubo persecuciones de confucionistas y una nueva religión nació entre errores y malentendidos. Confucio soñó a los hombres libres, virtuosos y bien gobernados, pero no devotos ni fanáticos. Por eso, si pudiéramos conocerle en persona, le veríamos mesarse su barba rala y chasquear la lengua ante tanto desatino.

551 a.C.	Kong-Fu-Tsen, **Confucio**, nace en la aldea de Ku-Fu.
533 a.C.	Se casa con una joven de su pueblo.
531 a.C.	Ocupa diversos cargos para el barón Ki.
529 a.C.	Inicia su carrera como maestro.
510 a.C.	Cientos de discípulos se congregan para oírle.
498 a.C.	Es nombrado gobernador de Tchan-Fu.
496 a.C.	El duque Ding le nombra ministro de Justicia del Estado de Lu.
494 a.C.	Es relevado de su cargo. Abandona el país de Lu en compañía de sus seguidores y viaja por diversas cortes de China.
485 a.C.	Regresa a la capital de su país y se dedica a la organización de su escuela.
481 a.C.	La captura de un unicornio le anuncia la proximidad de su muerte.
479 a.C.	Muere a la edad de setenta y dos años.

Sócrates

(h. 470-399 a.C.)

El legado filosófico de Sócrates consistió no sólo en el examen de las ideas y su confrontación mediante el diálogo, sino en el ejemplo de su integridad personal.

Sócrates es casi un personaje literario. El protagonista de los inmortales *Diálogos* platónicos era viejo y por ello la imaginación occidental representa siempre a Sócrates anciano, a la vez que lo sorprende discutiendo incansablemente con otros atenienses en el ágora, en el gimnasio, en las asambleas populares y en los festines a los que le convidaban sus amigos aristocráticos. Era por entonces pobre, testarudo e irritante, capaz de convencer a un héroe de la guerra, Laques, de que no sabía qué era la valentía, de demostrar al modesto Cármides que ignoraba lo que era la modestia y de beber y hablar sobre el amor en un banquete durante toda la noche, mientras sus contertulios iban cayendo dormidos uno tras otro. A excepción de unos cuantos maravillados discípulos, debió de ser tomado por loco por la mayoría, porque no obtenía ningún rendimiento económico de su abnegada tarea como educador de la juventud, e incluso reprendía duramente a los sofistas que negociaban con su saber y vendían a los hijos de los nobles con aspiraciones políticas el arte de la palabra embaucadora.

El don de la palabra

Por aquellos tiempos, su ciudad, Atenas, de la que presumía no haber salido jamás si no era por razones de fuerza mayor, como en el caso de una guerra, tenía a timbre de gloria no servir a reyes, sino a leyes. Este legítimo orgullo —nunca mejor dicho— diferenciaba a los atenienses de los bárbaros, aquellos extranjeros que no tenían el don de la palabra. Los griegos se denominaban a sí mismos hombres de voz articulada y su religión, aunque prolija en dioses olímpicos, augures y profetisas, era en realidad la Democracia, un sistema de gobierno de la ciudad que competía a un gran número de ciudadanos y no sólo a los más brutos y belicosos o a los hijos de los más brutos y belicosos. Naturalmente, la política, es decir, la responsabilidad de atender los asuntos colectivos de la *polis*, no era competencia de todos y cada uno de los habitantes de Atenas, sino que de ella estaban excluidos los esclavos y las mujeres, además de los niños. Pero algunos de estos niños estaban destinados en el futuro a hacerse cargo de dichos menesteres y para ello debían prepararse estudiando materias como música y retórica. Por otra parte, los principales libros de texto de los escolares griegos del siglo V a.C. eran los poemas homéricos, ya que entre otros muchos rasgos originales de aquella insólita cultura debe señalarse que su religión era más un invento de poetas que de sacerdotes. Fue el legendario Homero, o tal vez los homéridas, una secta de hombres inspirados por las musas, quienes dieron cuerpo a esos hermosos cuentos sobre dioses portadores de rayo o diosas bellas y caprichosas que intervenían en la azarosa vida de los mortales.

Homero también creía que el arte del bien hablar era estigma inequívoco de nobleza y, si bien su héroe Aquiles tiene los pies más ligeros que la lengua, el endiosado Ulises es ante todo un hombre astuto, capaz de seducir con la palabra y de vencer con la inteligencia. Esta virtud no es hereditaria, aunque el hijo de Ulises, Telémaco, también la poseyó y por ella fue reconocido por el viejo Néstor, un hombre sabio que había participado en la guerra de Troya. Cuando el muchacho fue en su busca para obtener noticias de su padre, perdido en los mares procelosos a causa de las tempestades enviadas por Poseidón, Néstor lo recibió con cautela y le dejó hablar. El elocuente Telémaco expuso con belleza la razón de su visita y, al acabar su parlamento, Néstor le facilitó de buen grado noticias que le pedía sobre Ulises en Troya:

Nadie allí en ingenio pudo nunca emular
a tu padre
porque a todos lograba exceder en ardides in-
números
Ulises divino, tu padre, si realmente eres
hijo suyo,
y te miro y me asalta un
asombro profundo.
En verdad que tu hablar aseméjase al suyo;
diríase que no puedes, tan joven, hablar como
hablaba tu padre.

La palabra era pues para los griegos el más precioso instrumento con que contaban los ciudadanos para triunfar en la vida pública. No es de extrañar que proliferasen los charlatanes, maestros a sueldo de los ricos que enseñaban a sus prometedores vástagos a salir victoriosos en las contiendas dialécticas y a enredar con el verbo las razones del contrario. Pero estos doctores en arterías, los llamados sofistas, se encontraron con la horma de su zapato al entrar en escena el invencible Sócrates.

El hijo de la comadrona

Ese hombre de rasgos más animales que humanos que aparece retratado en mármol en el Museo de Nápoles, había nacido en Alópece, Ática, en el 470 a.C. Con los años llegaría a tener ese aspecto de anciano feo, de ojos vivos y nariz roma, pero no sabemos cómo era de niño. Su padre, Sofroniso, trabajaba como escultor, y muy probablemente el muchacho ejerció durante algún tiempo ese duro oficio. Fenareta, su madre, era comadrona, y siempre se dice que el método dialéctico que dio al filósofo fama intemporal, el denominado método socrático, la mayéutica, consistía en una pura aplicación al mundo de las ideas del arte con que su madre se ganaba la vida en el mundo de las realidades. Durante sus años de magisterio Sócrates procuró ayudar a que vieran la luz las ideas que cada hombre llevaba en su interior. Su técnica no consistía en proveer de nuevos conocimientos a sus discípulos, sino en hacer posible por medio del examen y el diálogo el alumbramiento de la verdad de cada cual, que fatalmente debía coincidir con la verdad de todos. Lo que ocurría es que a menudo los hombres la poseían, sin saberlo, confundida oscuramente con la ignorancia y la mentira, y había que asistirles en el difícil parto hasta que la vieran presentarse ante sus ojos luminosa y clara.

Sócrates poseía, según parece, un carácter templado y disfrutaba de un estado anímico constante, aunque Espíntaro lo describa en sus escritos como un varón de temperamento violento. De todos modos, se labró una gran reputación de soldado valeroso en las diversas batallas en que participó, que fueron varias, porque durante aquellos años se desataron las devastadoras guerras del Peloponeso, un prolongado y cruel enfrentamiento entre atenienses y espartanos. Tuvo un comportamiento heroico en Potidea, donde combatió junto a su querido amigo Alcibíades; en Delion salvó la vida arrojadamente al hermoso Jenofonte, que se había caído del caballo; en la ciudad de Anfípolis asistió a la derrota de su bando y vio morir a los estrategas Brásidas y Cleón.

Aunque lo que se conoce como ironía socrática no designa exactamente lo que hoy entendemos por ese recurso retórico y humorístico, su tono en el diálogo era frecuentemente burlón, lo que ponía en serios aprietos a sus interlocutores y les hacía perder la paciencia. Su *ironía* era en realidad programática. La utilizaba para rastrear y hacer evidentes las contradicciones lógicas del adversario en la disputa dialéctica, de modo que así pudiera avanzarse en la averiguación una verdad compartida. También

En La muerte de Sócrates, *obra de Jacobo David que se conserva en el Museo Metropolitano de Nueva York, se ve al gran filósofo griego, cuya coherencia* ética lo llevó a rechazar la fuga y a aceptar la muerte antes que abjurar de sus ideas, en el momento de beber la cicuta rodeado de sus más fieles discípulos.

es irónico el modo como llegó a dedicarse tan febrilmente a denunciar las falsedades de sus conciudadanos.

«Sólo sé que no sé nada»

Su amigo Jenofonte preguntó a la pitonisa de Delfos quién era el más sabio y virtuoso de los atenienses. El oráculo respondió sin ninguna vacilación el nombre de Sócrates, algo verdaderamente notable, puesto que la ciudad estaba bien nutrida de filósofos con mucha más nombradía que nuestro modesto personaje y, además, mucho más ricos y poderosos. Cuando se enteró el hijo de la partera, supuso que era porque él sabía, al menos, que no sabía nada, pero a pesar de esa argucia y esa paradoja que acredita su humildad, el oráculo le granjeó la envidia de todos aquellos que juzgaron que se les había declarado ignorantes. Entre éstos se encontraba Anito, según cuenta Platón en el *Menón*, diálogo donde curiosamente se sostiene que la virtud puede ser enseñada.

El poco virtuoso y celosísimo Anito instó a Aristófanes a que se mofase del sabio y el comediógrafo lo escarneció en la escena, llegando incluso a presentarlo flotando en las nubes. Pero con esto no le bastó: Anito participará activamente en la fabricación de las calumnias que hicieron posible el ominoso proceso público de Sócrates. Al filósofo se le atribuyen como maestros a Pródico y a Teodoro de Sirene, y está atestigua-

El racionalismo moral de Sócrates nos ha llegado a través de sus discípulos, sobre todo gracias a los Diálogos de Platón. *En esta miniatura de un manuscrito medieval, Sócrates recibe el veneno que habría de acabar con su vida de la mano de uno de sus discípulos.*

da la relación con Arquelao, discípulo de Anaxágoras. Comenzó estudiando la Naturaleza, ciencia jonia que había penetrado en Atenas, pero a la vista de los horrores de la guerra consagró su inteligencia al hombre y se convirtió en un seductor taumaturgo que confiaba en mejorar a sus contemporáneos por medio del conocimiento, ya que para él la ignorancia era la causa de la maldad. No le arredraban las razones de Gorgias, el político práctico que anteponía los derechos del más fuerte a las palabras del filósofo, y consiguió sacarle de sus casillas con su terquedad. También venció en su cruzada personal a Polos, cuando éste le concedió que la retórica es ajena a la moralidad de los actos, y a Callicles, cuando se contradice e identifica primero el Bien con la fuerza para más tarde retractarse y equipararlo al placer. Su pensamiento se puede rastrear con nitidez, según la crítica moderna, en los primeros diálogos platónicos, aunque después sus ideas y las de su sucesor y cronista se confundan hasta el punto de que no pueden diferenciarse. No obstante, su máxima más querida ha quedado grabada con letras de oro en la conciencia occidental: «Conócete a ti mismo.»

Infatigable *tábano de los dioses*

Sócrates se llamaba a sí mismo *tábano de los dioses*, porque sabía que su destino era incordiar. Su insobornable sentido de la justicia le obligó a acrecentar el número de sus enemigos con ocasión de un juicio celebrado en 406 a.C. En él participaba como jurado o tal vez como presidente. En cualquier caso, la asamblea popular condenó a muerte a los generales de la victoriosa batalla de Arginusas porque no pudieron proteger a los náufragos en un mar tempestuoso. Aunque fuera inútil, Sócrates se opuso con valentía al inicuo proceso. También criticó sin paliativos la provisión de cargos por sorteo y, en general, mantuvo una abierta oposición a la masa, aunque nunca a la ley. En la *Apología* que escribió Platón denuncia a los Treinta Tiranos que gobernaron en Atenas por imposición de los espartanos, y a pesar de que en aquel período se intentó comprometer a todo el mundo, él se mantuvo firme. En cierta ocasión le ordenaron ir en busca de León de Salamina para ejecutarlo, pero Sócrates se desentendió y se fue tranquilamente a su casa. Con todo ello, el poderoso Critias, que antes había formado parte de sus fieles, se convirtió en su encarnizado adversario.

Impío y corruptor de la juventud

Su talón de Aquiles fue, al parecer, su esposa Jantipa, mujer bronca e irritante que a menudo ponía a prueba su entereza. Le dio tres hijos, y probablemente fue su único matrimonio, aunque Aristóteles, en *Sobre la nobleza*, le atribuye segundas nupcias con una mujer muy pobre, Mirto, hija de Arístides, un hombre con fama de justo. En el banquete al que fue invitado por Agatón, cuando fue premiada la primera tragedia de éste, tuvo que atemperar los celos de su amigo Alcibíades, que llegó tarde, borracho y coronado de guirnaldas. El joven le acusaba de coquetear con el anfitrión: «El amor de este hombre —dice entonces Sócrates— es para mí un verdadero apuro. Desde que empecé a amarle no puedo mirar ni hablar a ningún joven sin que, por despecho o celos, se libre a excesos increíbles, colmándome de injurias y conteniéndose con dificultad para no unir los golpes

Hijo del escultor Sofroniso y de la comadrona Fenareta, Sócrates aprendió del oficio de su madre el arte de dar a luz las ideas que el hombre lleva en su interior, a través del examen y del diálogo.

Su profunda honestidad y la coherencia de su pensamiento le granjearon la admiración de sus discípulos. Arriba, un grabado del siglo XVIII que reproduce a Rousseau recibido por Sócrates y otros filósofos.

a las recriminaciones.» Ya más sereno, Alcibíades comienza un elogio de Sócrates en el que compara su físico al Sátiro Marsyas, le moteja de presumido burlón y le juzga el más grande de los oradores, superior en elocuencia al propio Pericles. «Para alejarme de él —dice el joven— tengo que taparme los oídos como para escapar de las sirenas, porque si no estaría constantemente a su lado hasta el fin de mis días. Este hombre despierta en mí un sentimiento del que nadie me creería susceptible: es el de la vergüenza.» Y después cuenta cómo, a pesar de sus numerosas tentativas, Sócrates siempre desdeñó su hermosura y su riqueza, sin consentir jamás en convertirse en su amante carnal. «Y no soy yo solo a quien ha tratado así —concluye Alcibíades—, porque también ha engañado a Charmides, hijo de Glauco, a Authydemos, hijo de Diocles, y a una porción más de jóvenes aparentando ser su amante cuando más bien representaba cerca de ellos el papel del bien amado.»

Pese al *platonismo* de sus amores viriles, o precisamente también por esta causa, este hombre zumbón, sereno e inquebrantable se ganó la animadversión general y hubo de sufrir un humillante juicio público en 399 a.C. Licón y Melito formaban parte de los acusadores, el primero en nombre de los oradores y el segundo en nombre de los poetas, a todos los cuales reprendía en sus discursos Sócrates. Pero la redacción de la denuncia fue obra de su antiguo enemigo Anito, en representación de los magistrados y de los artesanos del pueblo. La oración acusatoria decía más o menos así, según Diógenes Laercio en *Vida de los filósofos más ilustres*: «Sócrates quebranta las leyes negando la existencia de los dioses que la ciudad tiene recibidos e introduciendo otros nuevos; y obra contra las mismas leyes corrompiendo la juventud. La pena debida es la muerte.» Su amigo Lisias compuso una apología en su defensa, pero aunque se lo agradeció dijo que no le convenía.

Durante el juicio, el jovencísimo Platón intentó hablar a su favor, pero los jueces le abuchearon, le interrumpieron nada más comenzar y le hicieron bajar del estrado. El recalcitrante Sócrates empeoró las cosas mostrándose irreverente con el tribunal y examinando minuciosamente con su habitual método irónico los términos de la acusación. El jurado le declaró culpable por 281 votos a favor frente a 220 en contra, pero le condenó a muerte por una mayoría más holgada, 300 votos contra 201.

Una embajada sagrada de Delos demoró la ejecución, Critón le propuso la huida, que por otra parte hubiese contado con la complicidad general, pero él prefirió morir como había vivido, leal a su palabra, a sus convicciones y a las leyes de su ciudad.

Fedón cuenta, en el diálogo platónico que lleva su nombre, que murió rodeado de unos pocos amigos y que mandó despedir a Jantipa, su esposa, a quien se llevaron unos criados de Critón «chillando y golpeándose el pecho». Después de haber tomado la cicuta, se paseó para que el veneno le hiciera efecto más rápidamente. Luego, según le habían aconsejado, se tumbó boca arriba y se cubrió la cara esperando la muerte. Así narra Critón su último acto:

«Tenía ya casi fría la región del vientre cuando, descubriendo su rostro dijo éstas, que fueron sus últimas palabras:

–*Oh, Critón, debemos un gallo a Asclepio. Pagad la deuda, y no lo paséis por alto.*»

h. 470 a.C.	**Sócrates** nace en Alópece, Ática, hijo de un escultor y una comadrona.
460 a.C.	Pericles llega al poder en Atenas.
450 a.C.	Nacimiento de Alcibíades.
431 a.C.	Comienzo de la guerra del Peloponeso. Sócrates participa como soldado en la batalla de Potidea.
424 a.C.	Participa en la batalla de Delion.
423 a.C.	El comediógrafo Aristófanes lo ridiculiza en *Las nubes*.
422 a.C.	Combate en Anfípolis, ciudad fundada en 436 a. C. por los atenienses, que es tomada ahora por Esparta.
406 a.C.	Se opone a la sentencia de los generales condenados por no socorrer a los náufragos tras la victoriosa batalla de Arginusas.
404 a.C.	Fin de la guerra del Peloponeso. Los Treinta Tiranos gobiernan Atenas por imposición de Esparta. Muerte de Alcibíades.
403 a.C.	Restauración de la Democracia ateniense y amnistía general.
399 a.C.	Sócrates es condenado por impiedad y por corromper a la juventud. Se da muerte tomando la cicuta, tras rechazar un plan de evasión.

Alejandro Magno

(356-323 a.C.)

Historia y leyenda se funden en la figura de Alejandro Magno, quien construyó un imperio de una magnitud jamás soñada por sus contemporáneos.

Para la historia de la civilización antigua las hazañas de Alejandro Magno supusieron un torbellino de tales proporciones que aún hoy se puede hablar sin paliativos de un antes y un después de su paso por el mundo. Y, aunque su legado providencial —la extensión de la cultura helénica hasta los confines más remotos— se vio favorecido por todo un abanico de circunstancias favorables que reseñan puntualmente los historiadores, su biografía es en verdad una auténtica epopeya, la manifestación en el tiempo de las fantásticas visiones homéricas y el vivo ejemplo de cómo algunos hombres descuellan sobre sus contemporáneos para alimentar incesantemente la imaginación de las generaciones venideras.

La falange macedónica

Hacia la segunda mitad del siglo IV a.C., un pequeño territorio del norte de Grecia, menospreciado por los altivos atenienses y tachado de bárbaro, inició su fulgurante expansión bajo la égida de un militar de genio: Filipo II, rey de Macedonia. La clave de sus éxitos bélicos fue el perfeccionamiento del «orden de batalla oblicuo», experimentado con anterioridad por Epaminondas. Consistía en disponer la caballería en el ala atacante, pero sobre todo en dotar de movilidad, reduciendo el número de filas, a las falanges de infantería, que hasta entonces sólo podían maniobrar en una dirección. La célebre *falange macedónica* estaba formada por hileras de dieciséis hombres en fondo con casco y escudo de hierro, y una lanza llamada *sarissa*.

El año 346 a.C. proporcionó numerosas felicidades a la ambiciosa comunidad macedonia: uno de sus más reputados generales, Parmenión, venció a los ilirios; uno de sus jinetes resultó vencedor en los Juegos celebrados en Olimpia, y Filipo tuvo un hijo que en su imponente trayectoria guerrera jamás conocería la derrota. Quiere la leyenda que ese mismo día en que nació Alejandro, un extravagante pirómano incendiase una de las Siete Maravillas del Mundo, el templo de Artemisa en Éfeso, aprovechando la ausencia de la diosa que había acudido a tutelar el nacimiento del príncipe. Cuando fue detenido, confesó que lo había hecho para que su nombre pasara a la historia. Las autoridades lo ejecutaron, ordenaron que desapareciese hasta el más recóndito testimonio de su paso por el mundo y prohibieron que nadie pronunciase jamás su nombre. Pero más de dos mil años después todavía se recuerda la infame tropelía del perturbado Eróstrato.

Alejandro fue creciendo mientras los macedonios aumentaban sus dominios y Filipo su gloria. Desde temprana edad, su aspecto y su valor fueron parangonados con los de un león, y cuando contaba sólo quince años, según narra Plutarco, tuvo lugar una anécdota que anticipa su deslumbrante porvenir. Filipo quería comprar un caballo salvaje de hermosa estampa, pero ninguno de sus aguerridos jinetes era capaz de domarlo, de modo que había decidido renunciar a ello. Alejandro, encaprichado con el animal, quiso tener su oportunidad de montarlo, aunque su padre no creía que un muchacho triunfara donde los más veteranos habían fracasado. Ante el asombro de todos, el futuro conquistador de Persia subió a lomos del que sería su amigo inseparable durante muchos años, Bucéfalo, y galopó sobre él con inopinada facilidad. Habiendo visto esto, Filipo exclamó: «Busca, hijo mío, un reino igual a ti porque en Macedonia no cabes.»

El discípulo de Aristóteles

El gran filósofo Aristóteles fue el encargado de la educación del joven príncipe, y él le enseñó a amar los poemas homéricos, en particular *La Ilíada*, que con el tiempo se convertiría en una verdadera obsesión del Alejandro adulto. El nuevo Aquiles fue en cierta ocasión interrogado por su maestro respecto a sus planes para con él cuando hubiera alcanzado el poder. El prudente Alejandro contestó que llegado el momento le daría respuesta, porque el hombre nunca puede estar seguro del futuro. Aristóteles, lejos de alimentar suspicacias respecto a esta reticente réplica, quedó sumamente complacido y le profetizó que sería un gran rey. Por su parte, el discípulo sintió siempre por el pensador ateniense una sincera gratitud.

Desde el año 380 a.C., un griego visionario, Isócrates, había predicado la necesidad de que se abandonaran las luchas intestinas en la península y de que se formara una liga panhelénica. Pero décadas después, el ateniense Demóstenes mostraba su preocupación por las conquistas de Filipo, que se había apoderado de la costa norte del Egeo. A instancias suyas, Atenas se alió con Tebas para combatir a las huestes macedonias, pero el resultado fue catastrófico. Las gloriosas falanges tebanas, invictas desde su formación por el genial Epaminondas, fueron completamente devastadas. Hasta el último soldado tebano murió en la batalla de Queronea, donde el joven Alejandro capitaneaba la caballería macedonia.

Por fin, Filipo terminó por dominar prácticamente toda Grecia y, en 337 a.C., reunió a los representantes de las ciudades para votar una expedición de castigo conjunta contra el común enemigo persa. Los compromisarios eligieron a Filipo como comandante en jefe y se comenzaron los preparativos, pero el rey fue misteriosamente asesinado al año siguiente. Alejandro, apenas con veinte años, ocupó el trono de Macedonia y debió asumir los vastos poderes de su predecesor. Los atenienses suspiraron entonces de nuevo por liberarse del yugo de un pueblo al que juzgaban indigno de liderar los destinos griegos, y fomentaron revueltas e insumisiones fiando de la inexperiencia del flamante monarca. Alejandro hubo de dar muestras de energía y fortaleza sofocando la insurrección de Tebas, ciudad que mandó arrasar hasta su cimientos, aunque respetando la casa del poeta Píndaro, cantor de sus antepasados. Estos graves acontecimientos sucedían en Corinto, donde habitaba un extraño personaje que había ganado fama de insolente, sabio y excéntrico. Diógenes *el Cínico* andaba buscando con una lamparilla en pleno día a un hombre de verdad y hacía el amor en público, como los animales, en medio de la ciudad. Se albergaba en un humilde tonel, donde lo visitó Alejandro para invitarle a que le pidiese lo que deseara. El desafiante Diógenes le contestó que lo único que podía hacer por él era apartarse de allí porque le tapaba el sol. El victorioso general contestó —no sabemos si con franqueza, petulancia o deportividad— que si no fuera Alejandro le gustaría ser Diógenes. Mientras preparaba su partida hacia Persia le comunicaron que la estatua de Orfeo, el tañedor de lira, sudaba, y Alejandro consultó a un adivino para averiguar el sentido de esta premonición. El augur le pronosticó un gran éxito en su empresa, porque la divinidad manifestaba con este signo que para los poetas del futuro resultaría arduo cantar sus hazañas. Después de encomendar a su general Antípatro que conservara Grecia en paz, en la primavera del año 334 a.C. cruzó el Helesponto con treinta y siete mil hombres dispuestos a vengar las ofensas infligidas por los persas a su patria en el pasado. No regresará jamás.

El nudo gordiano

Después de visitar Troya, su ejército se enfrentó por primera vez a los persas en Gránico. En la fragorosa y cruenta batalla Alejandro estuvo

El gran rey macedonio soñó con un imperio en el que confluyeran las virtudes de Oriente y Occidente. Su amplia formación académica —Aristóteles fue su preceptor—
imprimió el espíritu de la heroica lucha protagonizada por persas y griegos, que aparece en este relieve del sarcófago de Alejandro Magno, realizado en el siglo IV a.C.

a punto de perecer, y sólo la oportuna ayuda en el último momento de su general Clito le salvó la vida. Pese a las dificultades, la victoria fue completa, y el camino quedó abierto hasta Gordión, la ciudad que fuera corte del legendario rey Midas, donde los gordianos plantearon al invasor un dilema en apariencia irresoluble. Un intrincado nudo ataba un yugo a un carro, y desde antiguo se afirmaba que quien fuera capaz de deshacerlo dominaría el mundo. Todos habían fracasado hasta entonces, pero el intrépido Alejandro no pudo sustraerse a la tentación de desentrañar el acertijo. De un certero y violento golpe ejecutado con el filo de su espada, cortó la cuerda, y luego comentó con sorna: «Era así de sencillo.»

En su imparable marcha, los griegos encontraron el río Cnido, en cuyas aguas heladas Alejandro, imprudentemente, tomó un baño. Las consecuencias de ello no se hicieron esperar: cayó enfermo y tuvo que ponerse en manos de su médico personal. Una mañana recibió un anónimo en el que se le avisaba de que éste se había conjurado con otros sediciosos para envenenarlo. Cuando el galeno le mandó tomar un bebedizo, Alejandro le entregó la carta que denunciaba su traición, aunque antes de asistir a la horrorizada reacción de su supuesto asesino

bebió dócilmente la medicina. Con su temeridad quiso dejar bien sentado que tenía plena confianza en sus amigos y que no hacía caso de calumnias. Afortunadamente se trataba de una falsa acusación.

En el otoño del año 333 a.C. tuvo lugar en la llanura de Isos la gran batalla contra Darío, rey de Persia. Antes del enfrentamiento arengó a sus tropas, temerosas por la abultada superioridad numérica del enemigo. Alejandro confiaba en la victoria porque estaba convencido de que nada podían las muchedumbres contra la inteligencia, y de que un golpe de audacia vendría a decantar la balanza del lado de los griegos. Cuando el resultado de la contienda era todavía incierto, el cobarde Darío huyó, abandonando a sus hombres a la catástrofe. Las ciudades fueron saqueadas y la mujer y las hijas del rey fueron apresadas como rehenes, de modo que Darío se vio obligado a presentar a Alejandro unas condiciones de paz extraordinariamente ventajosas para el victorioso macedonio. Le concedía la parte occidental de su imperio y la más hermosa de sus hijas como esposa. Al noble Parmenión le pareció una oferta satisfactoria, y aconsejó a su jefe: «Si yo fuera Alejandro, aceptaría.» A lo cual éste replicó: «Y yo también si fuera Parmenión.»

La fundación de Alejandría

Alejandro ambicionaba dominar toda Persia y no podía conformarse con ese honroso tratado. Para ello debía hacerse con el control del Mediterráneo oriental. Destruyó la ciudad de Tiro tras siete meses de asedio y estableció una nueva colonia griega en la desembocadura del Nilo. Para determinar su emplazamiento contó con la inspiración de Homero. Solía decir que el poeta se le había aparecido en sueños para recordarle unos versos de *La Ilíada*: «En el undoso y resonante Ponto/ hay una isla a Egipto contrapuesta/ de Faro con el nombre distinguida.» En la isla de Faro y en la costa próxima planeó la ciudad que habría de ser la capital del helenismo y el punto de encuentro entre Oriente y Occidente. Como no pudieron delimitar el perímetro urbano con cal, Alejandro decidió utilizar harina, pero las aves acudieron a comérsela destruyendo los límites establecidos. Este acontecimiento fue interpretado como un augurio de que la influencia de Alejandría se extendería por toda la Tierra.

Antes de presentar de nuevo batalla a Darío, visitó el templo de Amón, dios egipcio que los griegos identificaban con el más grande de los moradores del Olimpo, y allí fue consagrado hijo de Zeus. En la primavera siguiente, se enfrentaron en Gaugamela otra vez los griegos contra las impresionantes tropas persas, que en esta ocasión contaban con una aterradora fuerza de choque: elefantes. Parmenión era partidario de atacar amparados por la oscuridad, pero Alejandro no quería ocultar al sol sus victorias. Aquella noche durmió confiado y tranquilo mientras sus hombres se admiraban de su extraña serenidad. Había madurado un plan genial para evitar las maniobras del enemigo. Su mejor arma era la rapidez de la caballería, pero también contaba con la escasa entereza de su contrincante y planeaba descabezar el ejército a la primera oportunidad. Efectivamente, Darío volvió a mostrarse débil y huyó ante la proximidad de Alejandro, sufriendo una nueva e infamante derrota. Sus propios soldados le darían muerte pocos días después. Muchas fueron las anécdotas y leyendas que a partir de entonces fueron acumulándose alrededor de este semidiós que parecía invencible. La Historia da cuenta de que vistió la estola persa, ropaje extraño a las costumbres griegas, para sim-

bolizar que era rey tanto de unos como de otros. Sabemos que, movido por la venganza, mandó quemar la ciudad de Persépolis; que, iracundo, dio muerte con una lanza a Clito, aquel que le había salvado la vida en Gránico; que mandó ajusticiar a Calístenes, el filósofo sobrino de Aristóteles, por haber compuesto versos alusivos a su crueldad, y que se casó con una princesa persa, Roxana, contraviniendo las expectativas de los griegos. Alejandro incluso se internó en la India donde hubo de combatir contra el noble rey hindú Poros. Como consecuencia de la trágica batalla, murió su fiel caballo Bucéfalo, en cu-

En las llanuras de Isos el poderoso ejército persa fue derrotado por las tropas de Alejandro, inferiores en número. Como refleja este mosaico hallado en Pompeya, Darío III fue obligado a huir.

yo honor fundó una ciudad llamada Bucefalia. El punto más oriental que alcanzó fue el río Hifasis, a partir del cual, y contra su deseo, sus hombres se negaron a avanzar. Durante el regreso, el ejército se dividió: mientras el general Nearco buscaba la ruta por mar, Alejandro conducía el grueso de las tropas por el infernal desierto de Gedrosia. Miles de hombres murieron en el empeño. La sed fue más devastadora que las lanzas enemigas.

Aunque diezmado, el ejército consiguió llegar a su destino, y con la celebración de las bodas de ochenta generales y diez mil soldados se dio por terminada la conquista de Oriente. Sin repudiar a Roxana, Alejandro se casó también con una hija de Darío III y con la hija menor de Artajerjes III, y se entregó desde entonces a la molicie de la paz y a trasegar inmoderadamente copiosas dosis de vinos embriagadores.

En Babilonia tuvo una premonición de su muerte cuando un asno mató de una coz a uno de sus leones. Fue presa de la melancolía tras el fallecimiento de su mejor amigo, Hefestión, y, agotado por unas fiebres malignas, expiró el 13 de junio del año 323 a.C., cuando apenas contaba treinta y tres años de edad. Aquel mismo día, libre de fabulosas esperanzas, sin nada que legar a los hombres excepto su mísero tonel, con casi noventa años moría también en Corinto su desabrida contrafigura, el ceñudo filósofo Diógenes *el Cínico*.

Alejandro Magno aparece en este plato de cerámica pidiendo consejo al excéntrico filósofo Diógenes, para quien las necesidades deben reducirse a su mínima expresión.

Cuenta la leyenda, no obstante, que el más grande de los conquistadores estuvo a punto de beber en la fuente de la inmortalidad, pero una doméstica traición de su cocinero hizo que este privilegio recayese en su hija. Encolerizado y envidioso, el implacable general condenó a la muchacha a vivir eternamente desterrada en las inmensas aguas del océano. Pero ella surge a veces a la superficie, vestida de algas y montando a lomos de un delfín, para sobresaltar a los navegantes siempre con la misma pregunta: «¿Vive aún Alejandro?».

356 a.C.	Nacimiento de **Alejandro Magno**. Incendio del templo de Artemisa en Éfeso.
353 a.C.	Filipo II de Macedonia, padre de Alejandro, conquista Tesalia.
351 a.C.	El ateniense Demóstenes lanza su Primera Filípica, advirtiendo del peligro macedonio.
342 a.C.	Aristóteles se convierte en el tutor de Alejandro.
338 a.C.	Filipo II derrota a Atenas en la batalla de Queronea.
336 a.C.	Asesinato de Filipo y elevación al trono de Alejandro.
335 a.C.	Alejandro incendia la ciudad de Tebas.
334 a.C.	Alejandro cruza el Helesponto e invade Persia. Vence en Gránico.
333 a.C.	Victoria sobre los persas en Isos e invasión de Tiro.
332 a.C.	Campaña y conquista de Egipto.
331 a.C.	Fundación de Alejandría.
330 a.C.	El ejército griego incendia Persépolis.
326 a.C.	Victoria de Alejandro sobre Poros en Hidaspes.
323 a.C.	Muerte de Alejandro. Muerte de Diógenes, el filósofo cínico.

Julio César

(100-44 a.C.)

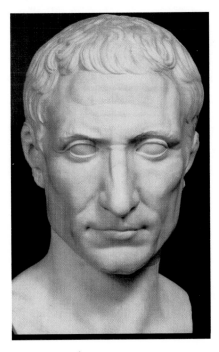

César demostró ya en su juventud la firmeza y tenacidad que caracteriza a los hombres destinados a regir la vida de un pueblo.

Desde siempre los historiadores y los poetas han abundado en la gloria de César, el calvo genial, el envidiado amante de Cleopatra, el invencible militar, el elocuente orador, el ambicioso político que acumuló para sí todos los poderes y prebendas, el dictador inmolado por los puñales de los senadores. Cicerón, Salustio, Lucano, Suetonio y Plutarco, entre tantos otros, dejaron constancia de su inteligente prodigalidad, de sus numerosos matrimonios, de sus impresionantes campañas bélicas y de la incomparable lucidez y determinación de su carácter.
En *Vida de los doce césares*, el desvergonzado Suetonio lo describe en toda su magnificencia, pero sin descuidar ninguno de los rasgos humanos, o demasiado humanos, que presentaba su figura: «Su estatura era, según cuentan, elevada, la tez blanca, los miembros bien conformados, el rostro algo lleno, los ojos negros y penetrantes, su salud buena, aunque en los últimos años solía perder de repente el conocimiento y sobresaltarse cuando dormía. Sufrió por dos veces un ataque de epilepsia mientras despachaba asuntos públicos. Era muy exigente en el cuidado de su persona, hasta el extremo de que no sólo hacía que lo afeitaran y le cortaran el pelo con todo esmero sino que incluso se hacía depilar, como algunos le reprocharon, y le enojaba mucho esa calvicie que tanto le afeaba y que le exponía, como había podido comprobar más de una vez, a las chanzas de sus enemigos. Por este motivo hacía caer más de una vez su escaso pe-

lo desde la coronilla hasta la frente, y de cuantos honores le fueron concedidos por el pueblo y el Senado, no hubo ninguno que recibiera y usara con más agrado que el derecho de llevar siempre una corona de laurel.» (Libro I, 45).

Reina de Bitinia

Cuando César contaba diecisiete años, el 82 a.C., su tío Mario, cabeza del partido popular, fue derrotado por Sila en una espantosa guerra civil que elevaría a este último a la dignidad de dictador. El joven pertenecía, pues, a una noble familia afiliada al bando de los vencidos, aunque hasta entonces había podido sustraerse a las denuncias de sus adversarios y a la cruenta venganza de Sila. No obstante, al contraer matrimonio con Cornelia, hija de Cina, un encarnizado enemigo del dictador, se decidió a contravenir la inmediata orden de repudiarla enviada por Sila, y de ese modo ingresó en las listas de los proscritos, fue exonerado del cargo sacerdotal que ostentaba, hubo de exilarse y esconderse, y vio cómo se le arrebataba impunemente la dote de su esposa. Perseguido, enfermo y obligado a ocultarse cada noche en un lugar distinto, consiguió durante algún tiempo burlar a sus hostigadores, aunque en ocasiones hubiera de recurrir al soborno. Por fin obtuvo el perdón a regañadientes del hombre que gobernaba los destinos de Roma, el cual había columbrado enseguida el temible porvenir del muchacho cuando afirmó que *Caesari multos Marios ines-*

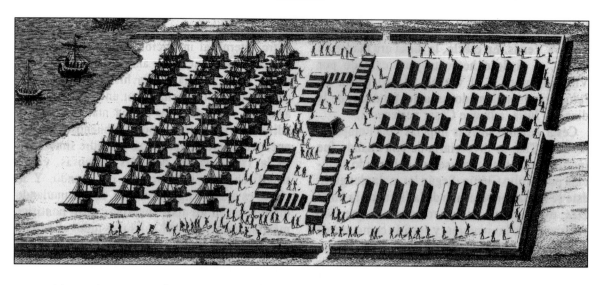

Además de un extraordinario estratega militar, Julio César fue un escritor de estilo elegante, como lo demuestran sus extraordinarias campañas de las Galias y Britania, a la que pertenece este

grabado del siglo XVII que recrea su desembarco en Inglaterra, y libros como el De bello gallico, *del que Cicerón dijo que era «sobrio, sin artificio», «como un cuerpo que se hubiera despojado de su vestimenta».*

se, «en César hay muchos Marios», queriendo significar con esa frase el formidable peligro que entrañaba su resuelta personalidad.

Aunque salvado de la primera embestida del destino, sucumbió pronto a los reveses de la fama. Mientras realizaba su primer servicio militar en Asia, fue enviado por el pretor Marco Termo con una embajada a la suntuosa y corrompida corte del rey Nicomedes en Bitinia, y una vez cumplida su misión encontró un pretexto para volver a ella. No tardó en extenderse el rumor de que se había entregado a las veleidades sodomitas del monarca, lo que le procuró las injurias de todos y manchó gravemente su reputación. Sus enemigos le recordarían a menudo este oprobioso episodio, llegando a bautizarle con el infamante sobrenombre de *Bithynicam reginam*, «reina de Bitinia».

Pero de su arrojo y valentía en la batalla también dio muestras precoces y fehacientes, obteniendo en la toma de Mitilene, la actual isla de Lesbos, una corona de hojas de roble como reconocimiento a sus méritos bélicos.

Luego sirvió en Cilicia, de donde regresaría precipitadamente a Roma enterado de la muerte de Sila y con el propósito de sumarse a la inminente revuelta encabezada por Marco Lépido. Sin embargo, no participó en la revuelta por des-

confianza hacia el carácter de su principal promotor y por juzgar que la coyuntura no era favorable.

Consideró entonces que su formación aún no había sido completada y viajó a Rodas para estudiar retórica con Apolonio de Molón, un brillante y renombrado maestro quien encontró en su discípulo excelentes cualidades innatas para la elocuencia. Sólo Cicerón, que también había recibido lecciones de Apolonio, le superó entre sus contemporáneos en el arte de la oratoria.

Durante su viaje tuvo la desgracia de caer en manos de los piratas, quienes le impusieron un elevado rescate de 50 talentos. Enseguida envió a sus emisarios a juntar el dinero, pero hubo de permanecer durante cuarenta días en manos de sus secuestradores sólo con un médico y dos cubicularios, una suerte de ayudas de cámara, a sus órdenes directas. Durante este tiempo amenazó a los corsarios con que serían crucificados en castigo a su temeridad, y cuando, tras pagar el rescate, fue liberado en una playa, fletó inmediatamente una escuadra en su persecución. Cuando los hubo atrapado cumplió la promesa, dada en su cautiverio, pero indulgentemente los mandó primero degollar.

De la estirpe de Venus

De regreso en Roma, empeñó hasta su último sextercio en obtener su primer puesto público por sufragio popular. Nombrado por abrumadora mayoría tribuno militar, ayudó a los partidarios de restablecer la potestad tribunicia cuyas atribuciones habían sido grandemente menguadas por Sila, y así mismo consiguió la repatriación de los desterrados partidarios del insurrecto Marco Lépido. Más tarde, cuando ya había alcanzado la dignidad de cuestor —magistrado que tenía principalmente atribuciones fiscales—, pronunció un admirable discurso fúnebre tras la muerte de su tía Julia en el que hacía remontar su linaje a Venus. En efecto, la diosa era madre de Eneas, el piadoso héroe troyano cantado por Virgilio, quien a su vez era el progenitor de *Iulius*, también llamado Ascanio, fundador de la dinastía Julia, a la que César pertenecía.

César celebró nuevas nupcias con Pompeya, nieta de Sila; se divorciaría de ella cuando fue incriminada en un proceso por haber sido seducida por Publio Clodio. Según las malas lenguas, éste se había aprovechado de la fiesta de la *Bona Dea*, original solemnidad romana a la que sólo tenían acceso las mujeres, y vestido como una de ellas se había colado subrepticiamente en la casa de César. Éste no quiso dar crédito a la denuncia y absolvió a ambos del delito de adulterio en el que se habían visto inculpados. Todo el mundo se asombró de que aun así repudiara a su esposa, pero él contestó con una frase que se ha hecho famosa: «la mujer de César no sólo debe ser casta, sino parecerlo».

En ejercicio de sus funciones de gobierno se trasladó a la Hispania Ulterior. Cuentan que César lloró ante la estatua de Alejandro Magno, erigida en la ciudad de Cádiz, pensando en qué poco podía parangonarse su carrera con la del conquistador de Oriente y cuánto deseaba emular en su fuero interno al invencible general macedonio. No había nada que César ambicionara más que el poder político y la gloria histórica. En cierta ocasión quedó trastornado por un sueño en el que aparecía violando a su propia madre, pero los adivinos le profetizaron por ello buenos augurios, puesto que interpretaron que la madre simbolizaba la Tierra, madre de todas las cosas, y ello significaba que se adueñaría del mundo. Y lo cierto es que, vertiginosamente, fue

Después de conquistar la Galia, César tuvo que hacer frente a la rebelión de Vercingetórix. Relieve del siglo III a.C. que reproduce un enfrentamiento entre romanos y galos.

acumulando dignidades en los años sucesivos: edil, pontífice máximo, pretor, cónsul..., jalones todos ellos para hacerse con el poder absoluto en Roma. Al final de su vida había obtenido, violentando la ley, varios consulados seguidos, y disfrutaba de la dictadura perpetua, de la prefectura de las costumbres, del prenombre de Imperator, del sobrenombre de Padre de la Patria, de una estatua entre los reyes, de un trono de oro en la curia y de un mes designado con su nombre del que aún hoy hace uso el Occidente entero. Cicerón escribió en *Sobre los deberes* que Julio César repetía a menudo estos versos de Eurípides: «Cuando está de por medio un trono sé quebrantar el Derecho, fuera de este caso mi vida está consagrada al deber» (Libro III).

Alea iacta est

Todos sabemos que César conquistó las Galias y que escribió sobre ello un libro, *De bello gallico*, elogiado por Cicerón como «sobrio, sin ar-

La Vía Apia fue testigo del ir y venir de Julio César, descrito por Lucano como un hombre «fogoso e indomable», que iba allí «dondequiera que le llamara la esperanza o la cólera».

tificio, elegante», «como un cuerpo que se hubiera despojado de su vestidura». En aquella campaña, según afirma Plutarco, tomó mil ochocientas ciudades, venció a tres millones de adversarios, un millón de los cuales murió y otro fue hecho prisionero, y sometió bajo su égida a trescientos pueblos.

Al final de esta guerra y del libro, César ha de volver a Italia, pero duda si hacerlo acatando las órdenes del Senado o revolverse contra él, porque en Roma le estaban aguardando varias legiones al mando de su enemigo Pompeyo: «Nadie dudaba de lo que se tramaba contra César —escribe en las últimas líneas de su obra el propio César—; no obstante, éste decidió que debía soportarlo todo mientras le quedase alguna esperanza de decidir legalmente el conflicto antes de recurrir a las armas.»

En esa tesitura, vacilante e indeciso, se hallaba frente al pequeño río Rubicón, que separa la Galia Cisalpina de Italia, cuando, según unos por su proverbial osadía y según otros por imperativo de los hados, fue presa de un impulso irrefrenable y arrastró sus tropas tras de sí exclamando *Iacta alea est*, «¡la suerte está echada!». Esta acción desencadenaría la guerra civil: ocupó Picenas, Umbría y Etruria, se dirigió a Brindisi a interceptar el paso a Pompeyo, aunque no lo consiguió, y volvió sobre sus pasos para entrar en Roma, convocó al Senado e impuso sus condiciones. La batalla definitiva tendría lugar en Farsalia, epopeya cantada por Lucano en versos inmortales. El poeta describe a Pompeyo «en el declinar de sus años hacia la vejez», como «sombra de un gran nombre», y a César como «fogoso e indomable», un hombre que acudía a actuar «dondequiera que le llamara la esperanza o la cólera». Allá se encontraron «enseñas leonadas frente a enseñas iguales y hostiles, idénticas águilas frente a frente y picas amenazando idénticas picas». Plugo a los dioses que la victoria se inclinase a favor de César. Por fin, persiguió a su enemigo hasta Alejandría donde, finalmente, se lo entregaron ya muerto.

En aquella prodigiosa ciudad egipcia topó con la nariz de Cleopatra, remontó con ella el Nilo y se hubiera demorado mucho más en tan placentera compañía si sus tropas no hubiesen dado muestras de impaciencia. Venció a los enemigos de la reina en circunstancias adversas, la elevó al trono de Egipto, engendró en ella un hijo que se llamó Cesarión y la llevó a Roma para desesperación de los moralistas. Antes de su regreso, hubo de sofocar también la rebelión de Farnaces, hijo de Mitrídates, que se había levantado en el Ponto. Cinco días después de llegar, le presentó batalla y en unas cuantas horas devastó las tropas enemigas. Inmediatamente cursó al Senado romano una célebre y lacónica relación de los hechos: *veni, vidi, vici*, «llegué, vi, vencí». Jamás fue derrotado personalmente en ningún combate que entablase, aunque sí lo fueran sus generales, y en sus últimas intervenciones como estratega venció a Escipión y a Juba, que intentaban reanimar en África los vestigios del partido desbaratado durante la guerra civil, así como a los hijos de Pompeyo en Hispania.

Como consecuencia de esta última lid disfrutó los honores del triunfo en Roma por quinta vez, porque la primera había sido para celebrar su victoria sobre los galos, en cuyos festejos accedió al Capitolio flanqueado por cincuenta elefantes portadores de antorchas. Estos festejos solían ir acompañados de grandes muestras de munificencia por parte del homenajeado, que ofrecía dinero a espuertas, colaciones suntuosas y magníficos espectáculos. Suetonio los describe: carreras de cuádrigas, bigas y carros, representaciones mímicas, riñas entre fieras salvajes, contiendas de gladia-

Julio César, quien nunca fuese personalmente derrotado en ningún combate, entró triunfante en Roma en diversas ocasiones, para celebrar, con grandes festejos y honores, sus importantes fastos, victorias y éxitos militares.

dores y naumaquias, (batallas navales organizadas en un lago artificial...).

En los últimos años de su vida despertó la suspicacia de sus enemigos, temerosos de que la abrumadora acumulación de cargos y privilegios que recaían en su persona terminase por darle la puntilla a la desvencijada República y César se proclamase a sí mismo rey. De hecho, algunos comentaristas ponen en su boca estas jactanciosas y desafiantes palabras: «La República no es nada, es sólo un nombre sin cuerpo ni figura». Pese a todo, este hombre que resistía la fatiga más allá de lo verosímil, bebía morigeradamente y había acaparado una rica colección de joyas y antigüedades —se decía que había hecho incursión en Bretaña con la sola esperanza de hallar perlas en la isla— en tiempos de paz se ocupó de administrar justicia con probidad, embelleció Roma, enmendó el calendario dejándolo en 365 días al año con uno de cada cuatro bisiesto tal como aún

lo respetamos hoy y se entregó con incontinencia a los placeres sensuales. Muchas fueron según la florida leyenda las mujeres de la nobleza que sedujo, pero su favorita fue Servilia, a quien benefició con lujosos regalos. Este amor sufriría un patético revés en el instante mismo de su muerte, cuando descubrió al hijo de aquélla, Bruto, a quien había acogido como hijo adoptivo y colmado de honores, formando parte de los conjurados en los idus de marzo para dar muerte al dictador. La sanguinaria escena, augurada por los adivinos y que desataría una nueva guerra fratricida, acredita, siguiendo la descripción de Suetonio, la postrera elegancia del héroe: «Entonces, al darse cuenta de que era el blanco de innumerables puñales que contra él se blandían de todas partes, se cubrió la cabeza con la toga, y con la mano izquierda hizo descender sus pliegues hasta la extremidad de las piernas para caer con más dignidad.

100 a.C.	13 de julio: nace **Cayo Julio César.**
82-79 a.C.	Dictadura de Sila. César es nombrado sacerdote de Júpiter. Rompe su compromiso con Cosutia y se casa con Cornelia. Sila lo persigue.
78 a.C.	En Bitinia se convierte en el amante de Nicomedes.
75-74 a.C.	Viaja a Rodas para recibir lecciones de retórica de Apolonio de Molón, maestro de Cicerón.
73 a.C.	Es elegido tribuno militar.
69 a.C.	Muere Cornelia tras quince años de matrimonio.
68 a.C.	Muere su tía Julia. Ingresa en el Senado como cuestor de la Hispania Ulterior.
63 a.C.	Conjuración de Catilina.
60 a.C.	Inicio del llamado «Primer Triunvirato», acuerdo secreto entre Pompeyo, Craso y César.
58-51 a.C.	César conquista las Galias.
55-54 a.C.	Campañas de César en Bretaña.
49 a.C.	César cruza el Rubicón.
48 a.C.	Batalla de Farsalia. Muerte de Pompeyo. César, dictador.
47 a.C.	El 2 de agosto derrota en Zela a Farnaces.
45 a.C.	Se celebra en Roma el triunfo de la última victoria de César sobre los hijos de Pompeyo.
44 a.C.	El 15 de marzo es asesinado por los senadores, entre los que se halla su hijo adoptivo Bruto.

Cleopatra
(69-30 a.C.)

La hermosa Cleopatra utilizó todo su talento intelectual y su capacidad de seducción para obtener el poder en Egipto, de donde fue su última reina.

En las intrincadas callejuelas de Alejandría reina la confusión, el terror de los vencidos y el tiránico albedrío de los soldados victoriosos. Octavio, el futuro Augusto, ha dado caza por fin a los sediciosos amantes derrotados en Actium, y todos buscan afanosamente a la odiosa Cleopatra y al hombre más noble de la Tierra, a Marco Antonio, quien en los últimos meses se ha entregado, según las noticias, a una negra misantropía.

El suicidio de un dios

Desde que el vengador de César huyera vergonzosamente de la batalla de Actium para seguir la nave de su amante, traicionando así la confianza depositada en él por su tropas, había edificado en el puerto occidental un templo en honor de Timón *el Misántropo*, había fundado una patética secta de adeptos al suicidio, en fin, había perdido la cordura. El glorioso romano que engrandeció Oriente, que conquistó Fenicia, Celesiria, Chipre, una parte de Cilicia, de Judea y de Arabia, el mismo que fue deificado en Éfeso, se había escabullido y buscado un lugar solitario para ejecutar su última voluntad. Octavio encontró su cuerpo inerte, arrojado con serena determinación sobre su espada, y todos se sobrecogieron ante el imponente espectáculo del suicidio de un dios. Pero, ¿dónde se había refugiado Cleopatra?

Cleopatra contaba sólo diecisiete años cuando fue entronizada reina de Egipto (51 a.C.), un imperio agonizante tras cincuenta siglos de esplendor. Previamente había contraído matrimonio, según la costumbre, con su hermano Tolomeo XIII, impotente y cómico monarca a sus tiernos diez años. Mudado en jardín de infancia, el suntuoso palacio alejandrino permanecía no obstante alerta ante el incierto duelo entre César y Pompeyo, de cuyo resultado dependían los destinos del mundo. Por su parte, el preceptor del joven Tolomeo, el eunuco Potino, conspiraba para gobernar por su cuenta.

Mujer culta, altanera, ladina y ambiciosa, dotada por la naturaleza y el artificio de las más bellas y peligrosas prendas, Cleopatra hablaba numerosos idiomas, incluidos el latín, el hebreo y el árabe. Había convertido en su amante a Cneo Pompeyo, primogénito de Pompeyo *el Grande* y cabeza de una breve pero asombrosa lista de generales seducidos por su majestad y su ingenio. Con su ayuda pretendía asumir el poder en solitario, pero esta primera mano de su triunfante carrera como tahúr le costará el exilio. No se dio por vencida y, cuando ya se preparaba para asestar un nuevo golpe a las tropas leales a su hermano, recaló en las costas egipcias el vencido Pompeyo, quien confiaba en encontrar allí asilo pero que recibió pronto una muerte infausta. La inminente llegada de Julio César a Alejandría abrirá para Cleopatra las puertas monumentales de la Historia, que la temeraria muchacha no dudó un instante en traspasar vestida con el incorruptible traje de la leyenda.

El viejo y la niña

César, por entonces un hombre maduro, en la plenitud de su gloria y de su lucidez, se alojaba en las dependencias del antiguo palacio de la realeza egipcia y pasaba las noches en vela, bebiendo vino, temeroso de las bellaquerías de Potino. Un día, después de atardecido, recién arribada a puerto y en la sola compañía del siciliano Apolodoro, compareció ante su presencia Cleopatra. Para burlar a la guardia, venía enfundada en el más picante de los envoltorios, escondida dentro de un basto saco y arrebujada entre lujosas telas orientales.

Como Venus saliendo de su concha, poco a poco fue entreviéndose la piel sedosa, desnuda y perfumada de una pícara adolescente de veinte años. Luego la imaginación popular hablaría de la entrada triunfal de Cleopatra enrollada en ricas alfombras orientales, de una trampa calculada y original para deslumbrar al romano, pero la escena pudo ser en realidad mucho más tierna, accidental y doméstica.

Pero puesto que le iba a ser imposible gobernar desde el trono, Cleopatra se las ingenió para gobernar desde el lecho. Al lado de su amante resistió la feroz revuelta acaecida en la ciudad entre agosto del 48 y enero del 47 a.C., en una de cuyas tumultuosas refriegas perecieron bajo las llamas miles de preciosos libros de la gran Biblioteca de Alejandría. Habiéndose ahogado su hermano en la última batalla, Cleopatra se dedicó a hacer de cicerone para el vetusto extranjero y juntos remontaron con gran pompa el Nilo, hasta Etiopía, visitando las antigüedades egipcias. Tamaña exhibición de insolencia, que atrajo hacia la omnipotente pareja las más enconadas iras, se repitió tal vez luego en la opulenta Roma. El contradictorio mito fabricado alrededor de esta nueva y pérfida Helena quiere que la voluptuosa reina llevase su audacia tan lejos como para desfilar, fastuosamente engalanada, por las avenidas de la capital del mundo. Sea como fuere, en el aciago idus de marzo del año 44 a.C., su protector, el padre de su hijo Cesarión, es muerto por las dagas de los senadores, y de este modo se cierra un capítulo rutilante de su biografía para dar paso a otro aún más romántico, inmortalizado por Shakespeare en *Antonio y Cleopatra*.

Dueño Marco Antonio del Imperio tras vencer a los asesinos de César, la reina fue a encontrarse con él en Siria, y esta vez no se presentó ataviada de insinuantes promesas de placer, sino ostentosamente exornada de joyas en una barcaza de oro. Deslizándose sensualmente por las aguas, centro de una constelación de destellos, ofreció al rudo militar el espectáculo de su magnificencia, organizó para él una representación donde Afrodita, interpretada por la propia Cleopatra, aparecía rodeada de gracias y cupidos, y por fin se consumó la aparatosa seducción en la febril intimidad de la alcoba. Heredera de una lejana tradición sibarita, la reina se convirtió en la iniciadora del austero Marco Antonio a un sofisticado epicureísmo y, gracias a una astuta y deliberada volubilidad, mantuvo incesantemente encendida la pasión del romano. En un memorable pasaje del drama de Shakespeare, Cleopatra manda a una dama de su séquito en busca de Antonio con este sibilino recado: «Ved dónde está, con quién y qué hace; obrad como si yo no os hubiera enviado. Si le encontráis triste, decidle que bailo; si le halláis alegre decidle que he caído súbitamente enferma».

La Nueva Isis

La ciudad fundada por Alejandro en el siglo IV a.C. fue de nuevo entonces, durante un breve lapso de tiempo, la capital de Oriente, mientras la parte occidental del Imperio quedaba en manos del sobrino de César, Octavio. La reina dio a luz tres hijos, a los que puso significativamente los nombres de Alejandro, Cleopatra Selene y Antonio, que serían más adelante educados en Roma, y el hombre más poderoso del mundo fue elevado a la condición de dios, erigiéndose en su honor un templo, llamado luego Caesareum, que fue adornado con dos obeliscos antiguos conocidos como las Agujas de Cleopatra. Antonio, que durante este período adquirió y repudió a su esposa romana, Octavia, hermana de Octavio, hizo que Cleopatra fuera igualmente adorada como diosa con el nombre de Nueva Isis y Cesarión fue coronado con el rimbombante título de Rey de Reyes.

Los egregios amantes parecían disfrutar de un poder ilimitado, hasta el punto de que Pascal pudo escribir, muchos siglos después, aludiendo al

El desembarco de Cleopatra en Tarso *de Claudio de Lorena da una visión del histórico encuentro* *entre la reina de Egipto y Marco Antonio, el nuevo dueño del mundo una vez muerto César.*

rasgo fisonómico más llamativo de la reina, que los destinos humanos estuvieron sometidos a los caprichos más fútiles, porque «si la nariz de Cleopatra hubiera sido más corta, la faz de la Tierra hubiera cambiado».

Pero la historia cruenta arrasó la felicidad pública y furtiva de los amantes. En Roma, las noticias sobre sus excesos habían suscitado animadversión unánime, de la que el propio Horacio se hace eco con violentas invectivas. El poeta celebrará su muerte con el mejor vino del barril más viejo, porque, según él, Cleopatra estaba urdiendo los funerales y minando los cimientos del Imperio. Así escribe: «Una manada de hombres viciosos/ la mantenían en su demencia,/ y ella, embriagada por la Fortuna,/ creyó propicia tenerla siempre.»

Sin embargo, el revés de la Fortuna tiene un nombre y una fecha precisos, Actium, batalla librada el 2 de septiembre del año 31 a.C. En ella, las naves de Octavio descalabraron irreversiblemente el gigantesco ejército de Antonio. Al parecer, Cleopatra se habría puesto en fuga antes de tiempo, y su enamorado, preso de la desesperación, en un gesto indigno e infamante, la siguió.

El penúltimo acto de la tragedia está teñido de sordidez y es también el último de una fúnebre nobleza. El vencedor persigue implacablemente al enemigo; en la pareja se producen turbios resentimientos y desavenencias; al entrar Oc-

tavio en Alejandría, Cesarión es inmediatamente asesinado y Marco Antonio se da muerte. Nadie encuentra a la vencida reina, a la mujer más bella del mundo, a la lasciva y temible criatura que ha hecho vulnerables, con las añagazas de una concubina y las habilidades fascinadoras de una sacerdotisa, los bastiones más firmes del Imperio.

La sucia boca del áspid

Ahora todo había terminado. Cleopatra ya no era la adolescente caprichosa de la que se enamorase el infeliz Cneo Pompeyo, ni la deslumbrante joven que hacía las delicias del embelesado Julio César, ni la hábil cortesana que gobernaba desde el tálamo la voluntad de Antonio. No podía esperar a sus treinta y nueve años ni la compasión del fanático Octavio ni que sucumbiese al regalo de las caricias, la música y el perfume del ámbar. Pero le quedaba la dignidad y el orgullo de una raza sutil, el valor de enfrentarse a una muerte ritual ante el dolor y la admiración de sus damas Iras y Carmiana. Cleopatra se levanta y camina majestuosa, levemente, hacia la cesta de mimbre donde se agitan las sierpes rumorosas. Al levantar la tapa, un hedor animal provoca un mohín bajo la nariz más controvertida de la Tierra. Mira detenidamente, retadora y resigna-

Ante la presencia de sus damas Iras y Carmia-na, Cleopatra se hizo morder los senos por sendas serpientes, en una escena que

Jean-André Rixens inmortalizó en el lienzo, La muerte de Cleopatra (Museo de Bellas Artes de los Agustinos, Tolouse, Francia).

da, la piel viscosa y la forma extrañamente re-torcida del áspid. Luego descubre sus senos y una agónica voluptuosidad recorre sus entrañas. Toma con firmeza del cuello las inquietas serpientes. Ha sido una virgen temeraria, una bailarina hui-diza en la intimidad de la alcoba, una misterio-sa reina y una falsa diosa. Todo está consuma-do. Tiene los ojos abiertos. Con sombría noble-za aplica sobre sus pechos desnudos las bocas venenosas.

69 a.C.	Nace en Alejandría **Cleopatra**, hija del rey de Egipto Tolomeo XII Auletes.
51 a.C.	Cleopatra, reina de Egipto a la muerte de su padre.
49 a.C.	9 de agosto: derrota de Pompeyo en Farsalia y posterior asesinato en Egipto.
48 a.C.	Julio César, vencedor en Farsalia, entra en Alejandría.
48-47 a.C.	César y Cleopatra resisten las revueltas de la capital egipcia. Incendio de la Biblioteca de Alejandría.
44 a.C.	15 de marzo: asesinato de Julio César en Roma. Alianza de Cleopatra con Marco Antonio, gobernador de Oriente.
39 a.C.	Marco Antonio deifica a Cleopatra con el nombre de *Nueva Isis*.
31 a.C.	Augusto derrota a Marco Antonio y Cleopatra en la batalla de Actium.
30 a.C.	Tras la muerte de Marco Antonio, suicidio ritual de Cleopatra.

Lucio Anneo Séneca
(h. 3 a.C-65 d.C.)

Educado en el estoicismo, el gusto por el lujo del filósofo cordobés hizo que su conducta no siempre fuera un fiel reflejo de sus ideas.

S iglo y medio antes del nacimiento de Séneca (3 a.C), se había establecido en Córdoba, Hispania, la *gens Annaea*, una familia patricia (hombres de abolengo, amparados por el dios Júpiter) procedente de Roma que enseguida emparentó con los indígenas. Descendiente de ella era su padre, Marco o tal vez Lucio, que fue un retórico conservador de moral rigurosa perteneciente a la «orden ecuestre», la clase terrateniente privilegiada en las votaciones para la provisión de cargos públicos, aunque es muy probable que su adscripción a la misma fuera reciente. Su madre, la noble Helvia Albina, descendía de un opulento e ilustre linaje cordobés, acaso hispanorromano. Fueron sus hermanos Marco Anneo Noveto y Marco Anneo Mela, este último padre del poeta Lucano, autor de la *Farsalia*, impresionante monumento literario que canta la batalla decisiva de la guerra civil romana librada entre César y Pompeyo.

La familia se radicó en Roma durante la era de Augusto (27 a.C.-14 d.C.), donde el joven Lucio recibió hasta los dieciocho años una provechosa formación de retórica a cargo del orador Fabiano Papirio. No obstante, su verdadero mentor fue el filósofo estoico Attalo, y también recibió influencias del pitagórico Socion, aunque pronto, siguiendo su exacerbada inclinación hacia el lujo y las fortunas rápidamente amasadas, abandonó sus veleidades filosóficas en favor de las más rentables, desde un punto de vista crematístico, actividades abogadescas.

El irresistible ascenso de la sabiduría

A causa de sus endémicas dolencias, buscó un cambio de aires en Alejandría cuando contaba con poco más de treinta años, y fue a residir a casa de su tío, el prefecto Cayo Galerio, en la egregia ciudad helenística. A su regreso a Roma, reanudó sus prácticas como orador y también publicó *Del país y religión de los egipcios*, una obra que no ha alcanzado la posteridad. Obtuvo el rango de cuestor, magistrado que se ocupaba de la Hacienda pública, en el año 33-34, cuando los destinos del Imperio estaban en manos de Tiberio. En el período dominado por su sucesor, Calígula, Séneca adquirió una enorme reputación en el Senado, pero su suerte sufrió un grave revés al ser procesado por estupro, delito concerniente al comercio carnal con una menor, en la persona de Julia Livilla, por lo que fue condenado al destierro en la isla de Córcega.

Influido por estas amargas circunstancias, víctima del aislamiento y de la postergación, compuso sus tres célebres *Consolationes*, el tratado filosófico *De providentiae* y sus violentas y apasionadas tragedias. Siete años después, durante el frágil gobierno de Claudio, fue exonerado de su castigo y pudo volver a Roma, pero de su ingratitud hacia el emperador dejó prueba fehaciente en *Apocolocyntosis*, obra en la que Claudio aparece transformado en calabaza.

Fue preceptor del joven Nerón, que cuando disfrutó del rango imperial lo mantuvo como

Séneca, preceptor del joven Nerón, conspiró contra él y, tras fracasar, se suicidó. Muerte de Séneca, de Manuel Domínguez Sánchez (Museo de Arte Contemporáneo, Madrid).

auténtico timón del Imperio. No obstante, progresivamente el emperador irá adquiriendo los más abominables vicios y entregándose a toda suerte de depravaciones, y, por último, se convertirá en el verdugo de su maestro. Siendo testigo cotidiano de la degradación del incendiario de Roma, Séneca escribirá *De Clementia ad Neronem* y *De vita beata* asumiendo radicalmente los resignados preceptos del estoicismo. Mas en el ínterin, el pregonero de la moderación y de la austeridad se había enriquecido abusivamente si hay que dar crédito a las denuncias de que fue objeto por haber acumulado «trescientos millones de sextercios en cuatro años». A pesar de todo, permaneció en la corte durante ocho años, tiempo en que se ocupará de la redacción de *De tranquillitate animi, De otio* y *Naturales quaestiones*, antes de retirarse de la vida política convencido de la irreversible locura del emperador. Posteriormente corrigió las tragedias, escribió *Epístolas a Lucilio* y militó en las filas de Cayo Calpurnio Pisón para derrocar la infame y caprichosa tiranía de Nerón. Desbaratada la conspiración, fue condenado a quitarse la vida abriéndose las venas, al igual que otros sobresalientes literatos, como su sobrino Lucano y el autor del *Satiricón*, el elegante Petronio.

h. **3 a.C.**	**Lucio Anneo Séneca** nace en Córdoba, Hispania.
12 d.C.	La familia de Séneca se instala en Roma.
29	Se traslada a Alejandría para restaurar su precaria salud.
33-34	Obtiene la dignidad de cuestor y poco después el rango de senador.
42	Es procesado por estupro a causa de sus relaciones con Julia Livilla. Destierro en Córcega.
54	Nerón, discípulo de Séneca desde los once años, es nombrado emperador.
62	Séneca abandona la vida pública.
65	Conjura contra el régimen de terror capitaneada por C. Calpurnio Pisón. Son forzados a quitarse la vida los poetas Lucano y Petronio, autor del *Satiricón*. El filósofo sufre una muerte premiosa y truculenta ordenada por el emperador.

Carlomagno
(742-814)

Carlomagno hizo de la idea de la restauración de un imperio romano cristiano la causa que sentó las bases de la futura unidad europea.

C arlos *el Grande, Carolus Magnus* o Carlomagno, rey de los francos, emperador de Occidente, fundador de Europa, juez por derecho divino, «Nuevo David», guerreó durante toda su vida para apuntalar la difícil unidad de territorios dispares del continente que, sin embargo, volverían a desmembrarse poco después de su muerte. Ello no obsta para que su legendaria grandeza, convertida durante los siglos venideros en un auténtico mito, dejara indelebles huellas en la historia y fecunda simiente en la ulterior cultura europea. Hubo un renacimiento de las artes y de las letras en los siglos VIII y IX que con toda justicia lleva su nombre. Llamamos Renacimiento carolingio al asombroso florecimiento de una época en que comenzaron a proliferar los libros, manuscritos copiados minuciosamente en los monasterios, se reanudaron los estudios de la Antigüedad clásica y de teología, se crearon nuevas escuelas palatinas, se restableció el latín como lengua oficial y se fomentaron las artes liberales.

También fue enormemente influyente su visión de una Europa espiritualmente gobernada por la Iglesia de Roma y unida contra el peligro sarraceno. Pero, ante todo, Carlomagno fue ese hombre providencial y capaz por sí solo de dar un vuelco extraordinario e inopinado a los destinos de miles de sus contemporáneos y una referencia irrevocable a la legión de gobernantes que le sucedieron.

Como un héroe de cantar de gesta

Disuelto el Imperio Romano de Occidente en un mosaico de pueblos bárbaros, la historia de la denominada Alta Edad Media es un continuo entrechocar de pueblos belicosos y un permanente reñir por asentar los mojones en las inestables fronteras. Y hete aquí que una idea antigua y revolucionaria vino a poner en cuestión este estado de cosas. Fue la *renovatio imperio* o restauración del Imperio, una voluntad y un programa de Carlomagno para reconstruir el *imperium* sobre el *populus romanus*. Nuestro héroe de cantar de gesta se sintió llamado a gobernar el auténtico imperio cristiano, puesto que ya no se concebía un imperio romano que no fuera cristiano. Quiso ser, pues, al mismo tiempo que el descendiente legítimo de los monarcas francos, el sucesor remoto de los reyes hebreos del Antiguo Testamento y el demorado heredero de los emperadores romanos. Este infinito abolengo debió de serle reconocido por Harum al-Rashid, califa de Bagdad, cuando le regaló un juego de ajedrez, un reloj de agua y un elefante.

Carlos había sido el hijo bastardo del rey Pipino *el Breve* y Berta, hija de uno de sus oficiales, Cariberto, conde de Laon. Su madre era una mujer alegre y despreocupada, veinte años más joven que su amante, con el que legalizó la situación antes de dar a luz un segundo hijo, Carlomán. Su padre, empecinado en reunir un colosal imperio pero sin fuerzas para consolidarlo,

Pipino el Breve (junto a Carlomagno en la miniatura de un códice del siglo VIII) comenzaría la construcción del imperio carolingio que convertiría a su hijo Carlomagno en el artífice de Europa y Occidente.

de apoderarse de sus bienes, y por la aristocracia romana, que presionaba sobre las elecciones pontificias por razones mercantiles. A pesar de ello, cuando Desiderio, rey lombardo, puso en marcha sus intrigas para nombrar un papa de su agrado, encontró la oposición de los cardenales, que eligieron a Adriano, descendiente egregio de una familia senatorial y muy bregado en las dificultades propias de los tiempos tumultuosos. Así las cosas, Desiderio organizó sus tropas para tomar Roma en el verano de 772 y el papa lanzó una llamada de socorro a Carlomagno, que a la sazón estaba ocupado en la preparación de la campaña contra los irreductibles sajones. Éste envió rápidamente un emisario para advertir a Desiderio de que su acción hostil contra la Santa Sede constituía *casus belli*, motivo de guerra, lo que hizo vacilar a su adversario hasta el punto de que abandonó sus posiciones a las puertas de Roma y se dirigió a los Alpes para atajar el ejército enemigo en los pasos montañosos. Pero llegó tarde, cuando ya Carlomagno se dirigía imparablemente hacia el sur de Italia para poner cerco a la ciudad de Pavía.

En marzo de 777 Carlomagno decidió celebrar la fiesta de Pascua en Roma acompañado de un selecto grupo de caballeros. Cuando Adriano tuvo noticia de ello formó una comitiva, encabezada por él mismo con la cruz alzada seguido por los niños de las escuelas y de su propia milicia, y salió a recibirlo a dos kilómetros de la ciudad.

Al producirse el encuentro, Carlomagno descabalgó y se postró ante el pontífice para recibir su bendición. Luego el cortejo entró solemnemente en Roma cantando y agitando palmas hasta llegar a la antigua basílica de San Pedro, cuyos escalones besó Carlomagno uno a uno hasta alcanzar el atrio.

Todo ello iba encaminado a ratificar los antiguos acuerdos que su padre, Pipino *el Breve*, había establecido con las máximas autoridades eclesiásticas. Los francos se comprometieron a defender la Iglesia contra sus enemigos y le reconocieron a ésta soberanía sobre un extenso territorio circundante a Roma. Por su parte, Adriano concedió a Carlomagno el título de patricio romano, arrogándose un poder que pretendían monopolizar los bizantinos, quienes se consideraban los únicos herederos legítimos del Imperio,

murió a los cincuenta y cuatro años dejando inacabada su ambiciosa obra. Berta repartió entonces sus dominios entre sus dos vástagos, aunque Carlomagno se haría pronto con todo el territorio franco tras la muerte precoz de su hermano.

Su gran acierto fue permanecer fiel al papado desde el primer momento, sabedor de que constituía una inapreciable autoridad espiritual que le sería muy útil en el futuro para llevar a término sus grandiosos planes, y eso a pesar de que la curia romana pasaba por grandes apuros y estrecheces. La Iglesia se veía asediada al mismo tiempo por los vecinos bárbaros, que trataban

Los indómitos vascos, codo a codo con los sarracenos, derrotaron a las huestes de Carlomagno en Roncesvalles (miniatura de las «Grandes Crónicas de Francia», siglo XIV), donde murió el más valiente de los capitanes carolingios, el conde Rolando, cuyas gestas loa el Cantar de Roldán.

ya que habían venido ejerciendo su privilegio de nombrar emperadores ininterrumpidamente desde la época de Julio César. Carlomagno regresó luego a Pavía, donde imprimió una mayor dureza al asedio hasta lograr la capitulación de la ciudad.

Desiderio y sus hijas fueron internados en un convento, al tiempo que el rey franco se anexionaba el territorio y asumía también el rango de rey de los lombardos.

La forja de una leyenda

La esposa de Carlomagno, la reina Hildegarda, le dio varias hijas, pero no tuvo un hijo varón hasta el año 777, y a éste le puso el nombre de su abuelo, Pipino.

Carlomagno contaba a la sazón treinta y cinco años, edad a la que acarició su sueño más ambicioso, aunque sólo pudo ejecutarlo restringidamente. Al rey le llegaron noticias de que el emir de Barcelona, rebelado contra el de Córdoba, proponía una alianza a cambio de la plaza musulmana de Zaragoza. Ésta era la ocasión para librar a Europa de la amenaza sarracena, y el confiado Carlomagno emprendió ilusionado la más catastrófica de sus campañas. Hildegarda le acompañó hasta Burdeos, donde hubo de detenerse para dar a luz un segundo hijo que la historia conocerá como Luis *el Piadoso.* Cuando el monarca llegó a las puertas de Zaragoza se encontró, no con la rendición anunciada, sino con el más enérgico de los rechazos. Aunque puso sitio a la ciudad, la ardua conquista hubo de interrumpirse cuando

El Renacimiento carolingio supuso un florecimiento cultural y artístico. En este medallón de la catedral de Chartres, Carlomagno ordena erigir una iglesia consagrada al apóstol Santiago.

le llegaron nuevas alarmantes de otra frontera: un jefe sajón, Witikindo, se había sublevado, pasado a cuchillo a los sacerdotes cristianos y devastado una guarnición militar de los francos. Carlomagno decidió la retirada en 776, pero la vuelta estaría también salpicada de dificultades.

El famoso *Cantar de Roldán* refiere épicamente la gran matanza que el enemigo produjo en la retaguardia del ejército de Carlomagno cuando éste atravesaba los desfiladeros de Roncesvalles en su regreso a Francia por los Pirineos.

El héroe del inmortal poema, Roldán, era el más bravo y brillante de los capitanes de Carlomagno, además de su sobrino favorito. Su muerte está narrada con memorable belleza:

Li quens Rollant se jut desuz un pin
envers Espaigne en ad turnet sus vis.

O sea: «El conde Roldán se tiende bajo un pino y vuelve el rostro hacia España.» Y seguidamente se lee: «Se pone a recordar muchas cosas:

tantas tierras que como barón ha conquistado, la dulce Francia, los hombres de su linaje, a Carlomagno, su señor, que lo crió. No puede retener el llanto ni los suspiros; pero no quiere olvidarse de sí mismo y enumera sus pecados y pide perdón a Dios. Ofrece a Dios su guante diestro; San Gabriel lo toma de su mano. Le sostiene con el brazo la cabeza inclinada. Con las manos juntas ha ido a su fin. Dios envió a su ángel Querubín y a San Miguel del Peligro; junto con ellos viene San Gabriel. Llevan al paraíso el alma del conde.»

El guerrero cansado y el mago

A pesar de tan grande desdicha, Carlomagno atravesó rápidamente Francia para enfrentarse cuanto antes a la insurrección sajona. En aquel país persiguió tenazmente al rebelde Witikindo durante dos años antes de viajar por segunda vez a Roma, donde el papa estaba determinado a poner fin a las querellas de las imágenes y a reconciliar Bizancio con la Santa Sede. Fue recibido con grandes festejos y solemnidades; el papa bautizó y fue el padrino del pequeño Pipino; su hija Rothrude se comprometió con el heredero del trono de los Césares Constantino VI. Pero de nuevo Carlomagno hubo de volver precipitadamente a Sajonia a sofocar las osadas incursiones del feroz Witikindo, dejando para el futuro su programada coronación como emperador de Occidente.

Su devastación del territorio de los sajones fue esta vez sistemática: taló bosques, quemó aldeas, sentenció a cualquier sospechoso de complicidad con los rebeldes y en una sola tarde, en Verdún, segó la vida de 4.500 convictos.

Por fin, a finales del año 785, extenuado el ejército enemigo, Witikindo se presentó ante el conquistador para humildemente pedir clemencia para su pueblo.

Como siglos antes lo hiciera Vercingetórix, el noble Witikindo pidió que su sacrificio sirviera para salvar a los suyos, pero Carlomagno quiso deshonrar a su orgulloso enemigo antes de ejecutarlo y organizó una patética ceremonia donde fueron bautizados a la fuerza el jefe sajón y todos sus correligionarios. Poco después, en un lugar apartado, se les dio una muerte vil.

*En la Navidad del 800, Carlomagno fue corona-
do emperador de Occidente por el papa León III,
según el antiguo ritual romano. Tras*
*ceñir la corona de hierro lombarda en la cabeza
del rey franco, el Santo Padre se inclinó ante él en
señal de sumisión.*

Mientras tanto, en la península Itálica, el compromiso de la hija de Carlomagno con el joven
emperador de Oriente había sido roto, y el duque de Baviera intrigaba en el principado de
Benevento. El rey franco se dirigió inmediatamente al teatro de operaciones y sometió por
el terror al duque. Éste y su familia hubieron
de sufrir la afrenta de dejarse afeitar la cabeza
y fueron internados en un monasterio; Baviera
pasó a ser regida por gobernadores francos.

Más tarde Carlomagno, en una operación preparada minuciosamente, se internó desde Italia
y Alemania en el territorio eslavo, iniciando una
conquista que le llevó cuatro años y que le permitió apoderarse de ricos tesoros almacenados
por sus enemigos durante siglos de pillaje que
trasladó fatigosamente a Italia.

El prestigio y los beneficios que le reportaron
estas acciones coadyuvaron a la feliz consecución de sus planes, y también los escandalo-
sos acontecimientos del 25 de abril de 799. En
ese día el Santo Padre, mientras se dirigía a ca-

ballo desde Letrán a San Lorenzo, fue atacado por un grupo de sublevados que lo golpea-
ron y se lo llevaron detenido. A pesar de que
sus gritos y la huida de la guardia pusieron sobre aviso a sus amigos, que consiguieron libe-
rarlo aquella noche y devolverlo a su palacio
en un lamentable estado, la Cristiandad ente-
ra se estremeció por esta insolencia y esta pro-
fanación. Al año siguiente, cuando Carlomagno
contaba cincuenta y ocho años y estaba casado con Lutgarda, su cuarta esposa, fue finalmente coronado emperador de Occidente en
el día de Navidad. La ceremonia reprodujo cuidadosamente el ritual romano, vigente aún en
Bizancio. Después de ceñir la corona en las sienes de Carlomagno, el papa se inclinó ante él
reconociéndolo de ese modo como su dueño y
emperador. Una de sus primeras acciones como tal fue buscar, juzgar y castigar a aquellos
que habían participado en la infamante acción
llevada a cabo contra el pontífice en el año anterior.

El tiempo que le quedó de vida se consagró a la tarea de afianzar las fronteras en la península Ibérica contra los moros, en Alemania contra las tribus germánicas, en el Danubio contra los eslavos y en las costas contra los daneses y suecos. Antes de morir sólo le quedaba un hijo, Luis, a quien hizo coronar emperador y él mismo le ciñó la corona sin que interviniera el papa. Después del fallecimiento de Lutgarda no se volvió a casar, pero se le conocieron varias amantes que le dieron nuevos bastardos a los que reconoció. Aunque murió en enero de 814 su incesante leyenda, donde la historia se entrevera con grandes dosis de fantasía, ha pervivido durante más de mil años. Uno de esos hermosos cuentos lo recoge maravillosamente el narrador Italo Calvino en su libro *Seis propuestas para el próximo milenio*:

«El emperador Carlomagno se enamoró, siendo ya viejo, de una muchacha alemana. Los nobles de la corte estaban muy preocupados porque el soberano, poseído de ardor amoroso y olvidado de la dignidad real, descuidaba los asuntos del Imperio. Cuando la muchacha murió repentinamente, los dignatarios respiraron aliviados, pero por poco tiempo, porque el amor de Carlomagno no había muerto con ella.

El emperador, que había hecho llevar a su aposento el cadáver embalsamado, no quería separarse de él. El arzobispo Turpín, asustado de esta macabra pasión, sospechó un encantamiento y quiso examinar el cadáver. Escondido debajo de la lengua encontró un anillo con una piedra preciosa. No bien el anillo estuvo en manos de Turpín, Carlomagno se apresuró a dar sepultura al cadáver y volcó su amor en la persona del arzobispo. Para escapar de la embarazosa situación, Turpín arrojó el anillo al lago Constanza. Carlomagno se enamoró del lago Constanza y no quiso alejarse nunca más de sus orillas.»

742	Nace el futuro **Carlomagno**, primogénito de Pipino *el Breve* y de Berta, hija de Cariberto, conde de Laon.
768	24 de septiembre: muere Pipino. Carlomagno asume el poder junto a su hermano Carlomán.
771	4 de diciembre: muere Carlomán.
772	Comienza la guerra contra los sajones, que durará treinta años.
774	5 de junio: tras la capitulación de Desiderio, Carlomagno recibe la corona de hierro de los lombardos.
778	Tras el fracasado asedio de la plaza musulmana de Zaragoza, la retaguardia del ejército de Carlomagno es deshecha en el paso pirenaico de Roncesvalles.
781	Crea el Reino de Aquitania para su hijo Luis. Tasilón, duque de Baviera, tiene que reconocer la soberanía franca.
782	Carlomagno ejecuta a 4.500 sajones en Verdún.
785	Conquista de Gerona.
788	Se interna a Tasilón en un monasterio y se le confiscan todos sus bienes.
799	Sajonia es incorporada al Estado franco.
800	25 de diciembre: Carlomagno es coronado por el papa León III.
801	Conquista de Barcelona.
811	Conquista de Tortosa. Establecimiento de la Marca Hispánica.
813	Corona a su hijo Luis como sucesor.
814	Muere en Aquisgrán.

Marco Polo
(1254-1324)

El legendario Marco Polo sigue representando el arquetipo del viajero infatigable, cuyos relatos tienen la atmósfera de los cuentos maravillosos.

A finales del siglo XIII, Venecia seguía siendo una de las mayores potencias comerciales y marítimas del mundo. Era habitual escuchar allí, a la sombra de las cúpulas de ópalo, junto a los suntuosos palacios y a la vista de las doradas góndolas, las historias más extraordinarias y peregrinas. Pero las que contaba *maese* Marco Polo, recién llegado de los confines del mundo, eclipsaban a todas. Aseguraba haber visto extraer de las entrañas de la tierra, en la China, unas piedras negras que ardían mejor que la leña. Los venecianos, al oírle, se burlaban; para ellos, el carbón de piedra era una cosa de lo más fantástica. También hablaba de otra piedra que podía hilarse como si fuera lana, pero que era incombustible; sus oyentes reventaban de risa: aún más difícil de concebir que el carbón era el amianto. Tampoco le creían cuando describía una fuente que había contemplado en algún país remoto de la que no manaba agua, sino negrísimo aceite: sus conciudadanos no podían siquiera sospechar la existencia de los campos petrolíferos de Bakú.

Sin embargo, no era posible que un hombre, aun dotado de una portentosa fantasía, imaginara todo aquello. Marco Polo había regresado de sus viajes trayendo consigo grandes riquezas, entre las cuales quizás la más valiosa era la experiencia acumulada a lo largo de veinticuatro años de ausencia. Mil peripecias y hechos inverosímiles para sus contemporáneos cruzaban por su mente. Tenía mucho que contar, pues no en balde era uno de los más grandes viajeros que la humanidad ha conocido.

La saga de los Polo

Originarios de Dalmacia, los Polo se habían establecido en Venecia a mediados del siglo XI. No tardaron en integrarse en el dinámico mundo comercial veneciano, convirtiéndose en una familia de audaces mercaderes. El abuelo de Marco tuvo tres hijos: Andrea, Nicolás y Mateo. A ninguno de los tres les arredraban las fatigas ni las distancias si vislumbraban una sustanciosa transacción económica. Andrea, el primogénito, se estableció en Constantinopla y estableció fructíferas relaciones con los hombres de las caravanas que venían de lejanos países situados más allá del mar Negro. Las noticias que hablaban de las conquistas de los mongoles en el Asia Occidental hicieron pronto mella en su agudo sentido comercial, de modo que llamó a sus hermanos, que permanecían en Venecia, y les animó a no desaprovechar aquella magnífica ocasión de hacer grandes negocios. Mateo y Nicolás cerraron sus sucursales, se embarcaron en el viejo puerto de su ciudad y, con sus bártulos a cuestas, se adentraron en la inmensa llanura rusa conducidos por un guía. El viaje no fue fácil, pero los Polo eran una raza de pioneros infatigables; compraron aquí, vendieron allá, aprendieron extrañas lenguas y descubrieron nuevos mercados, recibiendo buen trato en todas partes y estableciendo provechosos acuerdos con los mongoles. Éstos, que tanto pavor causaban a la Cristiandad, resultaron ser unos hábiles administradores que vivían en paz con los pueblos sometidos. La muralla musulmana, que desde el siglo VII impedía todo contacto entre China y Occidente, no era ya más que una simple cortina. Los hermanos Polo habían sido los primeros en cruzarla con éxito.

El Gran Khan y el papa de Roma

En la ciudad de Bujara, en el corazón de Asia y a casi cinco mil kilómetros de distancia de su país de origen, Mateo y Nicolás se establecieron durante tres años entregados de lleno al comercio. Un día llegó hasta ellos una comisión enviada por el gran Kubilai Khan, cuyo imperio se extendía desde el mar Ártico hasta el océano Índico, y desde las costas del Pacífico hasta las fronteras de Europa Central. El Khan no había visto nunca europeos occidentales y era un hombre extremadamente curioso. Nieto del mítico Gengis Khan, Kubilai tenía 43 años cuando los Polo fueron conducidos a su presencia. Se trataba de un déspota inteligente y experimentado, excelente gobernante y buen general, que poseía además un espíritu ávido de conocimientos. Les hizo mil preguntas sobre las costumbres europeas, en especial sobre su religión y el papa de Roma, de quien había oído hablar en términos elogiosos. Para éste último les dio además un sorprendente encargo. Kubilai, demostrando que era sumamente abierto en materia religiosa, pedía al papa que le enviara cien hombres doctos en el credo cristiano, a fin de que tuviesen una controversia con los bonzos, los monjes budistas de su país, prometiendo convertirse él y su pueblo al cristianismo si demostraban que la suya era mejor religión. Y como prueba de su eclecticismo, pidió también a los mercaderes que le llevasen aceite de la lámpara del Santo Sepulcro.

Dispuestos a cumplir los encargos del Gran Khan, los hermanos Polo emprendieron el regreso, llegando a Venecia en 1269, tras catorce años de ausencia. La mujer de Nicolás había muerto, y él pudo llorarla abrazado al hijo nacido poco antes de su partida: se llamaba Marco, como su abuelo, y contaba quince años de edad.

Mateo y Nicolás permanecieron dos años en su patria. Se entrevistaron con el papa Gregorio X, quien escuchó distraídamente sus relatos sobre hombres amarillos de ojos oblicuos cuyo poderoso señor solicitaba el envío de cien sabios y no abrigaba ninguna hostilidad hacia la religión de Cristo. Accedió a escribir una respuesta de cortesía para el Khan y se limitó a permitir que un par de monjes les acompañasen en el siguiente viaje.

A comienzos de 1271, cansados de que nadie los tomara en serio y sintiendo de nuevo la llamada de la aventura, y, porqué no, del lucro, decidieron partir de nuevo hacia la corte del Gran Khan. El hijo de Nicolás, Marco, suplicó a su padre que le permitiera unirse a la expedición. Hacía dos años que escuchaba día tras día los relatos de los viajeros, y creía ciegamente en sus historias. Les había acompañado en la visita al papa y, aunque sólo tenía diecisiete años, estaba imbuido del espíritu de la familia. Nicolás no pudo negarse. Sabía que Marco era capaz de cualquier cosa, que poseía una curiosidad insaciable, una memoria privilegiada y una capacidad para sobreponerse a las contrariedades posiblemente mayor que la suya.

Gracias a los antiguos salvoconductos del emperador, los tres viajeros pudieron avanzar sin tropiezos. Sin embargo, los dos frailes que les acompañaban decidieron volver atrás a la primera señal del peligro. Los Polo continuaron su camino, que duró más de tres años, hasta que volvieron a encontrar al Gran Khan en Shang-Tu, donde había instalado su esplendorosa corte. Kubilai recordó perfectamente a sus amigos, leyó la carta del papa sin dar muestras de decepción por la ausencia de los cien sabios y puso el aceite del Santo Sepulcro junto a sus demás tesoros.

Favorito de Kubilai

Entre el Khan y el joven Marco se produjo muy pronto una corriente de mutua simpatía. «¿Quién es este gallardo muchacho?», había preguntado Kubilai al mayor de los hermanos Polo. Con orgullo, Nicolás había presentado a su hijo diciendo: «Es mi hijo, señor, y vuestro siervo.»

Tan satisfecho quedó el Khan con los mercaderes, que no les dejó partir y les nombró sus embajadores personales. Durante diez años, los tres Polo permanecieron a su lado sin que ninguna

El más grande viajero de la historia comenzó su periplo por el mundo cuando sólo tenía 17 años acompañando a su padre y su tío, que eran mercaderes venecianos. *Arriba,* Salida de una expedición desde Venecia, *según* Les livres du Graunt Caam, *siglo XIV (Biblioteca Bodleyana, Oxford).*

nube ensombreciera su amistad. Con frecuencia, Kubilai invitaba a Marco a sus mansiones de recreo o le llevaba consigo de cacería. También le nombró gobernador de la ciudad de Yangchow, y fue enviado en misiones especiales a Birmania, a las selvas de la China Occidental, a las fronteras del Tíbet e incluso a la India. Para entonces, Marco ya dominaba varias lenguas y dialectos orientales y podía, por lo tanto, recorrer sin intérprete los diversos países que se integraban en el vasto imperio mongol. Los vívidos y brillantes relatos de sus experiencias y la facilidad con que recordaba miles de detalles encantaban al Khan, aburrido de la monotonía de los informes de sus funcionarios.

Marco vio y describió la maravillosa civilización de la China medieval. Los adelantos de este país en relación a la Europa de la época pueden comprobarse por las cosas que el infatigable viajero recordaría luego como admirables y nuevas para él: calles amplias, papel moneda, rondas de policía por la noche, carruajes públicos, puentes de altura suficiente para permitir el paso de los barcos, desagües bajo las calles o caminos bordeados a ambos lados por árboles fragantes y exquisitamente cuidados.

El difícil regreso

Marco sirvió durante diecisiete años al Khan mientras su padre y su tío se enriquecían con el comercio. Discretos, eficientes y fieles, los tres venecianos jamás habían decepcionado a su señor, que sentía por ellos un verdadero aprecio. Se habían hecho ricos, pero se sentían cansados y tenían nostalgia de las suaves brisas del Adriático, del brillo de la cúpula de San Marcos, de la llamada de los gondoleros y del dulce acento de la lengua italiana. Ya era tiempo de regresar a la patria para gozar de su fortuna y establecer a Marco. La dificultad estribaba en encontrar un pretexto para separarse de Kubilai sin ofenderlo y, sobre todo, sin poner en peligro el precio de sus fatigas.

Con tal fin, los astutos mercaderes vendieron cuanto poseían, invirtieron el producto en piedras preciosas y confeccionaron tres vestidos forrados de guata, a la que cosieron las joyas. Luego de estos preparativos, esperaron una ocasión favorable, que no tardó en presentarse. El gobernador mongol de Persia, primo de Kubilai, había enviudado. La última voluntad de su esposa consistía en que la nueva consorte fuera escogida por el emperador entre los descendientes de Gengis Khan. Recibió este encargo Kubilai y designó a una hermosa princesa de diecisiete años, dando inmediatamente la orden de que fuera llevada hasta la lejana Persia. Los Polo se ofrecieron para cumplir esta misión. Marco acababa de regresar de la India y había traído valiosos informes. Era fácil, decía, llegar al golfo Pérsico costeando el continente para evitar los numerosos peligros que jalonaban las rutas terrestres. De mala gana, el Khan aceptó. Puso a disposición de los venecianos trece bajeles, tripulación y una escolta, les entregó una gran fortuna en oro y les confió a la doncella. Por fin, a mediados del año 1292, los Polo abandonaron Pekín. El viaje resultó desastroso. Durante la travesía se perdieron varios barcos y muchos tripulantes, pero los venecianos no eran hombres que se dejaran abatir por los obstáculos. Tras entregar a la princesa sana y salva a su prometido, prosiguieron su ruta, y llegaron al puerto de Venecia un día de invierno de 1295.

Un extranjero rico y charlatán

Cuando llamaron a la puerta de su casa, en el canal de San Juan Crisóstomo, alguien que no conocían fue a abrir. Durante su larga ausencia, sus parientes les habían creído muertos y sus bienes habían sido vendidos. Nadie reconoció a aquellos tres extraños peregrinos ataviados con ropas andrajosas y sucias. Las palabras de su dialecto véneto se les enredaban en la lengua, de modo que les suponían extranjeros.

Para probar su identidad, los Polo dieron un banquete al que invitaron a numerosas personalidades. Durante la velada cambiaron sus vestidos varias veces y, por último, se pusieron los harapos que les cubrían al regresar, descosieron los forros y mostraron sus riquezas ante la estupefacta concurrencia. Tal abundancia de zafiros, diamantes, rubíes y perlas fue para aquellos cresos mercaderes una prueba más tangible que todos los relatos del mundo. Los viajeros respondieron de buen grado a cuantas preguntas les fueron hechas. Su historia, sin embargo, pareció tan fantástica a todos, que en adelante, para designar a un charlatán, se solía decir en Venecia: «¡Éste es un Polo!»

Aunque tachados de fantasiosos, los Polo eran extraordinariamente ricos. Tanto, que cuando se suscitó la guerra entre Génova y Venecia, Marco armó una galera a su costa y la mandó como capitán. Pero el Marco Polo guerrero no tuvo tanta fortuna como el explorador y comerciante. En la batalla de Curzola cayó prisionero y fue llevado a Génova, donde fue obligado a desfilar descalzo por las empedradas calles antes de ser encerrado en un calabozo. A esta desgracia, sin

La insaciable curiosidad del joven Marco Polo, su gran tenacidad y su memoria privilegiada cautivaron al Gran Khan Kubilai, quien lo trató como a un amigo y le encomendó algunas misiones oficiales, narradas en el *Libro de las Maravillas del Mundo, al que pertenece esta ilustración.*

embargo, le debe Marco Polo parte de su celebridad. Porque fue durante su cautiverio cuando dictó el maravilloso libro de sus viajes. En efecto, un hombre de letras prisionero como él, Rusticello de Pisa, se sintió fascinado por sus narraciones y les dio forma durante las largas horas que ambos pasaron juntos en la cárcel genovesa. Al concertarse la paz, tres años después del desastre de Curzola, Marco fue puesto en libertad y regresó a Venecia con el manuscrito, lo hizo copiar por unos amigos y lo mandó editar con el título *Libro de las Maravillas del Mundo*. La narración obtuvo un éxito extraordinario, a pesar de que fue considerado como pura fantasía. Antes de que el gran viajero muriera, a los setenta años, le pidieron que rectificara sus embustes puesto que iba a encontrarse con el Creador. Su respuesta fue rotunda e hizo tragar saliva a su confesor: No he contado ni la mitad de lo que vi.»

Medio siglo después, otros viajeros confirmaron, punto por punto, lo relatado por Marco. Se requirió mucho más tiempo para que el halo de fábulas que rodeaba su libro se disipara. Y ciento cincuenta años después, su información de que un gran océano bañaba Asia por oriente sugirió a un marino la idea de que, navegando hacia occidente a través del Atlántico, era posible llegar hasta China. Se trataba de Cristóbal Colón y hoy sabemos que llevó consigo durante sus viajes un volumen de la fabulosa historia de Marco Polo.

El relato de la intensa actividad del puerto de Ormuz en el golfo Pérsico, que aparece en el Libro de las Maravillas del Mundo, *contribuyó, entre otros, a fomentar la idea de las fabulosas riquezas que poseía Oriente.*

1254	Nace en Venecia **Marco Polo**, hijo de Nicolás Polo.
1260	Primer viaje de Mateo y Nicolás a Oriente.
1261	Los dos hermanos Polo se establecen en Bujara.
1264	Mateo y Nicolás son llevados ante el Gran Khan.
1269	Los Polo regresan a Venecia.
1271	Nicolás y Mateo, acompañados por Marco Polo, dejan Venecia y emprenden su segundo viaje.
1275	Los Polo llegan a la corte de Kubilai.
1277	El Gran Khan nombra a Marco embajador y consejero privado.
1284	Misión de Marco en Ceilán y la India.
1292	Los Polo salen de Pekín con destino a Persia y Venecia.
1295	Mateo, Nicolás y Marco llegan a Venecia.
1296	Marco Polo es capturado y encarcelado en Génova.
1299	Paz entre Venecia y Génova. Marco Polo es puesto en libertad.
1324	Tras dictar testamento, muere en su ciudad natal.

Dante Alighieri
(1265-1321)

A mediados del siglo XIII Florencia era una pujante ciudad mercantil, dotada de autoridades e instituciones municipales propias, protegida por unas sólidas murallas y liberada del yugo del feudalismo. Considerada por el historiador Jakob Burckhardt «el primer Estado moderno del mundo», sus habitantes, sin embargo, se encontraban inmersos en las mismas luchas partidistas que sacudían a toda la península Italiana. En principio, los nobles eran gibelinos, partidarios de la unificación de Italia bajo la soberanía del Sacro Imperio Romano Germánico. Los burgueses, por el contrario, eran güelfos, patriotas urbanos que sostenían al papa en su lucha contra el emperador Federico II, pero se le oponían tan pronto como el pontífice amenazaba sus libertades municipales. Las sangrientas y enconadas batallas entre güelfos y gibelinos se sucedieron en Florencia a lo largo de toda la vida de Dante, y esta circunstancia histórica determinó su pensamiento y su actividad política e influyó notablemente en su obra. Pero iba a ser una mujer, o por mejor decir una niña, la máxima fuente de inspiración del poeta, su musa indiscutible y el crisol de todos sus ideales.

De genio irascible y lengua afilada, Dante concibió un mundo particular, en cuyo cielo o infierno destinó a los hombres, según sus propios sentimientos.

fo. La madre, hermosa dama de delicada salud, se llamaba Gabriella, aunque todos le daban el cariñoso nombre de Bella. Al parecer, el abogado no fue un marido demasiado atento y Bella se consoló con su hijo, a quien prodigó sus atenciones y su cariño de un modo exclusivo. Dante le correspondió con una pasión casi furiosa, llegando a despreciar a su padre y a considerarle un enemigo. El niño tenía ocho años cuando Bella enfermó y unos trece cuando murió. El abogado no tardó en reemplazarla por una indiferente madrastra y Dante se refugió en el sufrimiento y en el odio. Fue entonces cuando vio por vez primera a Beatriz, que se convirtió en la «gloriosa señora de sus pensamientos».

Beatriz, gloriosa señora

Se desconoce el día exacto del nacimiento de Dante, aunque debió de ser entre mayo y junio de 1265. Su padre era el abogado Alighiero de Bellincione, buen burgués y, por supuesto, güel-

Él tenía nueve años y ella ocho. Cualesquiera que fuesen los méritos de belleza y bondad de la niña, hija del banquero Portinari, Dante hizo de Beatriz su razón de ser y dejó que renaciese el amor infantil que había profesado a su madre, viviendo un idilio imaginario en el que intervenían fragmentos de fábulas, poemas y relatos escuchados de los labios de Bella. Curiosamente, la joven pareja no volvió a encontrarse hasta 1283, cuando Dante contaba dieciocho años; durante ese tiempo, la llama de aquella honesta pasión había continuado encendida en el pecho del muchacho, y el nuevo encuentro la avivó con virulencia. Además, en esta ocasión parece que Beatriz llegó a sonreír y hasta a saludar a Dante, lo que produjo en él un efecto extraordinario: la doncella pasó a ser definitivamente un símbolo poético, amoroso y religioso que Alighieri mantuvo vivo a lo largo de toda su existencia. De esas fechas datan sus primeros versos, fiel reflejo de su amor idealizado: «De los ojos de mi dama brota una luz tan bella, que donde ella luce se ven cosas inefables...».

Ni siquiera el compromiso y posterior matrimonio de Beatriz con el rico banquero Simón dei Bardi aplacó el platónico ardor que el recién estrenado poeta sentía en lo más profundo de su alma. Dante se refugió en el mundo maravilloso de su imaginación, compuso nuevas rimas para la dulce dueña de su corazón y se resignó a verla tan sólo cuando era voluntad del azar; las pocas veces que se encontraban en las calles de Florencia, ella le saludaba con una breve inclinación de cabeza y Dante volvía a ser el hombre más feliz del universo.

Sus poesías fueron rápidamente difundidas y apreciadas. Los jóvenes las recitaban en sus reuniones y Beatriz, al escucharlas, se reconoció en ellas. En su dignidad de mujer virtuosa, desposada y gazmoña, se ofuscó por haber inspirado una pasión culpable y, al tropezarse un día con su admirador, volvió su linda faz hacia otro lado. Dante, privado de su único consuelo, casi enloqueció de tristeza: ya no podría consolar su sed de amor mirando fugazmente el rostro angelical de su amada en aquellos breves encuentros. Pero esto no fue todo: meses después, Beatriz cayó enferma y no tardó en exhalar su último suspiro. Dante, que acababa de cumplir veinticinco años, sólo pudo seguir apartadamente el cortejo fúnebre y acercarse a su tumba cuando todos se fueron para pronunciar su última bendición.

Matrimonio y política

Dante se extravió, según él mismo cuenta en la primera estrofa de la *Divina Comedia*, en «una selva oscura», en una vida crapulosa y disipada. Él, que había sido hasta entonces un enamorado lleno de espiritualidad, se rodeó de numerosas amantes y permitió que su alma se abandonara a los placeres. Tres años después de la muerte de su amada se casó sin amor, por cansancio, con Gemma Donati, a quien su padre le había elegido como esposa tiempo atrás. Gemma descendía de una antigua familia florentina y sentía por el poeta una admiración tierna y apacible. Respetaba

sus cambios de humor y parecía admitir que su marido no era como los demás hombres. Gracias a ella, Dante escapó durante algunos meses de la «oscura selva» y llevó una existencia normal. Al mismo tiempo terminó la *Vida Nueva*, obra mitad en prosa mitad en verso donde se dedicaba a cantar su amor por Beatriz.

Dante resolvió interesarse por la vida municipal, tal como le permitían su nombre y sus relaciones. El 14 de diciembre de 1295 fue elegido miembro del Consejo del Capitán del Pueblo de Florencia y al año siguiente entró a formar parte del Consejo de los Ciento y se le encargaron misiones diplomáticas. Sus amigos y parientes se felicitaron por aquella actividad, que devolvía a su puesto en la sociedad al prometedor descendiente de una familia honorable. Por desgracia, Dante no justificó las esperanzas que los suyos habían puesto en él. Disipó rápidamente sus rentas, la herencia paterna y la dote de su mujer, se alejó de Gemma Donati, que le había dado cuatro hijos, porque le aburría, y

Por su nombre y condición, Dante, hijo del abogado florentino Alighiero de Bellincione, decidió participar en la vida política y, el 14 de diciembre de 1295, fue elegido miembro del Consejo del Capitán del Pueblo de Florencia, y más tarde del Consejo de los Ciento. Grabado de la ciudad de Florencia del siglo XV.

se cargó de deudas. Sin embargo, una serie de acontecimientos de orden político iban a transformar su vida dispendiosa y mortecina de Dante Alighieri de un modo radical.

El anuncio de que el ambicioso papa Bonifacio VIII deseaba apoderarse de Florencia cayó sobre la ciudad como un mazazo. Sus emisarios se habían introducido en el Consejo de los Ciento y trataban de inclinar la balanza a favor de los güelfos negros, partidarios de la anexión a los Estados Pontificios. Dante se opuso a esta acción y fue nombrado embajador ante el pontífice, pero no pudo impedir que Corso Donati, jefe de los güelfos negros, iniciase una feroz venganza contra los

blancos después de que el papa tomase la ciudad por la fuerza en noviembre de 1301. Dante se hallaba retenido en Roma y escuchó consternado las noticias procedentes de Florencia. Acusado de diversos delitos, el poeta fue desterrado de la ciudad junto con otros seiscientos güelfos blancos partidarios de la independencia. Se le condenó al pago de una cuantiosa multa, a no intervenir nunca más en los asuntos públicos y a permanecer dos años fuera de Florencia; en realidad, Dante no regresó nunca más, iniciando una vida errante entre Verona, Rímini y Rávena.

La vasta obra del exilio

Gemma permaneció en Florencia con sus hijos, pues su partida habría significado la confiscación general de los bienes del matrimonio. Dante anduvo errante entre palacios de amigos y monasterios. Abatido al principio por la injusticia de que había sido víctima, al cabo de algunos meses se sorprendió al encontrarse más ligero, liberado de la vida burguesa, de las preocupaciones cotidianas, de las veladas familiares e incluso de la política. Ahora podía encontrar la paz y volcar su inteligencia en la lectura, dejarse llevar por la fantasía, admirar durante horas las curvas de una escultura y escribir cuanto quisiera. Entre 1304 y 1305 comenzó dos libros: el *Convite* y la *Lengua Vulgar*. El primero, escrito en italiano, era un tratado enciclopédico mediante el cual se proponía divulgar la ciencia medieval; el segundo, redactado en latín, analizaba los diferentes dialectos de Italia y abordaba la cuestión de si la lengua romance era apta para la literatura, y en él Dante analizaba su propósito de escribir con minuciosidad y elegancia.

Tras viajar por diversas ciudades del norte de Italia sin quedarse por mucho tiempo en ninguna, se estableció en Lunigiana con los Malaspina, y luego en Casentino, como huésped del conde de Battifolle. Fueron días en los que Dante reflexionó sobre la amargura del exilio:

> *Sentirás lo salado que es el pan*
> *comido en el extranjero y qué duro es el*
> *camino*
> *De subir y bajar las escaleras de otros...*

Mientras soñaba en estancias anónimas y escuchaba ruidos desconocidos, sintió surgir en él un canto más real que la propia vida. Volvió su mente a la silueta de Beatriz, la adorada en su adolescencia, y su rostro le pareció más puro y más bello que nunca. Fue así como concibió uno de los más maravillosos poemas jamás escritos: la *Divina Comedia*. En esta obra, que comenzó a elaborar en 1307, Dante quiso erigirse en símbolo y espejo de la humanidad pecadora protagonizando un viaje al infierno, el purgatorio y el paraíso en compañía, primero, del poeta Virgilio, y luego, a partir del paraíso terrenal, de Beatriz, su compañera y guía celeste. La *Divina Comedia* es un periplo extraordinario por estos ámbitos, donde el hombre se enfrenta a sus pecados y a sus consecuencias, purificándose paulatinamente hasta llegar a la plena liberación espiritual, a la contemplación del origen y fuente de todo saber y toda perfección. Al mismo tiempo, Dante realizaba un examen de la historia contemporánea, dirigiendo su minuciosa mirada hacia los engranajes que pulsan y mueven la máquina del mundo y la vida: co-

dicias, usurpaciones, vicios e injusticias. Al abarcar el vasto y complejo cuadro de su época y convocar en su poema a decenas de personajes conocidos por todos, Dante pretendía conseguir que cada lector meditase sobre sí mismo y sobre su propia existencia, y para alcanzar este objetivo optó por servirse de la lengua florentina que cualquiera podía comprender, rechazando el culto y elitista latín. Afirmaba que la lengua llamada popular había evolucionado lo bastante para poder ser empleada con eficacia. Además, su contacto con la naturaleza, sus dotes de observación y las expresiones escuchadas y recogidas en calles, plazas y tabernas, daban a su estilo un carácter que habría sido imposible de alcanzar con el latín.

Bajo pena de muerte

Dante fue elaborando la primera parte de su poema, el *Infierno*, a medida que se trasladaba. Le gustaba ir a pie, con un hatillo a la espalda, uniéndose a las caravanas de mercaderes o a los grupos de peregrinos que encontraba en los caminos. Viajó por Francia y en la primavera de 1309 llegó a París, donde se sumergió en los ambientes universitarios y dedicó miles de horas a la lectura y a la redacción de su obra. Sin preocupaciones, perdido e ignorado, Dante trabajó en paz, llenando página tras página. De pronto, a finales de 1310 supo que el emperador de Alemania, Enrique VII, iba a ser coronado rey de Italia en Milán. Pensó que llegaba el momento y la oportunidad de regresar a Florencia, aunque, después de una ausencia de tantos años, poco le importaban la política local, su mujer y su futura posición. A principios de 1311 se presentó ante el emperador mientras los ejércitos alemanes proseguían una difícil campaña entre las ciudades italianas, tan pronto aliadas como hostiles. Dante no quería deber su regreso a los soldados extranjeros, pero deseaba una Florencia liberada de las ambiciones papales. Sin embargo, las tenues esperanzas del proscrito se vinieron abajo momentáneamente cuando, el 24 de agosto de 1313, Enrique VII murió envenenado mientras viajaba de Pisa a Nápoles.

Entretanto, sus poesías y muchas de sus cartas se habían publicado. Muerto Bonifacio VIII, aplacadas las luchas entre güelfos y gibelinos y habiendo alcanzado su reputación como escritor

Dante fue desterrado de Florencia y sus bienes confiscados por el ambicioso papa Bonifacio VIII, cuyas tropas habían ocupado la ciudad. El Papa, con su actitud despótica, se ganó un lugar en la fosa de los simoníacos en el Infierno del poeta. Arriba, Dante y su poema, de Domingo di Francesco, llamado Michelino da Besozzo, de la catedral de Florencia.

elevadas cotas entre sus contemporáneos, muchas voces se alzaron pidiendo el retorno de Dante a su patria. Gemma continuaba en Florencia, dispuesta a reanudar su vida en común; incluso sus hijos Pedro y Jacobo fueron a visitar a su padre, ávidos de compartir su fama y de rehabilitarle. En 1315, la Señoría de Florencia concedió una amnistía bajo ciertas condiciones para todos los desterrados, pero Dante consideró que se trataba de una concesión deshonrosa y no se acogió a ella. En represalia, el 15 de octubre, la Señoría dictó contra él sentencia de muerte y la hizo extensiva a sus hijos varones. El poeta reanudó su vida errante. Verona, Treviso, la Romaña y algunas ciudades de Toscana le vieron pasar sin detenerse más de lo estrictamente necesario. Al fin, en 1318 se estableció en Rávena bajo la protección de su amigo Guido Novello da Polenta, que gobernaba la ciudad. Fue entonces cuando empezó a escribir en latín la *Monarquía*, donde exponía sus teorías políticas. En agosto de 1321, Guido le confió una misión para la República de Venecia. Al regresar del viaje Dante cayó enfermo, víctima de las fiebres que a finales de cada verano se declaraban en aquellas insalubres regiones. Su gastado organismo no pudo superar la crisis. Sus hijos corrieron a su cabecera y le velaron hasta que la muerte le sobrevino, en la noche del 13 al 14 de septiembre, después de varios días en los que el poeta delirante no cesó de llamar con desesperación a Beatriz Portinari, como si la estuviera viendo al pie de su lecho. Las últimas hojas del manuscrito de la *Divina Comedia*, ya publicada por fragmentos, fueron halladas bajo su almohada. Entre ellas, la única mujer que había amado verdaderamente, no con el cuerpo sino a través del entendimiento, era exaltada por última vez: «... el amor me obligó a volver los ojos hacia Beatriz. Si cuanto hasta aquí se ha dicho de ella se encerrara todo en un solo elogio, sería poco para llenar su menester. La belleza que vi no sólo está por encima de nosotros, sino que tengo por cierto que sólo su Hacedor puede gozarla completa. En este pasaje me confieso vencido; más que nadie fue superado por un punto de su tema, fuese cómico o trágico, pues como el sol deslumbra la vista más débil, así el recuerdo de aquella dulce sonrisa enajena mi mente. Desde el primer día en que vi su rostro en esta vida hasta la presente visión, la he seguido con mi canto; pero conviene que desista de seguir su belleza con mi poema, como el artista que ha llegado al último punto de su arte.»

Dante es autor de la Divina Comedia, *gran poema que consta de tres partes (Infierno, Purgatorio y Paraíso). Arriba, una ilustración del Canto X del Purgatorio (Biblioteca Nacional de Florencia).*

1265	Nace **Dante Alighieri** en Florencia.
1275	Se produce su primer encuentro con Beatriz Portinari.
1277	Gemma Donati es elegida prometida de Dante.
1278	Muere su madre Bella.
1283	Dante encuentra a Beatriz por segunda vez. Comienza a escribir poesía.
c. **1290**	Muere Beatriz.
1293	Contrae matrimonio con Gemma Donati. Termina la *Vida Nueva*.
1296	Es elegido miembro del Consejo de los Ciento de Florencia.
1301	El papa Bonifacio VIII toma Florencia. Los güelfos blancos son desterrados de la ciudad.
1304-1305	Empieza a escribir el *Convite* y la *Lengua Vulgar*.
1307	Siendo huésped del conde de Battifolle inicia la redacción de la *Divina Comedia*.
1309	Se traslada a París.
1311	Dante se entrevista con el emperador Enrique VII.
1315	La Señoría de Florencia dicta contra él sentencia de muerte.
1318	Se establece en Rávena y empieza a escribir la *Monarquía*.
1321	Termina la última parte de la *Divina Comedia*. Muere en la noche del 13 al 14 de septiembre víctima de unas fiebres contraídas en Venecia.

Santa Juana de Arco
(1412-1431)

Juana de Arco, una pastorcilla de Lorena, alteró el curso de la guerra de los Cien Años gracias a una milagrosa fuerza que la condujo al martirio.

La vida de Juana de Arco bien pudiera ser una ficción imaginada por el desconocido autor de un poema épico en el que una humilde pastorcilla oye voces sobrenaturales y, guiada por ellas, decide salvar a su patria para acabar ignominiosamente procesada y quemada en la hoguera. Sin embargo, los franceses saben mejor que nadie que aquella simple campesina fue real y obró prodigios tales que acabaron por convertirla en heroína oficial de su país. Aun aquellos que vieron en ella una neurótica víctima de las alucinaciones o una joven ingenua engañada por los curas, no pudieron ocultar la admiración que les suscitaba la Doncella. Por ejemplo, el escritor Anatole France, librepensador y anticlerical, escribió: «Dio su vida por una idea, sobrevivió a su causa y su devoción permanece como ejemplo imperecedero. Sufrió el martirio, sin el cual nada de grande ni de útil han fundado los hombres en el mundo. Ciudades, imperios y repúblicas se basan en el sacrificio. No carece, pues, de motivo ni de justicia que Juana haya llegado a ser el símbolo de la patria en armas.»

Una época turbulenta

Nació en el año 1412, probablemente el 6 de enero, día de la Epifanía, en la aldea lorenesa de Domrémy. Sus padres, campesinos de modesta condición, tuvieron cinco hijos, la penúltima de los cuales era Juana, a la que llamaban Jeannette. Desde muy pequeña se ocupó de las labores del campo y de los menesteres caseros, de modo que no tuvo tiempo de aprender a leer ni escribir. Su madre se encargó de iniciarla en las reglas del comportamiento honesto y le enseñó el padrenuestro, el avemaría y el credo, con lo que dio por terminada su instrucción. El fruto fue una joven profundamente devota y propensa a arrodillarse y rezar recogidamente en todo lugar y ocasión propicios.

Los caóticos tiempos que sacudían Francia eran también perceptibles en Domrémy, pues junto a la aldea discurría el antiguo camino romano que cruzaba el río Mosa uniendo las tierras de Bélgica, Renania y Borgoña. Las bandas de hombres armados y frailes peregrinos que transitaban esa ruta se detenían con frecuencia y hablaban de los crímenes y saqueos que habían presenciado. Los reyes de Inglaterra reclamaban la corona de Francia y desde hacía tres cuartos de siglo ambos países estaban empeñados en una contienda que habría de llamarse la guerra de los Cien Años. Gran parte del territorio francés se encontraba bajo el dominio del duque de Borgoña, Juan *Sin Miedo*, que había renegado de su sangre aliándose con los ingleses y reconociendo a Enrique V de Inglaterra como rey de Francia.

El descalabro francés se había iniciado en 1415 con la batalla de Azincourt, quizás la más sanguinaria de la época, en la que pereció la flor y

La carrera de Juana de Arco fue corta pero gloriosa. Sus victorias en el campo de batalla fueron fruto de una combinación de coraje, fe y sentido común.

la nata de la caballería gala, dejando diez mil hombres sobre el campo. Los ingleses resultaron vencedores y obligaron a firmar a los derrotados el tratado de Troyes, que equivalía al fenecimiento de la corona francesa. Catalina, hija del rey de Francia Carlos VI, se había casado con el monarca inglés, Enrique V. En 1422 los dos reyes murieron. El heredero inglés, Enrique VI, era un niño de diez meses que asumió también la corona de Francia, siendo representado en París por un regente, el duque de Bedford. Por su parte, Carlos VI, el rey demente, dejaba el trono a un hijo enclenque y enfermizo, declarado ilegítimo por su propia madre, Isabel de Baviera. El delfín, detestado por los borgoñeses, parecía condenado a no ceñir nunca la corona de su país y a presenciar impotente cómo su reino pasaba a manos de los ingleses.

Entretanto, no había moneda, ni policía, ni justicia. Los habitantes de los pueblos habían de protegerse a sí mismos y tener preparados refugios en los bosques. Bandas de soldados hambrientos erraban por los caminos exigiendo rescates y saqueándolo todo. Sólo un milagro podía resolver la situación en favor de los franceses, y ese milagro iba a producirse en la pequeña aldea de Domrémy.

El mandato de Dios

Al cumplir trece años, Jeannette comienza a oír las famosas «voces» de las que tanto se hablará en su proceso. Un soleado día de junio, encontrándose en el jardín de su casa, una intensísima luz la envuelve y el arcángel San Miguel, patrón del delfín, se aparece ante ella vestido de caballero, anunciándole que Santa Catalina y Santa Margarita le acompañarán en próximas apariciones para darle instrucciones según la voluntad de Dios. En efecto, en los tres años siguientes las dos santas departirán con ella a menudo, invitándola a comportarse honestamente y aleccionándola en temas religiosos. Por fin, cuando Juana acaba de cumplir diecisiete años, el arcángel comparece de nuevo para ordenarle ir en auxilio del delfín y liberar la ciudad de Orléans, sitiada por los ingleses. Sus palabras fueron:

— Ve a buscar a Robert de Baudricourt, jefe de la fortaleza de Vaucouleurs. Él te proporcionará soldados para cumplir tu misión. Se negará al principio, pero cederá a la tercera tentativa. Yo te protegeré y te conduciré a la victoria.

Sin decir nada a sus padres, Juana se dirigió a Vaucouleurs, lugar situado a dieciséis kilómetros de su aldea, en compañía de un tío suyo. Una vez allí se presentó a Baudricourt, que la tomó por loca, le propinó dos sonoras bofetadas y ordenó a su acompañante que la llevara de regreso a casa. Pero en Domrémy las voces y las apariciones se repitieron insistentemente. Tras una segunda intentona fallida en la que también fue despedida, aunque esta vez más cortésmente, Juana repitió la visita el 12 de febrero de 1429. El señor de Vaucouleurs había escrito a Chinon, en cuyo castillo residía el delfín, anunciando que una muchacha de su feudo tenía visiones celestiales y pretendía ser capaz de liberar Orléans y hacer coronar al heredero en Reims. La respuesta fue clara: en aquellos momentos angustiosos era preciso escuchar a todo aquel que hablase de valor y de resistencia.

Así pues en su tercera visita Juana fue atendida. Primero, como medida preventiva, fue sometida a una sesión de exorcismo en presencia de varios testigos. Como quiera que la muchacha no se moviera ni pronunciara palabra sacrílega alguna, el oficiante concluyó que su alma estaba limpia y que las voces que oía no eran diabólicas. Impresionado por la firmeza de Jeannette y deslumbrado por el aura milagrosa que la rodeaba, Baudricourt accedió a proporcionarle la guardia militar solicitada. Juana se hizo cortar el cabello como un varón y, animada por las voces que le repetían «¡Avanza sin temor!» emprendió camino hacia Chinon. El delfín, un joven tímido y vacilante marcado por la traición de su madre y la locura de su padre, y acosado por sus poderosos enemigos, la recibió recurriendo a una treta para desconcertarla. Cuando Jeannette la campesina entró en el salón de honor, magníficamente iluminado por antorchas y lleno de cortesanos, el delfín se hallaba oculto entre éstos, modestamente vestido. Juana, sin titubear, se dirigió hacia él y se arrodilló. Entonces, Carlos señaló a otro de los presentes y dijo: «Aquel es el rey.» Juana no se dejó engañar y repuso: «En el nombre de Dios, noble príncipe, el rey sois vos y nadie más.»

La milagrosa Doncella de Orléans

Juana expuso sin rodeos la misión que estaba llamada a cumplir: derrotar a los ingleses y conseguir que el delfín fuese coronado en la catedral de Reims. Carlos habló largamente con la joven y su rostro resplandeció ante sus respuestas. Sin embargo, indeciso como era, temió que Juana fuese instrumento de alguna potencia diabólica y la hizo interrogar por ciertos clérigos eruditos de Poitiers. Días después, impacientada por tantas precauciones y demoras, Juana se dirigió al delfín con palabras reveladoras de una extraña y previsora sabiduría:
«Sólo viviré un año y un poco más. En este tiempo debemos realizar una gran obra. Los guerreros lucharán y Dios dará la victoria.»
Carlos, por una vez diligente, reunió un ejército e hizo confeccionar para Juana una armadura de acero bruñido hecha a su medida. Luego, ella pidió que fuesen a buscar una espada de la que nadie había oído hablar en una capilla consagrada a Santa Catalina.
Sobre la hoja debían encontrarse grabadas cinco cruces. La espada fue encontrada y era en efecto tal como ella la había descrito. Vieja y

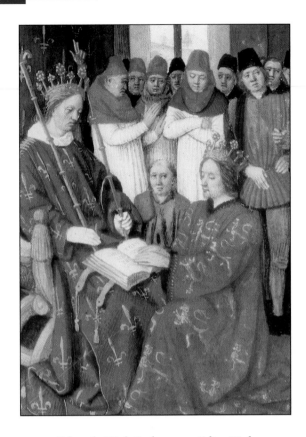

Eduardo III de Inglaterra y Felipe VI de Francia, los monarcas que se enfrentaron por el trono de Francia dando inicio a la guerra de los Cien Años.

completamente herrumbrosa, bastó que el armero del rey la limpiase ligeramente y que Juana la tomase en su mano para que volviera a refulgir como si fuese nueva.
A partir de ese momento, Juana de Arco desempeñó su misión divina con sorprendente celeridad y prodigiosa eficacia. Primero fue la liberación de Orléans, plaza decisiva en los planes ingleses de abrirse paso hacia el valle del Loira. Los ingleses habían construido alrededor de la ciudad una docena de baluartes inexpugnables para proceder al asedio, que duraba ya seis meses. Uno de esos bastiones estaba defendido por una gran muralla de piedra reforzada con poderosas torres. Juana dictó una carta e hizo que la lanzaran por encima de la muralla. En ella se decía: «El Rey de los Cielos os envía por mí, Juana la Doncella, orden y aviso de que abandonéis los fuertes y regreséis a

vuestro país. Si no lo hacéis, lanzaré contra vosotros un grito de guerra que será recordado eternamente.»

Luego, la batalla dio comienzo y se prolongó por espacio de varios días. Arengados por los gritos de la Doncella, los soldados lucharon como posesos. En cuanto a los capitanes franceses, descontentos al principio con aquella mujer que pretendía enseñarles a ellos, maestros del oficio, el modo de hacer la guerra, acabaron por rendirse a la evidencia: aquel menudo ser era capaz de proezas que ellos ni siquiera soñaban. Durante una de las escaramuzas, Juana fue alcanzada en el pecho por una flecha. Cuando la retiraron del campo de batalla, ella misma se arrancó la saeta. Las trompetas empezaron a tocar retirada, pero la Doncella se incorporó como arrebatada por una energía sobrenatural y volvió a lanzarse al combate. Ese día, todos los bastiones cayeron y Orléans fue liberada del cerco. Sólo después de recorrer las calles de la ciudad entre el repicar de campanas, Juana se hizo vendar su herida y tomó alimento: cinco rebanadas de pan mojadas en vino y agua. Así fue como una niña de diecisiete años cambió el curso de la guerra de los Cien Años.

La estrella declina

Tras la victoria, Carlos volvió a sus vacilaciones. Aunque le obsesionaba el sueño de la coronación, no se decidía a realizarlo y demoraba su decisión reuniéndose una y otra vez con sus consejeros. De nuevo, Juana intervino persuadiéndole de que sólo si ceñía la corona en Reims se consolidaría la unidad de Francia y quedarían burladas las pretensiones de Inglaterra. Al fin, el 17 de julio de 1429, Carlos se dirigió a la catedral de Reims al frente de un espléndido cortejo. Junto al trono estaba Juana. Cinco meses después de salir de Domrémy, su misión estaba cumplida.

En los días siguientes, Juana de Arco intervino en una serie de campañas para el recién estrenado rey. Sin embargo, su estrella pareció declinar y abandonarle: fue derrotada a las puertas de París, Carlos VII empezó a retirarle su apoyo y sus ya familiares voces sobrenaturales le anunciaron que iba a ser apresada por el enemigo. En efecto, en mayo de 1430, cuando se disponía a

defender Compiègne, amenazada por el duque de Borgoña, cayó prisionera.

Su rey no movió un dedo para ayudarla. Los clérigos de la Universidad de París, simpatizantes de los borgoñones, solicitaron que Juana fuese entregada al obispo de Beauvais, Pierre Cauchon, hombre astuto y ambicioso vendido a los ingleses. De esta forma, el proceso inquisitorial que se preparó contra ella en Rouen tendría un carácter religioso y no político.

Cauchon eligió con habilidad entre sus amigos los jueces eclesiásticos que formaron el tribunal. Además, nadie osó enfrentarse a la autoridad del obispo aceptando defender a Juana, con lo que aquella campesina analfabeta de diecinueve años se encontró sola frente a un impresionante tribunal formado por eruditos en leyes humanas y divinas.

La celda en que fue encerrada era oscura y húmeda. Para impedir cualquier intento de evasión se la sujetó con pesadas cadenas por el cuello, tobillos y muñecas.

Primero se la sometió a un examen para verificar su virginidad, que de resultar negativo habría sido una prueba concluyente de brujería. Al comprobarse la doncellez de Juana, se pensó en entregarla a la soldadesca, lo que fue evitado en última instancia por la duquesa de Bedford, esposa del regente inglés.

El proceso

Los interrogatorios se iniciaron el 21 de febrero. Preguntas y respuestas fueron consignadas por escrito. Juana, llena de paciencia, juventud, ingenuidad y fe, empezó a impacientar a sus jueces sin contradecirse jamás ni contestar al margen de la más pura ortodoxia. Había oído voces y nadie tenía la obligación de creerla. A las preguntas sucedieron las amenazas y a éstas las humillaciones. Se le privó de los sacramentos y fue conducida a la sala de tortura, en un intento de que la visión de potros, embudos, ganchos y tenazas quebrasen su resistencia. Pero Juana no se desdijo de sus declaraciones ni negó que hubiera conversado con los santos.

El 23 de mayo, en sesión solemne, se leyó a la prisionera una nueva amonestación para que reconociese sus errores. Juana respondió:
«Aunque viera la leña encendida y al verdugo al

La Doncella de Orléans, siguiendo instrucciones celestiales, combatió contra los ingleses, en conflicto con Francia durante la guerra de los Cien Años. El enfrentamiento finalizó con la entronización de Carlos VII, a quien Juana de Arco dio su valeroso apoyo. La ilustración muestra el momento en que la doncella de Orléans reconoce al rey bajo el disfraz de monje en que se oculta.

lado, no diría otra cosa que la que ya he dicho y sostendré hasta la muerte.»

«¡Responsio superba!», anotó el escribano al margen de la página.

De vuelta a la celda, Juana fue entregada a tres hombres que la torturaron, le pegaron hasta hacerla derramar abundante sangre y probablemente abusaron de ella. Cuando Cauchon volvió a verla, apenas pudo reconocerla. La Doncella tenía el rostro tumefacto y un constante temblor agitaba su cuerpo. Ante la pregunta de si había vuelvo a oír las voces, Juana contestó:

«Las he oído. Me han dicho: "Serás condenada en la hoguera pero salvarás tu alma". Es cierto que Dios me ha enviado. Si dijera, como vos queréis, que Dios no me ha enviado, mentiría.»

«¡Responsio mortífera!», anotó el escribano.

El 29 de mayo, el tribunal la condenó a ser quemada viva por relapsa, es decir, por reincidir en la herejía. Al día siguiente fue llevada al lugar del suplicio en una carreta. La multitud esperaba. Pidió una cruz. Nadie tenía ninguna. Fue atada en la pira y comenzó a rezar en voz alta entre sollozos. El capellán leyó la oración de los agonizantes. La llama prendió en los haces de

Víctima de la traición, la envidia y oscuros intereses políticos, Juana fue abandonada a su suerte. Murió en la hoguera cuando sólo tenía diecinueve años, sin que el rey al que había ayudado a coronar hiciera nada por ella.

leña y se elevó de golpe. El humo ocultó el cuerpo de Juana a los ojos de la muchedumbre. Oyóse un grito desgarrador. El verdugo, súbitamente enloquecido, echó a correr despavorido, con la antorcha humeante en la mano, y saltando sobre el pretil del puente, se arrojó al Sena.

1412	Nace **Juana de Arco** en Domrémy, pueblecito de la Lorena francesa.
1425	Comienzan a aparecérsele San Miguel, Santa Catalina y Santa Margarita.
1428	El arcángel San Miguel le ordena socorrer al delfín y liberar la ciudad de Orléans.
1429	Juana visita por tres veces a Robert de Baudricourt para pedirle ayuda. Por fin es recibida por el delfín en el castillo de Chinon. Mayo: libera Orléans. Junio: derrota a los ingleses en Patay. 17 de julio: coronación de Carlos VII en Reims. Septiembre: es derrotada tras asediar París.
1430	Mayo: Juana cae prisionera de los ingleses.
1431	21 de febrero: se inicia su proceso por herejía, presidido por el obispo Cauchon. 29 de mayo: es condenada a la hoguera. 30 de mayo: se cumple la sentencia.
1450	Carlos VII revisa el proceso para rehabilitar su memoria.
1456	El papa Calixto III anula la sentencia de Cauchon.
1909	Juana de Arco es beatificada.
1920	Juana de Arco es canonizada.

Cristóbal Colón
(1451-1506)

D urante muchos siglos, filósofos, teólogos y hombres de ciencia habían asegurado que la Tierra era plana como un disco y estaba limitada por un mar infernal que se extendía, al oeste, más allá del cabo Finisterre y del estrecho de Gibraltar, situados en los extremos occidentales del mundo conocido. Ese océano, afirmaban, no era navegable, y todo aquel que se aventuraba por sus aguas no regresaba nunca, engullido por sus terribles abismos o devorado por los numerosos monstruos que lo poblaban.

Colón no fue el primero en creer que la Tierra era redonda, pues en su tiempo eran ya muchos quienes sostenían esta tesis. En todos los puertos europeos se contaban historias semilegendarias de hombres que habían atravesado aquel enorme mar y encontrado tierra al otro lado, por lo que no debía de ser imposible seguir su ejemplo y alcanzar por vía marítima el extremo oriental de Asia, tal como Marco Polo había hecho por tierra.

Ese fue el propósito de Colón, quien no podía sospechar que entre Europa y las míticas Catay y Cipango (nombre que sus contemporáneos daban a China y Japón) había nada menos que un continente ignorado por todos.

Este desconocimiento hizo que protagonizase la hazaña individual más importante de la historia de la humanidad, el descubrimiento de América, aunque muriera sin tener conciencia de ello.

Convencido de la redondez de la Tierra, el sueño de Colón de llegar a Catay viajando hacia el oeste fructificó en la mayor hazaña individual de la historia.

Naufragio en Portugal

Giovanni Colombo y Susana Fontanarossa fueron los padres de Cristóbal, nacido en Génova en 1451. Las noticias sobre su juventud son escasas y de dudoso crédito, pues proceden en su mayoría de la *Historia del Almirante*, escrita por su hijo Hernando mezclando hechos verídicos con episodios fantásticos. Parece cierto que trabajó en el taller de su padre, tejedor de oficio, hasta que se hizo a la mar cuando aún no había cumplido los dieciocho años. Puesto que Génova era una importante ciudad-estado de gran tradición marinera, Cristóbal no tuvo dificultades para seguir su vocación ni para aprender las artes de la navegación y la cartografía, lo que hizo de un modo autodidacto.

Existen documentos de numerosos viajes primerizos de Colón, entre los que destacan uno a Islandia, diversas travesías por el Egeo y varias expediciones comerciales a Flandes y Portugal. Fue precisamente frente a las costas portuguesas donde el barco, de cuya tripulación formaba parte sufrió el ataque de un navío francés y se fue a pique. El joven fue recogido por unos pescadores y conducido a Lisboa, donde iba a gestarse el primer episodio de su odisea.

Corría el año 1476 y la capital lusa resultaba el lugar ideal para todo hombre que soñara con el mar. Allí se estableció como comisionado de los mercaderes genoveses y contrajo matrimonio con Felipa Moniz de Perestrello, hija de un

Colón expuso sus proyectos, muy seguro de la viabilidad de su empeño, a los padres Marchena y Pérez y los hermanos Pinzón, en el convento de La Rábida.

importante personaje en la corte portuguesa, lo que le abrió un buen número de puertas importantes.

Influido por la lectura de los relatos de Marco Polo, Colón concibió la idea de llegar a las fabulosas tierras de Oriente por mar, puesto que sin duda la Tierra era redonda. En 1484, aunque nunca había navegado más que como marinero, se presentó ante Juan II, rey de Portugal, asegurando ser capaz de llevar a cabo su aparentemente descabellada idea. El monarca se mostró benévolo con él, le concedió el grado de capitán e hizo pasar el asunto a una comisión de expertos. Contra lo que se ha venido admitiendo, Juan II acabó por aceptar el proyecto, pero se negó a que Colón navegara hacia el oeste, en la latitud de las islas Canarias, reservadas a Castilla por el Tratado de Alcaçobas, y propuso que el viaje se realizase por una ruta más septentrional, lo que Colón no aceptó.

Además, las perspectivas portuguesas de abrir una vía comercial hacia Oriente por el sur de África hicieron que la expedición planeada por el genovés pasase a un segundo plano. Sin embargo, Colón no estaba dispuesto a renunciar a su idea ni a la gloria que, estaba seguro, aquélla iba a proporcionarle.

Negociaciones interminables

Colón se trasladó a España y en 1485 se presentó en el convento franciscano de La Rábida sin una moneda en el bolsillo ni un pedazo de pan que llevarse a la boca. Aquellos monjes, que habían tenido la nunciatura de Guinea con jurisdicción sobre todos los archipiélagos atlánticos, estaban muy vinculados a las islas Canarias y al mundo marinero, de modo que no les fue difícil poner al genovés en contacto con Alonso Pinzón, armador local, persona muy estimada en el puerto de Palos y verdadero apasionado por los descubrimientos de tierras nuevas. Pinzón se entusiasmó inmediatamente con el proyecto de Colón y le llevó ante el duque de Medinaceli, quien le dio dinero y una elogiosa carta de presentación para los Reyes Católicos.

Reconfortado por la generosidad del duque y por la bondad y comprensión de los franciscanos y el armador, el genovés se dirigió a la corte, instalada en Córdoba, provisto de la valiosa recomendación ducal. El 20 de enero de 1486 consiguió ser recibido por los monarcas. Durante la audiencia, Fernando se mostró frío y evasivo, pero no así Isabel, quien juzgó conveniente someter los planes de Colón a una comisión de peritos, tal como había sucedido en Portugal. Además, le fue concedida una pequeña pensión en tanto los expertos deliberasen y se le procuró alojamiento en Salamanca, ciudad donde se instaló Colón con su hijo Diego, a quien hizo venir de Portugal después de que su esposa falleciese.

En principio, la junta de técnicos fue contraria a los planes colombinos, por considerarlos erróneos; en efecto, los cálculos de Colón situaban las costas o archipiélagos asiáticos a 750 leguas al oeste de las islas Canarias, lo que realmente era inexacto. Los reyes dieron a conocer esta resolución al interesado en Málaga, aunque le prometieron volver a tratar el asunto cuan-

Tras una ardua negociación, el recién nombrado Gran Almirante de la Mar Océana consiguió para su primera expedición el decisivo apoyo de la reina Isabel y de los armadores Pinzón. Embarque de Colón en Palos de Moguer el 3 de agosto de 1492 (monasterio de La Rábida, Huelva).

do finalizase la guerra de Granada contra los musulmanes. Durante la espera, el descubrimiento del cabo de Buena Esperanza por parte portuguesa, que suponía la apertura de una ruta hacia la India circunnavegando el continente africano, restó interés al proyecto colombino de llegar a las mismas tierras por occidente. Ante la lentitud de la monarquía española en tomar una decisión, el genovés decidió buscar fortuna en Francia. Se puso en camino y pasó de nuevo por La Rábida, donde su viejo amigo el prior le propuso demorar la partida y apremiar a los reyes. El Reino de Granada acababa de caer y la situación parecía volverse en su favor.

Durante una nueva audiencia con los soberanos, Colón exigió ser nombrado Gran Almirante de la Mar Océana y virrey de todas las tierras que descubriese, además de pedir un 10 por 100 de los beneficios generados por la expedición. Fernando se enfadó y puso fin a la entrevista; Colón, resignado a continuar su peregrinación, emprendió de nuevo viaje hacia Francia. Llevaba dos horas de camino cuando fue alcanzado por un emisario: un judío converso, el tesorero del reino Luis Santángel, había hecho triunfar su causa y convencido a la reina Isabel, ofreciéndose a adelantar el dinero necesario para la expedición. Por fin, el sueño de Colón iba a hacerse realidad.

Las rutas de los navegantes y el próspero comercio con Oriente centraron el debate político, económico y científico entre los reinos del Viejo Mundo, un continente que inició por mar la era de los descubrimientos dejándose arrastrar, entre la ficción y la evidencia geográfica, por sueños de aventuras inspirados en Marco Polo.

¡Tierra!

Tras firmarse las capitulaciones de Santa Fe el 17 de abril de 1492, en pocos días se reunieron dos millones de maravedíes y se armaron dos carabelas, la *Pinta* y la *Niña*, y una nao, la *Santa María*, que partieron de Palos de Moguer rumbo a San Sebastián de la Gomera el 3 de agosto de ese mismo año. Eran éstos unos navíos pequeños y fuertes, capaces de alcanzar con buen tiempo velocidades de seis o siete nudos y que, cuando amainaba el viento, podían ser impulsados a fuerza de remos sin excesiva dificultad. Cada uno tenía un solo camarote para el capitán, pues la tripulación dormía en cubierta. Una vez al día, en un pequeño horno instalado en el centro del barco, se guisaba una comida caliente con gran provisión de ajo. El tiempo lo iban marcando relojes de arena de media hora, a los que regularmente daban vuelta los grumetes.

La tripulación de las tres naves era de unos ochenta y siete hombres, incluyendo tres médicos, un despensero, un intérprete y un representante de la reina que llevaba la cuenta del oro y de las piedras preciosas que había a bordo.

Los grumetes proporcionaban casi todo el entretenimiento: cada vez que daban vuelta a los relojes o servían una comida lo hacían cantando. Por la noche, toda la tripulación se reunía y entonaba un himno religioso, por lo general el *Salve Regina*.

A pesar de lo que cuentan muchas historias, los marineros no eran presidiarios, aunque tres de ellos habían tenido algunos roces con la ley.

La travesía duró treinta y tres días. Impulsados por los vientos favorables del este, los tres bar-

Luego de ser rechazado su proyecto en la corte de Juan II de Portugal, Colón fue recibido en audiencia por la reina Isabel de Castilla. A pesar de la oposición de Fernando y de los asesores científicos, la reina dio su visto bueno a una empresa que podía reponer las maltrechas arcas del reino tras la conquista de Granada.

cos arribaron el 12 de octubre de 1492 a la isla de Guanahani, llamada por Colón San Salvador en la actualidad isla de Watling, en las Bahamas), después de que el marinero Juan Rodríguez Bermejo, conocido como Rodrigo de Triana, diese el preceptivo grito de «¡Tierra!», ganándose los mil maravedíes que el rey Fernando había prometido al primero que viese las costas de Asia.

El orgulloso descubridor

El almirante descendió a tierra con el notario real, el capellán y los oficiales; luego se arrodilló, dio gracias a Dios y con gran pompa tomó posesión de la isla en nombre de los Reyes Católicos, mientras grupos dispersos de indígenas, desnudos y aparentemente inofensivos, contemplaban con curiosidad a los recién llegados. Colón escribiría: «Son tan ingenuos y tan generosos con lo que tienen que nadie lo creería de no haberlo visto. Si alguien quiere algo de lo que poseen, nunca dicen que no; al contrario, invitan a compartirlo y demuestran tanto cariño como si toda su alma fuera en ello...» Estas gentes fueron posteriormente identificadas como los indios tainos, una etnia desaparecida después.

Ante ellos, el asombro de los navegantes fue considerable, pues hablaban un idioma completamente desconocido y pertenecían a una raza que no se parecía a ninguna de las descritas en los libros de los exploradores y antiguos cronistas, desde Herodoto hasta Marco Polo. Pero a nadie se le ocurrió pensar, por supuesto, que aquellas tierras no pertenecían a Asia.

Los privilegios otorgados a Colón en las capitulaciones de Santa Fe le fueron confirmados tras su hazaña. Escudo de armas del Gran almirante.

cas e incluso habitantes de las lejanas tierras descubiertas. Cuando se arrodilló ante Fernando e Isabel y éstos le mandaron sentarse a su lado, su orgullo ya no tuvo límites. Las capitulaciones acordadas en Santa Fe, en las que tanto se le ofrecía, fueron escrupulosamente respetadas, y además los soberanos insistieron en que se hiciera de nuevo a la mar para consolidar y extender sus descubrimientos. Cuando el rey preguntó a quién debía entregar los mil maravedíes prometidos al primero que avistase las tierras asiáticas, el almirante, cegado por la ambición, contestó que le correspondían a él, porque la noche anterior al desembarco había visto una hoguera lejana. Rodrigo de Triana, enojado, pasó a Marruecos, donde, quizás por despecho, se convirtió al Islam.

Un pésimo gobernante

El segundo viaje de Colón, iniciado en 1493, significó en cierto modo el comienzo de su declive, pues reveló el terrible error que había cometido dejando aquellos cuarenta hombres y puso de manifiesto sus pocas dotes de mando. Una vez más la travesía se hizo sin contratiempos y en poco más de un mes la expedición, compuesta por una flota de diecisiete naves con mil doscientos hombres a bordo, llegó a La Española. Su misión era establecerse sólidamente en las Indias y ampliar el descubrimiento para alcanzar los territorios de Catay, todo ello bajo las órdenes de Cristóbal Colón.

El almirante reconoció fácilmente el lugar en el que había mandado construir el rudimentario fuerte Navidad: todo había sido incendiado y los cadáveres descompuestos de los españoles asomaban entre los escombros. Al efectuar un reconocimiento del interior de la isla fue encontrado el cacique Guacanagari, pero resultó totalmente imposible obtener de él una explicación del convincente y escrupuloso desastre acaecido.

A partir de ese momento Colón empezó a tener problemas con los indígenas, a quienes amenazó con convertir en esclavos si no le entregaban grandes cantidades de oro y especias, y con sus propios compañeros, descontentos con la realidad de un viaje que dejaba de ser prometedor para aparecer en extremo dificultoso e incómodo. Colón, alternativamente demasiado duro o demasiado blando ante la conducta de unos y otros,

Desde San Salvador, Colón puso rumbo hacia el sur, deseoso de alcanzar el país del Gran Khan. Descubrió nuevas islas, entre ellas Cuba, a la que llamó Juana, donde los nativos fumaban cigarros metiendo un extremo de los mismos en la nariz e inhalando profundamente, cosa nunca vista en Europa, donde se desconocía el tabaco. Luego llegó a La Española, isla que hoy forman Haití y la República Dominicana. Allí embarrancó la *Santa María* y fue imposible ponerla de nuevo a flote. Después de transbordar su tripulación a la *Niña* y recorrer el litoral, Colón decidió dejar unos cuarenta hombres en un fuerte bautizado con el nombre de Navidad, situado en la costa norte de la isla. El 16 de enero de 1493, los dos barcos restantes emprendieron el regreso a España, adonde llegaron semanas después.

La historia del descubrimiento causó sensación. Colón fue recibido apoteósicamente en Palos y desde allí se dirigió por tierra a Barcelona para entrevistarse con los monarcas, llevando como prueba de su hazaña pájaros y frutas exóti-

El fantástico descubrimiento de tierras ignotas cargadas de riquezas, aun cuando no se sabía que se trataba de todo un continente, y de gentes no hostiles en apariencia hizo del primer viaje de Colón un éxito formidable.

fue incapaz de imponerse: empezó a ser palmario que el gran navegante era un pésimo administrador, iracundo, vengativo e indeciso, tanto que hasta sus colaboradores empezaron a detestarlo y no perdieron ocasión de criticarlo ásperamente en sus informes a la corte.

Cinco años después, en su tercer viaje, todos estos problemas se acentuaron, hasta el punto de ser designado por los reyes un comisario real, Francisco de Bobadilla, que se trasladó a las Indias con plenos poderes para tratar de poner orden en la gobernación de Colón. Bobadilla, poco cauteloso, mandó apresar al genovés y a sus hermanos y los envió a España, encontrándolos culpables de varios crímenes, incluyendo los de severidad excesiva e injusticia manifiesta. El al-

mirante regresó a la Península encadenado, y aunque Isabel de Castilla ordenó al saberlo que fuese puesto en libertad inmediatamente, cuando Colón pidió la parte de los beneficios generados por la expedición que según lo acordado le correspondía, los soberanos se mostraron reacios a satisfacer sus demandas. Además, decidieron destituirle de su cargo de gobernador y suprimir sus privilegios, dejándole no obstante los títulos de virrey y almirante.

Último viaje

En mayo de 1502, por cuarta vez, Colón desplegó velas. Visitó Honduras, Nicaragua, Costa

Rica y Jamaica, donde a consecuencia de un huracán sus naves quedaron inmovilizadas durante un año. Cuando llegaron socorros desde Santo Domingo, los náufragos españoles se hallaban extenuados y el almirante padecía fuertes dolores producidos por la artritis.

Hacía poco que había cumplido los cincuenta años, pero aparentaba muchos más. Tenía el cabello prácticamente blanco, pesadas arrugas que le surcaban el rostro y unas profundas ojeras en torno a los ojos.

Su regreso definitivo a España se produjo el 7 de noviembre de 1504. En cuanto su nave echó anclas, pidió una audiencia con el rey Fernando, que le recibió en Segovia. Isabel había muerto y su esposo escuchó de mala gana las reclamaciones del descubridor, quien suplicaba le fuesen restituidos sus antiguos privilegios, puesto que, si bien disfrutaba de los beneficios económicos que se le habían prometido en Santa Fe, en cambio, ya no gozaba del título de gobernador de las nuevas tierras.

Abrumado por las preocupaciones, Fernando se negó obstinadamente a atender las quejas de Colón, quien durante todo el año de 1505 le persiguió con sus asuntos por toda la Península. El monarca se desplazaba con rapidez de una ciudad a otra, según las exigencias del gobierno o del ejército. En Valladolid, Colón logró finalmente alcanzarle, pero una vez más le fue negada la audiencia. Enfermo y cansado, el almirante se instaló en un convento franciscano y redactó su testamento. El 20 de mayo de 1506 la muerte puso fin a sus desvelos. Exhaló su último suspiro pensando todavía que había llegado a las Indias Orientales y que el palacio del Gran Khan de Catay estaba en algún lugar de Costa Rica. Había pretendido encontrar el camino que conducía por mar a los exóticos lugares descritos por Marco Polo y, sin saberlo, era el descubridor de un nuevo continente al que una serie de azarosas circunstancias darían el nombre de América. Con su hallazgo concluía la Edad Media y daba comienzo una nueva era.

1451	Fecha probable del nacimiento de **Cristóbal Colón** en Génova.
1476	El barco en el que viaja de marinero naufraga frente a las costas de Portugal y Colón es llevado a Lisboa.
1478	Se casa con Felipa Moniz de Perestrello. Se introduce en la corte portuguesa.
1484	Ofrece su proyecto descubridor al rey de Portugal, Juan II.
1485	Se traslada a España. Llega al monasterio de La Rábida. Fallecimiento de su esposa.
1486	Primera entrevista con los Reyes Católicos.
1492	Capitulaciones de Santa Fe. Primer viaje y descubrimiento de América.
1493	Regreso a la Península. Entrevista en Barcelona con los reyes, que le confirman sus privilegios. Inicia el segundo viaje.
1494	Exploración de Cuba y La Española.
1495	Primeras guerras entre españoles e indios. Quejas en la corte contra Colón.
1496	Regreso de su segundo viaje.
1499	Nombramiento de Francisco de Bobadilla para sustituirle en la gobernación de las Indias.
1502	Inicio del cuarto viaje. Descubrimiento del istmo centroamericano.
1504	Regreso definitivo a España. Intenta sin éxito que el rey le restituya en sus cargos.
1506	Redacta su testamento y muere el 20 de mayo.

Leonardo da Vinci
(1452-1519)

Leonardo es, como pocos en la historia, la encarnación del artista y el científico, un hombre que se adelantó en varios siglos a sus contemporáneos.

En el diario de uno de los personajes más fecundos de la historia de la humanidad, Leonardo da Vinci, puede leerse, acaso con un mohín de perplejidad, y hasta de rabia, la siguiente exclamación: «¡He malgastado mis horas!» Paradigma del genio creador, Leonardo se siente insatisfecho. ¿Qué más puede pedirse a un hombre? Revolucionó la pintura, la mecánica, la arquitectura militar, la anatomía, las ciencias; vivió regalado por los poderosos y gozó de la devoción de los efebos; desentrañó los secretos de la Naturaleza con la habilidad de sus manos y la penetración de su mirada; murió, como dice la Biblia, lleno de días... No obstante, eso es cierto, el ambicioso Leonardo jamás remontó el vuelo con aquellas alas de murciélago que soñó construir.

El hombre que quiso volar

Como en tantas otras cosas, Leonardo se avanzó en varias generaciones a sus contemporáneos con su obsesivo propósito de surcar los aires. Con escrupulosa racionalidad investigó el vuelo de las aves. Observando que el pájaro, que es más denso que el aire, se sostiene y viaja por él, supuso que era «porque hace que sea más denso el aire por donde pasa que por donde no ha pasado», afirmación que coincide con los fundamentos de la futura teoría del aeroplano esgrimida siglos más tarde. Inventó asimismo la hélice aérea y también, adelantándose en más de doscientos años a Garnerin, el paracaídas. Su descripción de este utilísimo ingenio, que él imaginó, es muy precisa: «Si un hombre forma un pabellón con lienzo bien tupido, que tenga doce brazas de largo y otras tantas de ancho, podrá, amparándose por él, arrojarse desde gran altura sin riesgo de sí mismo.»

Su manía de volar puede estar en relación con el primer recuerdo de su infancia, que solía relatar al final de su vida y del que Freud extrajo las más pintorescas conclusiones psicoanalíticas. Contaba que se veía en su cuna, siendo apenas un recién nacido, y que hasta ella llegaba un milano. El pájaro le abría entonces la boca con la cola y con ella le golpeaba repetidamente los labios. Freud deduce de ello una homosexualidad reprimida, conclusió tanto más extravagante cuanto que los datos documentales parecen indicar fehacientemente que dicha preferencia erótica no se mantuvo en absoluto reprimida.

Lo cierto es que desde su adolescencia hasta su vejez Leonardo se empeñó en triunfar como ingeniero aeronáutico, única tarea en la que puede decirse que en parte fracasó, puesto que no supo desarrollar un propulsor independiente de la fuerza humana; quizás como contrapartida, sus estudios sobre el vuelo de las aves resultaron extraordinariamente útiles para la zoología. Dibujó los planos de sus raros artefactos en Florencia y en Milán, construyó aparatos de madera, cañas y tela con alas articuladas, estudió

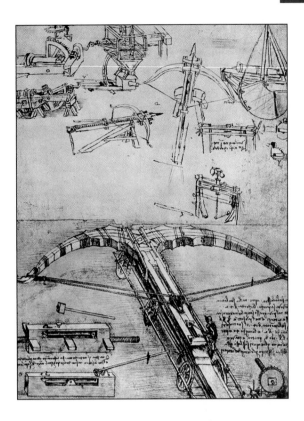

*De carácter extraño y contradictorio,
Leonardo utilizó su potencial creador para inventar ingenios mortíferos como éste a pesar de repudiar la guerra.*

lescentes. Sobre su personalidad escribe Vasari con ilimitada admiración: «Vemos cómo la Providencia hace llover los más preciados dones sobre ciertos hombres, a menudo con naturalidad, a veces con profusión; la vemos reunir en un mismo ser, belleza, gracia, talento, y llevar cada una de estas cualidades a una perfección tal que aparecen como otorgadas por Dios y no adquiridas por la industria humana. Esto es lo que ha podido verse en Leonardo da Vinci, quien reunía junto a una belleza física más allá de todo elogio, una gracia infinita en todos sus actos; su talento era tal que, no importa la dificultad que se presentara a su espíritu, él la resolvía sin esfuerzo. En él la destreza se aliaba a una fuerza enorme. En fin, su reputación aumentó de tal modo que, extendida por doquier durante su vida, se difundió más aún después de su muerte.»

Alto, rubio, de ojos azules, era un infalible domador de caballos, a los que trataba con mimo —incluso llegó a poseer un establo—, y podía doblar una herradura con una sola mano como si fuera de plomo. Por sus autorretratos sabemos que su carácter era extraño, complejo, distante y profundo. Rico, pero completamente desinteresado, fue generoso durante toda su vida con los amigos, a muchos de los cuales alimentó y protegió. Cantaba, acompañándose con una lira, poemas improvisados por él mismo. Vegetariano, detestaba la carne por juzgar injusta la muerte de los animales, y se cuenta que compraba pajarillos en el mercado por el solo placer de dejarlos en libertad.

Sus escritos nos lo muestran como un observador sereno, impasible, que analiza las desgracias y catástrofes de su tiempo con la misma frialdad científica con que describe minuciosamente las postreras agonías de un ajusticiado.

Sus íntimos lo definen como apasionado y mencionan su insaciable curiosidad, su infinito desasosiego interior, que le obliga a explorar más allá de las fronteras de lo conocido.

La personalidad de Leonardo no deja de ser contradictoria. A pesar de que detestaba la guerra, inventó las más eficaces y mortíferas armas, y se alineó con el ejército más feroz de Italia, el de César Borgia; a pesar de que le repugnaba la violencia, dibujó con escrupulosa exactitud los rasgos del asesino de Juan de Médicis en el momento en que éste era ahorcado. Su impaciencia

los fenómenos atmosféricos e inventó instrumentos de medida como anemómetros, analizó cuidadosamente los movimientos de los murciélagos y de las aves de presa, pero todo fue en vano. Sus exquisitos bocetos estaban condenados a convertirse en una imperecedera obra de arte, pero parecían dar testimonio tan solo de la más loca de las fantasías y la más bella de las alucinaciones.

El zurdo sensual

En sus años de madurez, Leonardo dejó escrito que «la pasión intelectual hace desvanecer la sensualidad». Sin embargo, el muchacho que había comenzado su aprendizaje artístico con el pintor, escultor y orfebre Verrocchio tenía fama de ser el más bello, fuerte y sabio de los adoy su inquietud hizo que concluyese muy pocas cosas de las muchas que comenzó. Durante toda su existencia fue escéptico en materia de religión, pero, según Vasari, aunque en esta ocasión su testimonio sea poco fiable, murió como un cristiano ejemplar. Veía en la pintura la forma superior de conocimiento, el origen de la ciencia. Se cuenta que en cierta ocasión cuidó con exquisita piedad a un pobre desahuciado en un hospital, pero apenas éste hubo fallecido no perdió ni un momento de duelo para practicar la anhelada autopsia.

Curiosamente, en la Italia renacentista, la disección de cadáveres era un privilegio de los artistas, y una práctica vedada a los médicos; Leonardo llegó a efectuar más de treinta.

La minuciosidad inconstante

Es proverbial la lentitud con que realizaba sus pinturas el genial Leonardo. Sólo en *La Última Cena* invirtió diez años, permaneciendo ocupado en este fresco desde 1488 a 1498. Se cuenta que el prior del convento de Santa María de la Gracia, en cuyo refectorio pintaba el pasaje evangélico, desconcertado al ver que la obra no progresaba se quejó a Ludovico *el Moro*, poderoso señor que había hecho el encargo al artista y por el cual le pagaba una abultada suma. Ludovico hizo llamar a Da Vinci y le interrogó en estos o similares términos:

—¿Es cierto que lleváis sin aparecer algún tiempo por Santa María de la Gracia?

El célebre pintor contestó que, efectivamente, llevaba tres meses sin dar una sola pincelada en el fresco.

—¿Y cuál es la razón? —inquirió Ludovico.

Leonardo le explicó que había ya perfilado el rostro de once de los apóstoles, pero que había encontrado serias dificultades en hallar un modelo idóneo para Judas. Todos los días paseaba por uno de los barrios de peor fama de Milán, el Borghetto, escudriñando los rostros malcarados de los transeúntes, pero sin dar con aquel que tuviese la cara de renegado que buscaba.

—No obstante —prosiguió el pintor—, todo se resolvería si el prior accediera a servirme de modelo. Sin duda alguna es el rostro ideal que tan afanosamente persigo, pero no me

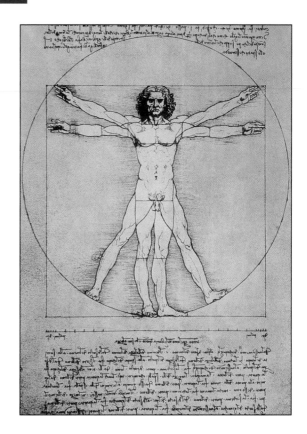

Homo ad Circulum. *Para Leonardo, el hombre ocupa una posición central en el pensamiento. El círculo era el ideal estético y espiritual, el símbolo de la perfección.*

atrevo a ridiculizarle de ese modo en su propio convento.

Cuando Ludovico informó de dicha conversación al prior, éste se apresuró a concederle licencia a Leonardo para que se tomase el tiempo que juzgara conveniente para terminar la obra. El anónimo viandante inmortalizado en el refectorio de Santa María de la Gracia investido con los atributos de Judas, no tardó en aparecer, y *La Última Cena*, una de las pinturas más imponentes de la Historia del Arte, pudo concluirse, pero, por desgracia, el fresco fue sometido ulteriormente a una devastadora incuria: una puerta fue abierta para que las viandas llegaran con más celeridad desde la cocina al refectorio, destruyendo de ese modo la parte inferior de la representación, y un bombardeo dañó el edificio durante la Segunda Guerra Mundial,

*La Última Cena es una de las pinturas más im-
ponentes que se hayan pintado jamás, tanto por
el tratamiento psicológico que Leonardo da a los
doce apóstoles en el momento* *en que Cristo revela que uno de ellos le traiciona-
rá, como por su significación en el desarrollo de la
técnica del autor, que experimentó en ella la
pintura al óleo sobre yeso.*

arruinando en gran medida esta incomparable
obra maestra; lo cual es más de lamentar si se
piensa que Leonardo, aunque dibujó incansablemente, pintó muy poco.

Su actividad como pintor había comenzado en
el taller de Verrocchio, un soberbio artesano
que estableció un puente entre la primera generación de artistas del Renacimiento florentino —Ghilberti, Donatello, Massaccio, Bru-
nelleschi, Alberti— y la de Leonardo, a la que
pertenecían, entre otros, Paolo Uccello, Luca
della Robbia, Benozzo Gozzoli, Pollaiuolo,
Signorelli, Botticelli y Perugino, este último
muy amigo de Da Vinci y maestro de Rafael.
Según se dice, Verrocchio retrató al bello adolescente que fuera Leonardo en una deliciosa
estatua broncínea que representa al vencedor
de Goliat. En el Museo Nacional Bargello de
Florencia puede admirarse ese David, que se
nos antoja un jovencito aristocrático, casi un
paje de la corte de los Médicis, con la cabeza
escindida del gigante filisteo yaciendo a sus pies,

la mano derecha empuñando con decisión la
espada corta, el brazo izquierdo en jarras, el
frágil y delgado cuerpo vestido de arnés con
orillas adornadas y breve faldón, las torneadas
piernas desnudas y una delicada sonrisa impresa
en el rostro altanero. Este bronce mórbido, si-
nuoso, triste, pletórico de vida, a un tiempo
reposado y desafiante, sea o no el retrato de
Leonardo, simboliza a la perfección ese instante
prodigioso en que el hombre asumió con orgullo su destino melancólico. Pico della Mi-
randola escribiría por entonces en su *Discurso
sobre la dignidad del hombre*: «Entendamos, pues,
que somos unas criaturas nacidas con el don de
llegar a ser lo que nosotros elijamos ser, y que
una especie de elevada ambición invada nuestro espíritu, de modo que, despreciando la mediocridad, ardamos en deseos de cosas superiores y, puesto que podemos alcanzarlas,
dirijamos toda nuestra energía a tenerlas.»
Emblemáticamente, Leonardo da Vinci fue ese
hombre universal, de ambición insaciable y al-

tas miras, pletórico de curiosidad y también de vigor, que el Renacimiento ofreció al mundo como modelo.

Parece ser que la primera obra en que se reveló el genio del muchacho fue en el *Bautismo de Cristo* (1470), pintura en la que colaboró con Verrocchio y que conserva la Academia de Florencia. La figura del ángel que allí aparece es, según Vasari, de la mano del joven Leonardo. Desde 1477 estuvo bajo la protección de Lorenzo de Médicis, y en 1478 los monjes de Scopeto le encargaron una *Adoración de los Magos*, obra que como tantas otras no llegó a terminar, pero de la que se conserva un precioso trabajo preparatorio, monocromo, en el Museo de los Uffizi de Florencia. En 1482 pasó al servicio de Ludovico *el Moro* en Milán, donde, además de *La Última Cena*, realizó *La Virgen de las Rocas*, que hoy conserva el Museo del Louvre, aunque existe una réplica en la National Gallery de Londres cuya autoría disputan los especialistas. En diciembre de 1499 se dirigió a Venecia y hacia 1504 pintó el retrato de una dama napolitana, esposa del patricio florentino Zanobi del Giocondo, universalmente célebre como la *Mona Lisa* o la *Gioconda*. En 1511 regresó a Milán, pero al año siguiente se trasladó con sus discípulos a Roma, donde la fama de dos jóvenes artistas, Miguel Angel y Rafael, comenzaba a eclipsar la del anciano Leonardo.

Su muerte acaeció en el palacio de Cloux, cerca de Amboise, en la primavera de 1519.

Fruto de la inquietud que anidaba en el espíritu del artista es la Mona Lisa *o la* Gioconda, *en la que el misterio de la mujer y el paisaje se funden en una atmósfera impenetrable.*

«Ojepse ed arutircse» o nada es lo que parece

Vasari, el cronista de los pintores florentinos, siempre anecdótico, narra hermosas fantasías sobre la vida de Leonardo. Entre otras cosas cuenta que este extraño artista tenía abarrotado el desván de una multitud de bichos, disecados o no, que le eran muy útiles para sus apuntes: «Había allí búhos, serpientes, alacranes, mariposas negras, lagartos, ratas, aguiluchos, cangrejos, dragones, arañas, grillos, sapos y otras especies de animales semejantes, cuya sola vista repugnaba y producía con el asco un temor instintivo.» Así mismo cuenta que ensayaba infatigablemente nuevas técnicas bus-

cando efectos insólitos, como por ejemplo aplastar una hoja de papel contra otra donde había puesto unas gotas de tinta o un poco de color. En cierta ocasión su padre, Piero da Vinci, a quien Leonardo veneraba, le hizo un singular encargo. Un amigo suyo, compañero de caza y de pesca, se había comprado una rodela y quiso que alguien pintara en ella una alegoría, según se estilaba por entonces. Piero se la llevó a su hijo, pero sin encomendarle un tema preciso ni mencionar el destinatario. Creyendo Leonardo que se trataba del escudo de un caballero, se esmeró en la confección de una figura espantosa que infundiese a quien la mirara un pavor insuperable. Cuando la hubo terminado quiso gastarle una broma a su padre, como era habitual entre ellos. Dispuso la rodela en un caballete e hizo que la velada luz de una ventana la iluminara convenientemente. Después pidió a su padre que descorriera la gran cortina que escondía la terrible imagen. El viejo Piero así lo hizo, pero se llevó una impresión tan atroz que intentó salir huyendo. Aunque Leonardo lo retuvo y le tranquilizó enseguida, aquella pesadilla le duró años, y naturalmente se negó a llevar la horrible estampa al aldeano. Para sustituirla adquirió a un chamarilero una rodela del mismo tamaño, pintarrajeada con colores chillones cuyo motivo era un corazón traspasado por una flecha, y su amigo quedó encantado con el ridículo escudo.

Entre otros muchos caprichos del genio leonardesco se encuentra su manía de escribir de derecha a izquierda, lo cual, junto a las demás excentricidades señaladas, que difícilmente podían comprenderse en la época, le granjearon fama de brujo. No obstante, el único secreto esotérico de Leonardo fue haber vivido siempre devorado por el ansia de saber, paradójica e irresistible vocación de quien escribió lúcidamente en su breviario: «oiciuj oiporp ortsenu omoc osoñagne nat yah adaN»

Leonardo da Vinci, paradigma del espíritu de su época, símbolo del hombre universal y de la cultura del Renacimiento, en uno de sus autorretratos.

1452	14 de abril: nace **Leonardo da Vinci**, hijo de Piero da Vinci.
1469	Leonardo ingresa en el taller de Verrocchio.
1475	Se acusa de sodomía a todos los discípulos de Verrocchio.
1478	Pinta *La Adoración de los Magos*.
1482	Se traslada a Milán.
1483	Pinta *La Virgen de las Rocas*.
1498	Concluye *La Última Cena*, fresco empezado diez años antes.
1502	Leonardo realiza estudios topográficos y trabaja como arquitecto e ingeniero militar para César Borgia. Realiza estudios sobre el vuelo de las aves.
1504	Pinta la famosa *Mona Lisa*.
1507	Entra al servicio de Luis XII de Francia.
1513	Se instala en Roma.
1515	Leonardo envía a Lyon un león mecánico para la coronación de Francisco I.
1519	El 23 de abril muere en Amboise.

Américo Vespucio
(1454-1512)

Américo Vespucio, al identificar como «cuarto continente» las tierras descubiertas por Colón, dio involuntariamente su nombre al Nuevo Mundo.

C omo es sabido, Cristóbal Colón murió creyendo que había llegado a las Indias, sin sospechar que aquellas islas de las que había tomado posesión en nombre de la Corona de Castilla pertenecían a un nuevo continente. Un amigo suyo, Américo Vespucio, fue el encargado de decir a la vieja Europa que las tierras halladas por Colón no eran las asiáticas, sino que formaban parte de una «cuarta pars» del mundo a la que daría su nombre involuntariamente. Este hombre, insignificante frente a la gran figura de Colón, también murió sin conocer los efectos de su revolucionaria noticia: la póstuma gloria, derivada de ese bautismo casual, para él y para su linaje.

De mercader a descubridor

Amerigo Vespucci era un florentino que había llegado a España como empleado de comercio poco antes de la primera salida de Colón. La casa bancaria de los Médicis lo envió a Castilla para una misión mercantil por cuenta de un tal Beraldi, y el italiano se acomodó en las cercanías de la corte estableciendo contactos y proyectando negocios con algunos destacados señores. Cuando el 15 de marzo de 1493 regresó Colón de su primera singladura y habló de las inmensas riquezas encontradas, las casas comerciales de Génova y Venecia empezaron a especular con la posibilidad de abrir nuevas rutas para el transporte de las especias, producto codiciadísimo en aquella época. También los Médicis trataron de informarse con vistas a orientar sus futuros negocios, y posiblemente las primeras noticias de la hazaña de Colón llegaron a ellos a través de las cartas, más o menos precisas, de Vespucci.

La repentina muerte de Beraldi, sin embargo, dejó a Amerigo sin patrón y sin medios de vida. Así nació su propósito de emprender él mismo viaje a las Indias, lo que hizo en 1497 y luego en mayo de 1499. En esta segunda expedición, dirigida por Alonso de Ojeda, siguió la ruta del tercer viaje de Colón y exploró las islas de Trinidad y Margarita, descubrió la de Curação y penetró en el golfo de Maracaibo, donde un poblado lacustre inspiró a los viajeros el nombre de Venezuela, es decir, pequeña Venecia.

A su regreso, Vespucci continuó con su labor informativa para los Médicis y, según parece, se dispuso a emprender nuevos viajes. Aunque la autenticidad de sus posteriores expediciones ha sido puesta en duda por numerosos historiadores, el mismo Vespucci da cuenta en sus cartas de dos más. En el tercer viaje, al servicio del rey de Portugal, asegura haber costeado Brasil y regresado a Lisboa en julio de 1502; y en el cuarto, también por cuenta portuguesa, debió de recorrer de nuevo las costas brasileñas a finales de 1503. Lo cierto es que en 1504 se publicó en Augsburgo el opúsculo *Mundus Novus*, donde se reproducía una carta de Vespucci a Lorenzo de Médicis en la que narraba sus viajes, y al año siguiente se imprimía su segunda obra, *Lettera di Amerigo Vespucci delle isole nuovamente ritrovate in quattro suoi viaggi*, en la que expresaba su convencimiento de que entre Europa y Asia existían nuevas tierras.

El malentendido

Tan extraordinarias revelaciones fascinaron al cosmógrafo alemán Martin Waldseemüller, quien decidió editar en 1507 las cartas de Vespucci junto a su *Cosmographiae Introductio*. En este trabajo incluía los retratos de Ptolomeo y Vespucci, y en su prefacio escribió: «Ahora que esas partes del mundo han sido extensamente examinadas y otra cuarta parte ha sido descubierta por Américo Vespucio, no veo razón para que no la llamemos América, es decir, tierra de Américo, su descubridor, así como Europa, África y Asia recibieron nombres de mujeres.»

El nombre de América empezó a difundirse y a inundarlo todo. Poco antes, en 1505, Amerigo Vespucci se había convertido en Américo Vespucio al serle concedida la naturalización en los reinos de Castilla y León. Su fama como marino y comerciante había crecido considerablemente, hasta el punto de llevarle a participar en la Junta de Burgos al lado de marinos, descubridores y cartógrafos tan ilustres como Pinzón, Solís y Juan de la Cosa en 1507, y a ser nombrado piloto mayor de la Casa de Contratación al año siguiente.

A su muerte, acaecida en 1512, el Nuevo Mundo se había convertido definitivamente en América. Pasados algunos años, Waldseemüller tuvo noticias del verdadero descubridor del cuarto continente y quiso enmendar su yerro en una nueva edición de su obra que vio la luz en 1516. Era demasiado tarde y nadie le escuchó. Sólo un trozo de tierra americana adoptó el apellido del almirante pionero: Colombia. A principios del siglo XIX, Simón Bolívar soñó con un vasto país llamado Gran Colombia e intentó infructuosamente dar vida a su sueño. Hubiera sido una mediana compensación para el hombre que protagonizó la más deslumbrante epopeya de la Era Moderna, pero el destino tampoco la permitió.

1454	Nace **Américo Vespucio** en Florencia.
1491	Se traslada a España al frente de una misión comercial.
1493	Informa a los Médicis del primer viaje de Colón.
1497	Realiza su primera expedición a las Indias.
1499	Se embarca de nuevo con Alonso de Ojeda y Juan de la Cosa.
1501	Participa en un tercer viaje a las costas del Brasil pagado por el rey de Portugal.
1503	Cuarto viaje a América, también por cuenta de la corona portuguesa.
1504	Se publica en Augsburgo *Mundus Novus*, con la reproducción de una carta de Vespucio a Lorenzo de Médicis.
1505	Se imprime *Lettera di Amerigo Vespucci delle isole nuovamente ritrovate in quattro suoi viaggi*.
1507	Martin Waldseemüller incluye en su obra *Cosmographiae Introductio* las cartas de Vespucio. Participa en la Junta de Burgos.
1508	Es nombrado piloto mayor de la Casa de Contratación.
1512	Muere en Sevilla.

Moctezuma
(1467-1520)

Moctezuma II, Xocoyotain, «el señor iracundo» en lengua nahuatl, fue el último emperador azteca anterior y coetáneo a la llegada de los españoles.

El gobierno y la vida del noveno *tlatoani* o emperador de México-Tenochtitlán, llamado Moctezuma o Motecuhzoma, están marcados por un acontecimiento que no tiene parangón en la historia del planeta: lo que Salvador de Madariaga calificó magistralmente de «encuentro entre dos mundos», el choque de dos civilizaciones que se contemplaban por primera vez y cuya evolución cambiaría radicalmente a partir de ese contacto inaugural. Si Hernán Cortés no hubiera desembarcado en el Yucatán para adentrarse después en territorio azteca, la existencia de Moctezuma habría transcurrido sin duda por caminos muy distintos. Cuando los barbudos extranjeros irrumpieron en su imperio, él se hallaba en el apogeo de su poder; apenas un año después, la muerte encontró a un Moctezuma derrotado y escarnecido por sus propios súbditos. No fue la primera víctima de esa tremenda colisión histórica, pero seguramente fue una de las más ilustres y quizás la más emblemática.

El «señor iracundo»

Según cuentan los textos virreinales, Moctezuma nació en 1467 en Aticpac, uno de los barrios nobles de Tenochtitlán. Era hijo de Axayácatl, sexto señor de los aztecas, y recibió una educación acorde con su abolengo, destacándose antes de ser coronado por sus aptitudes como militar y por su exacerbada religiosidad, lo que le llevaría a convertirse en sacerdote del templo de Huitzilopochtli. En 1502, tras la muerte de su tío, el emperador Ahuitzotl, fue elegido entre sus hermanos para ocupar el trono, siendo aclamado rey con entusiasmo debido al prestigio que se había labrado tanto en los campos de batalla como en los lugares sagrados.

Nada más ceñir la corona, Moctezuma experimentó, según los cronistas españoles, una transformación radical, convirtiéndose en un gobernante despótico que conmocionó la vida del Imperio. Para empezar, ignoró la antigua relación de armonía entre los tres Estados que integraban la alianza azteca (Tenochtitlán, Tetzcoco y Tlacopán), pues impuso su autoridad e intervino sin disimulo en los asuntos internos de los reinos confederados, llegando a exigir que los señores de aquellas tierras mantuvieran a sus hijos en la corte de Tenochtitlán, para así asegurarse la fidelidad de los padres.

Al mismo tiempo, y a pesar de haber presumido de humilde con anterioridad a su entronización, se mostró muy aficionado al lujo y a recibir el homenaje de sus súbditos. Para dar mayor lustre a su corte alejó de ella a cuantos no eran nobles de nacimiento y destituyó de todas sus funciones y dignidades a los plebeyos, alegando que éstos no podían ser capaces de albergar elevados sentimientos. Incluso con los aristócratas se mostró soberbio y duro, obligándoles a ir descalzos cuando comparecían en su presencia y permitiéndoles ostentar sus adornos sólo en las grandes ceremonias, para no ver eclipsado su propio esplendor.

Además, Moctezuma emprendió diversas campañas para consolidar el Imperio y conquistar nuevas tierras. Una de sus iniciativas guerreras le llevó a enviar un ejército para terminar con la independencia de Tlaxcala, al frente del cual puso a su hijo Tlacahuepantzin. Éste penetró en aquella república pero fue derrotado por los belicosos soldados tlaxcaltecas y pereció él mismo en una de las sangrientas escaramuzas. La pérdida de su hijo fue tan dolorosa para el monarca méxica que quiso vengarse a toda costa de sus enemigos y, tras reunir todas las fuerzas de la confederación, rodeó con ellas la provincia de Tlaxcala para atacarla por varios lados al mismo tiempo. Pero tampoco en esta ocasión le fue propicia la suerte, pues, cuando traspasaban las fronteras, sus huestes fueron de nuevo aplastadas por los temibles tlaxcaltecas. Moctezuma hubo de renunciar para siempre a la conquista de aquel indomable país, cuyos bravos combatientes serían luego sometidos por Cortés en su marcha hacia la capital del Imperio Azteca.

En el punto álgido de su poder

Las campañas de Moctezuma quedaron aplazadas en 1504 a causa del hambre que se enseñoreó del país tras un largo período de sequía. El azote fue tan tremendo que muchas familias se vieron obligadas a vender a sus hijos y a trasladarse a otras zonas menos castigadas por la escasez de agua y alimentos. Pero en cuanto aquella calamidad empezó a remitir, Moctezuma reanudó sus ataques, venciendo en los años siguientes a un buen número de tribus que o bien se habían sublevado o se negaban a pagar tributos al soberano azteca. Por último, realizó la más atrevida de sus empresas en unión de sus aliados de Tetzcoco y Tlacopán: llevar sus ejércitos hasta las fronteras de América Central con América del Sur, pasando por Chiapas y Guatemala y apoderándose de Honduras y Nicaragua.

Así pues, puede decirse que Moctezuma se hallaba en la cúspide de su poder cuando, en 1517, comenzaron a llegar a Tenochtitlán extrañas noticias sobre la presencia en los confines del Imperio de unos extranjeros que procedían del mar y decían representar a un poderosísimo señor, mitad humano y mitad divino. Aquellos desconcertantes visitantes no eran otros que los marinos españoles encabezados por Francisco Fernández de Córdoba, que en esos días habían explorado el golfo de México y recorrido las costas de Yucatán.

Moctezuma, que a causa de su tiránico proceder era un gobernante tan poderoso como impopular, recibió aquellos informes con cautela; sus súbditos, sin embargo, pensaron que aquellos sorprendentes viajeros eran los hijos del bondadoso y justo dios Quetzalcoatl que venían para acabar con el déspota de Tenochtitlán, quien desde su coronación había hecho con creces honor a su nombre, pues Moctezuma significa en lengua nahuatl, «el señor iracundo».

Estos negros presagios para el soberano se acentuaron con la llegada de Hernán Cortés, quien a principios de 1519 desembarcó en el Yucatán y se dispuso a llevar sus huestes hasta la capital azteca. Quizás Moctezuma pensó también en un primer momento que aquellos extranjeros eran los legendarios hijos de Quetzalcoatl, y llevado por el temor decidió alejarlos enviándoles ricos presentes que, lejos de surtir el efecto deseado, no hicieron sino aumentar la codicia de los conquistadores.

Choque de culturas

Ni las numerosas embajadas cargadas de regalos ni la intervención de los hechiceros, cuya misión consistía en detener mediante conjuros a los invasores, lograron disuadir a Cortés, que el 8 de noviembre entró en Tenochtitlán precedido de una terrible fama: había sojuzgado a los tlaxcaltecas, ahora aliados suyos, y asesinado sin miramientos en la ciudad sagrada de Cholula a más de mil indígenas, súbditos fieles de Moctezuma. Además, traía consigo mortales armas que escupían fuego y monstruosos animales sobre los cuales sus hombres cabalgaban sembrando el pánico entre los aztecas.

Ante estas noticias, el emperador consideró preferible dejar que los barbudos penetraran en la ciudad, imaginando que si las cosas se torcían

Su valentía, su carácter humilde y su fervor religioso, le granjearon el prestigio que lo llevó al trono con el beneplácito popular. Sin embargo, una vez coronado, Moctezuma se convirtió en un tirano cruel, engreído y aficionado al lujo. Grabado que muestra al emperador azteca en tareas de gobierno.

no iba a ser difícil cercarlos y derrotarlos en su propio feudo, por mucho que fuera su poder. El encuentro entre el *tlatoani* azteca y Hernán Cortés, al que los indios llamaban Malinche por ser también éste el sobrenombre de su compañera Marina, tuvo lugar en medio de una espléndida ceremonia. Los españoles desfilaron en perfecta formación con los pendones desplegados, exhibiendo sus caballos y sus arcabuces y seguidos por los fieros guerreros tlaxcaltecas, a los que Moctezuma no había conseguido vencer. En cuanto al soberano azteca, se presentó sobre andas y bajo palio, acompañado por sus caciques, ataviado con sus mejores galas y haciendo una gran ostentación de sus extraordinarias riquezas.

Nunca en la historia de México se había recibido a unos extranjeros con tanta pompa y boato. Aquel magnífico recibimiento parecía sellar la amistad entre españoles y aztecas, pero la tensión enmascarada por los discursos respetuosos y el intercambio de presentes no iba a tardar en aflorar a la superficie. El recelo contra los recién llegados se acentuó pocos días después, cuando los hombres de Cortés empezaron a buscar oro por todos los rincones de la ciudad y el propio Malinche cometió la imprudencia de criticar severamente a los dioses aztecas, exigiendo a Moctezuma que cesaran los sacrificios humanos y se permitiera erigir un altar cristiano en el templo principal de la urbe.

El descontento de los indígenas alcanzó entonces su clímax. No estaban dispuestos a prestar acatamiento a un rey lejano llamado Carlos, al que no conocían, ni a servir a unos dioses que negaban sus más antiguas tradiciones. Los rumores sobre un ataque inminente comenzaron a llegar hasta las filas de los conquistadores, y Cortés decidió adelantarse a los acontecimientos tomando como rehén a Moctezuma, quien aceptó su suerte con una mezcla de resignación y entereza. El orgulloso monarca, el

déspota semidivino, conseguía así salvar la vida y apaciguar momentáneamente los ánimos de sus súbditos, a quienes aseguró que se encontraba entre los soldados españoles por propia voluntad.

El infierno del desprecio

Como es sabido, este delicado equilibrio se rompió cuando Cortés hubo de dirigirse sin demora a Veracruz para enfrentarse a Pánfilo de Nar-

váez, enviado al frente de un gran ejército por el gobernador Diego de Velázquez. El extremeño derrotó sin demasiadas dificultades a Narváez, pero no pudo evitar que el imprudente Pedro de Alvarado, jefe de la guarnición que había dejado custodiando a Moctezuma en Tenochtitlán, desencadenara una matanza entre los aztecas durante una de sus celebraciones religiosas, lo cual acabó provocando realmente una violenta sublevación.

Cortés regresó precipitadamente y consiguió reunirse con los suyos, que se encontraban ase-

A pesar de la amistosa apariencia del encuen-
tro entre Moctezuma y Hernán Cortés y del
boato con que se celebró, la sangre no
tardaría en correr.

diados en uno de los barrios de la ciudad. Tanto el español como Moctezuma iban a pagar caro la irresponsable actuación de Alvarado: el primero, viendo cómo lo más granado de su ejército caía bajo el empuje azteca; el segun-

do, entregando su propia vida tras un último y desesperado intento por aplacar a los suyos. En la mañana del día 27 de junio de 1520, las tropas aztecas atacaron de nuevo las posiciones españolas con renovada furia. Tratando de impedir la predecible derrota, Cortés pidió a Moctezuma que compareciese ante sus súbditos para tratar de calmarles una vez más. El soberano aceptó, sin sospechar que ya había sido elegido un nuevo *tlatoani* en su lugar; la muchedumbre vociferante, tras guardar silencio unos breves instantes ante el que había sido su soberano, le insultó llamándole bellaco y afeminado, lanzándole acto seguido una lluvia de saetas, piedras y jabalinas. Moctezuma fue alcanzado por varios proyectiles y cayó al suelo bañado en sangre. Los españoles retiraron al maltrecho monarca y se apresuraron a contener el ataque de los indígenas.

A los pocos días apareció su cadáver. Cortés y los suyos afirmaron que su muerte se debía a las heridas recibidas durante la algarada. Los aztecas la atribuyeron a una estocada asestada por los propios conquistadores. Algunos historiadores han sostenido que Moctezuma se negó a tomar alimento durante sus últimos días de cautiverio y que falleció por esta causa. Sea como fuere, podemos asegurar que sus dolores postreros no emanaron tanto del cuerpo como del espíritu, pues debió de ser para él mayor infierno que las heridas verse preso, enfermo y despreciado cuando había sido el más grande emperador de los aztecas.

Pocas horas después de su muerte, los conquistadores, amparados por las sombras de la noche, se retiraban furtivamente de la ciudad, incapaces de enfrentarse a sus perseguidores aztecas, en la famosa Noche Triste.

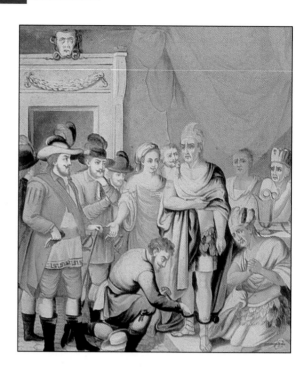

Encarcelamiento de Moctezuma, quien moriría poco después a manos de su propio pueblo, que se amotinó contra los españoles y acusó a su caudillo de servilismo.

1467	Nacimiento de **Moctezuma** en Tenochtitlán.
1502	Sucede en el trono a su tío Ahuitzotl.
1504-1506	Campañas contra los tlaxcaltecas, itzecas, tecuhtepecas e itzcuintepecas. Años de sequía en el imperio Azteca.
1507	Moctezuma asola las ciudades de Tzolán y Mictlán.
1508	Primer intento de penetrar en América Central.
1512	Somete a los xochitepecas y a los yopitzingas.
1515	Sus ejércitos se apoderan de Honduras y Nicaragua.
1517	Expedición de Fernández de Córdoba al golfo de México. Llegan a Tenochtitlán las primeras noticias sobre los españoles.
1518	En noviembre, Hernán Cortés zarpa de Cuba rumbo al Yucatán.
1519	Cortés funda Veracruz el 21 de abril. 8 de noviembre: los españoles entran en Tenochtitlán; Moctezuma es hecho prisionero.
1520	21 de mayo: Pedro de Alvarado desencadena una matanza de indígenas en ausencia de Cortés. Tras el regreso de éste, Moctezuma intenta apaciguar a los suyos durante el ataque del 27 de junio. Entre ese día y el 30 de junio, el emperador azteca muere por causas aún no aclaradas.

Maquiavelo
(1469-1527)

En su obra El príncipe, *el florentino Maquiavelo expuso con crudeza la amoralidad de los hombres enceguecidos por el ejercicio del poder y la política.*

El retrato de Maquiavelo conservado en el Palacio Viejo de Florencia, obra del pintor Santi di Tito, muestra la contrafigura de lo que en lengua española se conoce como *maquiavelismo*, una suerte de doblez ladina y eficiente. El personaje aparece inseguro, suspicaz, medroso, fatigado, como si la suerte le fuera a ser inminentemente contraria y la vida le hubiera pasado facturas exorbitantes: rostro delgado y anguloso, cabello ralo, frente despejada, sienes hundidas, labios sensuales, ojos vivaces, desconfiados y un tanto ausentes. El autor de *El príncipe*, uno de los libros más lúcidos y controvertidos de todos los tiempos, se entregó en cuerpo y alma a una inédita franqueza, expuso sin trampantojos las reglas del arte amoral de los poderosos en ejercicio. Él mismo disfrutó durante algunos años del favor de los grandes de su época, pero la fortuna le fue adversa y en su retiro hubo de conformarse con soñar ambiciosamente la deliciosa compañía de los señores de todos los tiempos. Así, en una carta fechada el 10 de diciembre de 1513, tras haber sido apartado de sus misiones diplomáticas y sufrido cárcel y tortura, en su retiro de San Casciano escribe: «Llegado el atardecer, me vuelvo a casa, y entro en mi escritorio, y en el umbral me despojo de esta veste cotidiana, llena de fango y de lodo, y me pongo vestiduras reales y cortesanas; y, revestido decentemente, entro en las antiguas cortes de los antiguos hombres, donde, recibido por ellos amorosamente, me nutro de ese alimento que solo es mío, y para el que nací; y ahí no me avergüenzo de hablar con ellos, y les pregunto las razones de sus acciones, y ellos, por humanidad, me responden; y no siento ninguna molestia en el tiempo de cuatro horas, se me olvida todo afán, no temo la pobreza, no me altera la muerte.» El postergado y resentido cortesano Maquiavelo, a sus cuarenta y tres años, adulador y erudito, recogido en sus fantasías, devorado no por la pasión del poder, sino por la pasión de la sabiduría al servicio de un poder tan despiadado como benéfico, acaba de escribir un opúsculo titulado *El príncipe*, uno de los libros más denostados por los moralistas, aunque acaso sea la más sutil e intemporal venganza contra el envanecido despotismo de los hombres que jamás se haya escrito.

El diplomático avisado

Nació el estadista y escritor Niccolò Machiavelli en Florencia, corriendo el año de 1469, en el seno de una familia noble aunque de escasa fortuna. Tras la restauración de la República en su ciudad natal, fue nombrado, a los veintinueve años, Secretario de la Segunda Cancillería de Florencia, durante el llamado Gobierno de los Diez. Ejerció a su servicio misiones diplomáticas en la corte de Luis XII de Francia, de Maximiliano I de Alemania y de otros soberanos europeos. En 1502 conoció y admiró a César

Maquiavelo dedicó su tratado de ciencia política El príncipe *a Lorenzo de Médicis (arriba) en un intento de congraciarse con quien anteriormente había mandado* encarcelarlo y torturarlo, pero se cree que su contacto personal con César Borgia, a quien conoció en 1502, fue la principal fuente de inspiración de esta obra.

Borgia, quien se mantenía firme en el poder recurriendo a toda suerte de traiciones, trapacerías y crímenes sin el menor escrúpulo. Fruto de su experiencia, compuso libros sobre lo que había visto como *Descripción de las cosas de Alemania* (1508, aunque publicado por primera vez en 1532) y *Descripción de las cosas de Francia* (1510, también editado póstumamente en 1532).

Su partido fue derrotado en la batalla de Prato, que dejó abiertas las puertas de Florencia para los españoles y devolvió el gobierno de la ciudad a los Médicis. Éstos desconfiaron del antiguo servidor de la República y, no conformes con apartarlo de su cargo, multarle y exonerarle de sus dignidades, temiendo que hubiera participado en una conjura contra ellos, lo encarcelaron y lo sometieron a crueles torturas.

Tras recuperar su libertad, se refugió en una finca de la familia situada cerca de San Casciano, donde escribió los *Discursos sobre la primera Década de Tito Livio* (1513-1519) y su obra más célebre, *El príncipe* (1513). Con ella trataba de ganar infructuosamente el favor de Lorenzo *el Magnífico*, a quien dedicó zalameramente el tratado, aunque, según la leyenda, el magnánimo señor correspondió a este gesto enviándole meramente una partida de botellas de vino.

Entre 1516 y 1520 redactó uno de sus estudios teóricos, *Sobre el arte de la guerra*, y en ese último año Giulio de Médicis, el futuro Clemente VII, le encargó *Historias florentinas*. Fue así mismo un discreto poeta y un excelente comediógrafo y autor satírico. En 1527 murió como dijo haber nacido, pobre, en su adorada Florencia.

El proscrito en su rincón

Los años más fecundos de la producción intelectual de Maquiavelo corresponden a aquellos en que se vio apartado, contra su voluntad, de la vida pública. Fue por entonces cuando se engalanaba suntuosamente para entrar en su estudio y viajar con la imaginación a las cortes legendarias y opulentas donde moraban los poderosos del mundo. Pero antes de alcanzar esa modesta dicha en la que se «olvida todo afán» se entrega cotidianamente a una ruin mundanidad que él mismo describe en una carta ya aludida. En septiembre de 1513, Maquiavelo se levantaba antes del alba, se arreglaba, cargaba con un montón de jaulas y salía al campo a cazar tordos. Era común que capturase entre dos y seis piezas, y este pasatiempo le entretenía sobremanera. Poco después sin embargo, para acudir a su sustento, se vio obligado a talar un bosque de su propiedad, lo cual le procuraba no pocas incomodidades. Las dos primeras horas de la mañana las pasaba revisando los resultados del día anterior y en tratos con los leñadores, de quienes se había formado una pésima opinión porque «siempre tenían alguna riña entre ellos o con los vecinos». Pero, cuando Maquiavelo puede librarse de esas enojosas labores, se solaza cerca de una bucólica fuentecilla frecuentada por pajarillos canores, llevando bajo el brazo un libro «de Dante, o Petrarca, o uno de esos poetas menores, como Tibulo Ovidio y semejantes; leo aquellas amorosas pasiones y aquellos amores suyos: me acuerdo de los míos, disfrutando un poco de aquellos pensamientos». Bien es cierto que, más tarde, se entrega a placeres menos espirituales: «Luego me voy al camino, a la taberna, hablo con los que pasan, oigo cosas variadas y me fijo en diversos gustos y diversas fantasías de los hombres. Llega en esto, mientras, la hora de comer, cuando con los míos me como los alimentos que esta mi pobre aldea y el escaso patrimonio comportan. Comido que he, vuelvo a la taberna: allí están el tabernero y, ordinariamente, un matarife, un molinero y dos tahoneros. Con éstos me echo a perder del todo jugando a la *crica*, al *tric-trac*, con lo que se arman mil peleas e

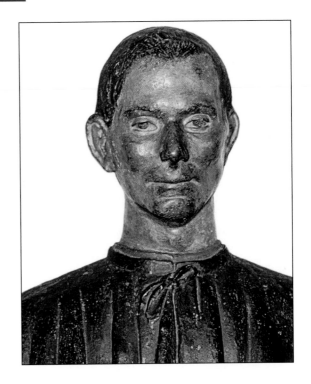

La desgracia en que se vio sumido Maquiavelo, apartado del poder por los Médicis, no hizo sino estimular su estilo directo y vivaz y su afán por describir el mundo con total veracidad.

infinitas ofensas de palabras injuriosas, y las más de las veces se juega un cuarto, y sin embargo se nos oye gritar desde San Casciano. Así enredado entre estos piojosos, quito el moho a los sesos y desahogo la malignidad de mi suerte, estando contento de que me pisotee de esta manera, por ver si se avergüenza.» Pero no parece que la suerte se avergonzara de ensañarse con Maquiavelo, de tenerlo reducido al indeseable trato con los fulleros de cantina, al ruin comercio de sus exiguas pertenencias y a la mendicidad inútil de su obstinadamente negada rehabilitación.

El instructor del tirano

Su desgracia sirvió, no obstante, para estimular su ingenio de humanista, siempre añorante de la claridad de la época clásica. Si con el estudio de Tito Livio se había convertido en un entusiasta de la república romana, ahora, escarmentado, escribía al comenzar *El príncipe*: «Todos los estados y todos los señoríos que tuvieron y tienen autoridad han sido y son repúblicas o principados.» Y no parece demostrar en absoluto su antigua preferencia por la primera de estas formas de gobierno: fríamente aplica su atención a los principados vigentes y estudia la manera óptima de dominarlos y conservarlos. Su actitud es realista, imparcial, científica: los hombres son perversos, egoístas y violentos, los leñadores no más ni menos que César Borgia o Fernando *el Católico*, presuntos modelos de su ideal de gobernante. La diferencia estriba exclusivamente en el lugar que ocupan en el ordenamiento social, en el éxito de su misión, en el pragmatismo con que cada uno acomete sus designios. Así «el príncipe no ha de tener otro objetivo que no sean la guerra y su organización y disciplina, ni debe asumir alguna otra profesión, porque es esta la que se espera de quien manda...», a lo cual apostilla, sibilinamente, que la fuerza «no solo sostiene a quienes han nacido príncipes, sino que muchas veces hace que simples ciudadanos lleguen a aquella altura». El servil instructor de tiranos fue por este libro enseguida odiado por todos, incluidos los supuestos beneficiarios de sus lecciones, como suele ocurrir siempre que se iluminan demasiado descarnadamente los recovecos de la perfidia del hombre. Una anécdota revela el ambiguo sentido y las consecuencias imprevisibles de este escrito nada maquiavélico, deslumbrante en su racionalidad. Cuando alguien reprochó a Maquiavelo haber enseñado a los déspotas el arte de conquistar el poder, éste contestó que, efectivamente, así lo había hecho, pero que también había enseñado a los pueblos cómo se derroca a los dictadores.

Su opúsculo fue incluido en el *Index* de la Inquisición en 1559; Rousseau, por el contrario, lo consideraba el libro de cabecera de los republicanos y Napoleón lo estudió minuciosamente inspirándole numerosas acotaciones en los márgenes. Aún hoy este patético pataleo de la lucidez impotente contra un destino adverso mantiene una insospechada vigencia. Proféticamente, en 1936, escribió el poeta español Antonio Machado en su *Juan de Mairena*: «Carlos Marx —decía mi maestro— fue la criada que le salió respondona a Nicolás Maquiavelo. Propio es de siervos tardar algunos siglos en insolentarse con sus señores. (...) Pronto asistiremos a la gran contienda entre estos dos fantasmas, o gran disputa de "más eres tú", en que, excluida la moral, las razones se convierten en piedras con que achocarse mutuamente. Pero nuestros nietos asistirán a una reconciliación entre ambos, que será Maquiavelo quien inicie, a su manera epistolar florentina: *Honorando compare...*»

1469	3 de mayo: nace Niccolò Machiavelli, **Maquiavelo**, en Florencia.
1494	Implantación de la República de Florencia.
1498	Es nombrado Secretario de la Segunda República de Florencia.tomará como punto de partida de la era musulmana.
1500	Misión diplomática cerca de Luis XII de Francia.
1502	Conoce y trata a César Borgia.
1506	Rinde servicios al papa Julio II.
1512	Los Médicis retornan al poder. Maquiavelo es encarcelado y torturado. En su retiro cerca de San Casciano comienza la redacción de los *Discursos sobre la primera Década de Tito Livio*.
1513	Dedica *El príncipe* a Lorenzo de Médicis.
1520	Compone la comedia *La mandrágora*.
1521	Redacción de *Historias florentinas*, libro encargado por Clemente VII.
1527	22 de junio: muere en Florencia.

Martín Lutero
(1483-1546)

E scritor paradójico, tumultuoso, agresivo e hiperbólico, Lutero, al tiempo que desencadenó con su doctrina herética crueles guerras de religión, sentó las bases de la lengua literaria moderna en Alemania. Su traducción de la Biblia y, en general, su estilo polémico, atropellado y en ocasiones sarcástico se situó en las antípodas del moroso y lento discurrir por silogismos de la escolástica vigente. Algunas de sus palabras, coladas como de rondón en su versión de las Sagradas Escrituras, constituyeron una auténtica hecatombe en la Cristiandad, hasta entonces preservada eficazmente de toda desviación por la Iglesia católica, apostólica y romana. Por ejemplo, en la Carta a los romanos, 3, 28, puede leerse: *Arbitramur hominen iusticari ex fide absque operibus*, o sea, «consideramos que el hombre se justifica por la fe sin obras de ley». Lutero añadió la decisiva palabra *solamente* («allein») por la fe, arrimando claramente el ascua a su doctrina, pero tan poco inocente desliz lo atribuyó al «genio de la lengua alemana». Y así escribe en su *Carta sobre el traducir* de 1530: «Pues no se debe preguntar a la lengua latina cómo hay que hablar propiamente, según lo hacen los asnos, sino que se le debe preguntar a la madre en la casa, a los niños en la calle, al hombre corriente en el mercado, y verles en la boca cómo hablan...» Este «como hacen los asnos» no es sino una más de las muchas lindezas con que tacha y escarnece a sus enemigos dialécticos, como por ejemplo

Martín Lutero fue el artífice de la reforma protestante. Su formación y personalidad vigorosas favorecieron el rechazo a la autoridad de Roma.

a Erasmo de Rotterdam, a quien lanza la invectiva, en *Sobre el albedrío esclavo* (1525) de «miserable vasallo de los papas» para luego espetarle: «no entendéis nada de lo que decís». Y en los últimos años de su vida, estando ya muy avanzada su enfermedad, el obstinado monje agustino se despidió con esta fórmula de sus allegados: *Deus vos impleat odio Papae*, «Dios os llene de odio hacia el Papa.»

Una infancia desdichada

Nació Lutero en Eisleben (Sajonia) el 10 de noviembre de 1483, siendo su padre un rudo minero llamado Hans Luther, de quien se decía que había abandonado su lugar de origen, Möhra, tras perpetrar un asesinato en un ataque de ira, y su madre la severa y fanática campesina Margarita Ziegler. Por sus cartas sabemos que fue a menudo sometido a crueles castigos, como una vez que su padre le azotó tan violentamente que el joven huyó de casa y tardó mucho tiempo en perdonarle en su corazón, o en otra ocasión en que su madre le golpeó hasta hacerle sangrar a causa de que se había comido sin permiso una nuez. En un pasaje de su obra se duele de que en una sola mañana fue apaleado en la escuela quince veces.

El origen de la tozudez y rebeldía de su carácter puede acaso buscarse en esos años desgraciados y ásperos, cuando si quería disponer de algunas monedas debía mendigarlas cantando ante las casas y, en Navidad, entonando y bai-

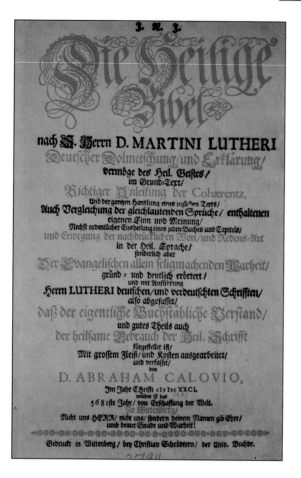

La reforma se basaba en la primacía de la Biblia sobre las tradiciones de la Iglesia. Frontispicio de la edición alemana de la Biblia comentada por Lutero.

En 1509, Lutero obtuvo el título de *Baccalaureus Biblicus*, que le concedía el derecho de practicar la exégesis bíblica públicamente. Joven profesor en la recién creada universidad de Wittenberg, pronto dio muestras de gran intemperancia y osadía en sus manifestaciones, al tiempo que se sentía acuciado en su intimidad por graves escrúpulos de conciencia y devastadoras tentaciones. Por aquel tiempo, un viejo fraile agustino le recomendó la consoladora lectura de San Pablo, en cuyo estudio se enfrascó ávidamente para deducir de él las primeras simientes de su dramática disidencia con la ortodoxia religiosa. En la *Epístola a los romanos* de San Pablo encuentra respuesta a sus angustias sobre la salvación, entendiendo que el hombre encuentra su *justificación* en la gracia de Dios, generosamente otorgada por el Creador y con independencia de sus propias obras.

Paradójicamente es en su poco tranquilizadora idea de que *solamente* la fe y no los méritos salvan, doctrina individualista que condena al hombre, en cierto modo, a una soledad abismada, donde Martín Lutero encuentra una cierta paz y certidumbre espiritual que le moverá a una irreductible diatriba con el Vaticano, a templar su turbulento carácter en una batalla perenne y a fundar la nueva doctrina protestante.

Los gestos del inconformismo

Su primera visita a Roma tendrá lugar en 1510; pero al parecer le fue denegado un permiso de sus superiores para permanecer estudiando allí durante diez años sin vestir el hábito religioso. Probablemente muy contrariado por este hecho, no por ello Lutero flaqueó en su fe, pero sí se tornó ácidamente crítico respecto al espectáculo de corrupción y decadencia que reinaba en la ciudad de los papas y menos afecto a las obligaciones anejas a su estado.

De regreso a Wittenberg, se doctoró en teología el 18 de octubre de 1512, aunque en su obra demuestra el enorme desapego que sintió por la filosofía y la teología escolástica imperante en su época. Apenas se interesó por los grandes pensadores del siglo XIII, por Tomás de Aquino, Buenaventura o Escoto, aunque exploró con apasionada intensidad la Biblia y algunos escritos de San Agustín.

lando villancicos de pueblo en pueblo. Martín fue alejándose de aquellas terribles condiciones a medida que avanzaba en sus estudios. A los catorce años, su curiosidad estuvo orientada por los Hermanos de la Vida Común en Magdeburgo y más tarde cursó Leyes en la universidad de Erfurt. En esta misma ciudad tomó los hábitos y, tras un año de noviciado en el monasterio de los agustinos, se ordenó sacerdote, diciendo su primera misa a los 21 años.

Cuando participó sus propósitos al contrariado Hans, su padre declaró «¡Con tal de que tu vocación no sea trampa de Satanás!», expresión airada que quedó impresa en su atribulado ánimo durante toda su vida.

La disidencia de Lutero comenzó con la difusión de las primeras 95 tesis contra la inutilidad de las indulgencias otorgadas por Roma. Antes de que se consolidara la ruptura hubo algunos intentos de conciliación y confrontaciones teológicas infructuosas, como la que tuvo lugar en la Dieta de Augsburgo, que muestra la ilustración.

Por aquellos años asumió el cargo de vicario de su distrito, lo que suponía la dirección de once conventos, a lo que había que sumar sus lecciones en la universidad y el gobierno, la administración económica y la dirección espiritual de su convento de Wittenberg. Abrumado de trabajo, llegó incluso a visitar en sólo dos días todos los conventos que estaban bajo su férula, permaneciendo en uno de ellos escasamente una hora. Dormía apenas cinco horas sobre una dura tarima, aunque disfrutaba de los placeres de la mesa con la misma inmoderación que le caracterizó durante toda su vida. A veces se encerraba en su celda para rezar siete veces los oficios y suplir de ese modo la negligencia en que había incurrido durante la semana acuciado por sus ocupaciones. En ese torbellino de actividades, e inspirado obsesivamente por unas palabras de San Agustín, «lo que la ley pide, lo consigue la fe», concibió sus célebres noventa y cinco tesis sobre la ineficacia de las indulgencias otorgadas por Roma, que clavó desafiante en la iglesia de Wittenberg el 31 de octubre de 1517.

Como consecuencia de ello, el papa León X inició contra él un juicio por herejía que concluirá con la excomunión de Lutero en 1520, el mismo año en que, recalcitrante, publica uno de sus libros fundamentales, *Sobre la libertad del cristiano*. El pontífice le amenazó con la excomunión si no se retractaba en sesenta días por medio de la bula *Exurge*, pero el arrogante Lutero contestó con el libelo *La bula del Anticristo* y quemó públicamente el documento, junto con un ejemplar del *Corpus iuris canonici*, en la plaza de Wittenberg.

En 1521 el emperador Carlos V exigió que él y sus discípulos se retractasen; ante su negativa, promulgó el edicto de Worms, por el que se les declaraba proscritos, pero para entonces su causa contaba ya con el favor de un amplio movimiento popular en Alemania y con la protección del príncipe elector de Sajonia Federico III *el Prudente*, quien lo hizo conducir secretamente hasta las dependencias del castillo de Wartburg. Allí comenzó Lutero su traducción al alemán del *Nuevo Testamento*, que se llamaría la *Biblia*

Ilustración de un texto protestante de 1538 contra el clero católico. La clase sacerdotal protestante dejó de tener unas competencias específicas.

de Septiembre por haber aparecido ese mes y que conocería un éxito tan enorme que hubo de mandarse imprimir de nuevo en diciembre. De la fortaleza huyó, faltando a su palabra, el 1 de Mayo de 1522, y pasó de nuevo a Wittenberg, donde continuó con su predilecta actividad de cubrir de vituperios a sus contradictores y concibió su libro *Opinión sobre las órdenes monásticas*, que era una vibrante exhortación a los monjes y monjas para que rompieran sus votos de castidad, recomendación que fue muy bien acogida, de modo que no pocos religiosos agustinos de ambos sexos se comprometieron en uniones sacrílegas.

El propio Lutero contrajo matrimonio con la exclaustrada monja cisterciense Catalina de Bora en 1525, mujer veinte años más joven que él y que le daría seis hijos. Después de su boda el príncipe elector de Sajonia le rega-

ló el antiguo convento de los agustinos en Wittenberg, donde la laboriosa Catalina estableció una pensión de estudiantes para paliar en alguna medida sus estrecheces económicas. Los estudiantes tenían el privilegio de compartir la mesa con Lutero, quien tras la colación condescendía a responder a sus preguntas, de resultas de las cuales nació el libro *Dichos de sobremesa*.

El triunfo del heresiarca

En diciembre de 1525, Lutero publicó *De la voluntad esclava*, réplica al libro de Erasmo de Rotterdam *De la voluntad libre*, aparecido el año anterior, pero sus obras que gozaron de mayor aceptación popular fueron el *Pequeño catecismo* y el *Gran catecismo*. En aquel tiem-

La pesca de las almas, *de Van de Venne, obra que ilustra de forma satírica la competencia establecida entre las iglesias católica y protestante para captar adeptos.*

po se desató la sangrienta guerra de los campesinos contra sus señores; no fue ajeno a ese levantamiento el que el pueblo postergado hubiera extraído sus propias consecuencias de la Reforma luterana. Alentado por ese nuevo concepto religioso el pueblo se rebeló contra el derecho sagrado de los nobles y de los ricos. Pero en esta ocasión nuestro monje no consiguió apaciguar el levantamiento con su pluma, y, gran paradoja, llegó incluso a incitar a los poderosos a matar como perros a los campesinos en *Contra las ladronas y asesinas cuadrillas de los campesinos* de 1525. Para entonces los príncipes, ciudades y nobles habían obtenido tal número de bienes como consecuencia de las confiscaciones eclesiásticas que el triunfo de la Reforma parecía irreversible. En 1530 fue su más destacado colaborador e infatigable corresponsal Philipp Melanchthon quien redactó la profesión de fe conocida como *Confesión de Augsburgo,* que contenía veintiocho puntos de definitiva discrepancia con el catolicismo. En 1532, el emperador Carlos V, obligado a luchar en otro frente contra los turcos, hubo de transigir en el luteranismo en la paz de Nuremberg, estableciendo la libertad de ejercer libre y públicamente el nuevo culto.

Cuando, tardíamente, el papa convocó el Concilio de Trento, el ensoberbecido y encumbrado Lutero lanzó un violentísimo libelo que tituló significativamente *Contra el papado establecido por el demonio* (1545).

Sus últimos años los pasó aquejado de una dolorosa lesión en la arteria coronaria y amargado por la insurgente corrupción moral que él había indeliberadamente ayudado a desatar en Alemania, por lo cual este hombre infatigable y sorprendente quiso aún entregarse a la tarea de predicar como misionero la naciente religión por todo el país, pero su precaria salud y sus tormentos espirituales no se lo permitieron. Al final de su vida, segada el día 18 de febrero de 1546 en su aldea natal, confesaba sostener en su intimidad arduas y extenuantes batallas con el diablo.

Un año después de su muerte, el emperador Carlos V entró en la ciudad donde había sido enterrado, Wittenberg, tras la victoria sobre los protestantes en Mühlberg y obligó a la esposa del Elector de Sajonia a entregarle aquella plaza a cambio de la vida de su marido hecho prisionero. En aquellas circunstancias, el duque de Alba, poco amigo de miramientos, propuso al emperador desenterrar el cadáver, incinerarlo y aventar las cenizas, pero Carlos no consintió en ello, arguyendo que él hacía la guerra contra los vivos y no contra los muertos.

Los mejores retratos del fundador del protestantismo se deben a la mano maestra de Lucas Cranach *el Viejo*, autor así mismo de célebres caricaturas del papa, incorporadas como ilustraciones en *Contra el papado...* El retrato que conserva el Museo de los Uffizi de Florencia, gemelo a otro que representa a su esposa, muestra un rostro gordezuelo, con papada, albo y de nariz prominente.

Los labios reflejan hosquedad y férrea determinación mientras los penetrantes ojos oscuros estremecen por su altanería. Algo de esa personalidad febril, atormentada, heroica, de infinita vanidad, intelectualmente vigorosa y secretamente alucinada se ha conservado mejor en esta imagen que en sus copiosos escritos. Debe hacerse constar, no obstante, que Martín Lutero gozó según dicen de un excelente sentido del humor, y era aficionado a los juegos de palabras según atestigua su obra. En su último libelo finge equivocarse y luego rectifica, refiriéndose a los leguleyos del papa y escribe: «Drecketen —Dekreten wollt' ich sagen..., o sea, excrementos —decretos quiero decir...»

1483	10 de noviembre: nace **Martín Lutero** en la aldea alemana de Eisleben.
1501	Se matricula en la universidad de Erfurt.
1505	Ingresa en la orden de los agustinos y dice su primera misa el 2 de mayo.
1509	Obtiene el título de *Baccalaureus Biblicus*, que le cualificaba para explicar públicamente la *Biblia*.
1510	Viaja a Roma y descubre la corrupción del Vaticano.
1516	Comentarios a la *Epístola a los Romanos* de San Pablo.
1517	31 de octubre: clava sus 95 famosas tesis en la puerta de la iglesia de Wittenberg.
1520	Quema públicamente en Wittenberg la bula *Exurge* de León X, que contenía una amenaza de excomunión.
1521	Publica la traducción de la *Biblia* al alemán.
1525	En diciembre aparece su obra *De servo arbitrio*, contestación al libro de Erasmo de Rotterdam *De libero arbitrio* (1524). 13 de junio: se casa con la monja cisterciense Catalina de Bora.
1545	Aparece su libelo titulado *Contra el papado establecido por el demonio*.
1546	Muere de apoplejía en la mañana del 18 de febrero en su pueblo natal.

Hernán Cortés
(1488-1547)

Como muchos otros españoles, Hernán Cortés, el conquistador de México, viajó al Nuevo Mundo con el sueño de hacer fortuna y ganar fama y honores.

Al cronista Bernal Díaz del Castillo debemos la siguiente descripción de Cortés cuando contaba poco más de treinta años: «Era de buena estatura y cuerpo bien proporcionado y membrudo (...); los ojos, en el mirar, unas veces amorosos y otras graves (...); tenía el pecho alto y la espalda de buena manera, y era cenceño y de poca barriga y algo estevado, y las piernas y muslos bien sacados, y era buen jinete y diestro con todas las armas, así a pie como a caballo, y sabía muy bien menearlas, con corazón y ánimo, que es lo que hace al caso». Sabemos también que era discreto en el vestir, moderado en la mesa y amigo de largas pláticas y educadas conversaciones, dando con ello muestra, como dice Bernal, «de su carácter de gran señor». Hasta ese momento, sin embargo, su biografía era tan sólo un conjunto de hechos vulgares y anécdotas dudosas; antes de 1518, ni su nacimiento, ni sus estudios, ni sus amoríos, ni sus negocios, ni sus aventuras ofrecían rasgos excepcionales. Fue a partir de ese año cuando Cortés se reveló el más sufrido en los peligros, el más valeroso en la lucha, un hábil diplomático y un esforzado administrador, consiguiendo que su figura empezase a cobrar una dimensión universal.

En busca de fortuna

Hernán Cortés vio la luz en Medellín (Badajoz) el año 1488, sin que se conozca el mes ni el día de su nacimiento. Era hijo de don Martín, hacendado de noble linaje, y de doña Catalina, mujer de gran religiosidad. Como la posición económica de la familia era lo suficientemente desahogada, Hernán fue enviado a la Universidad de Salamanca, donde estudió durante dos años latín, gramática y leyes. Don Martín quería verle convertido en juez o catedrático, pero el joven era demasiado inquieto y dos años de aulas y libros bastaron para cansarle. Fue entonces cuando, al parecer, inició su dilatada carrera de donjuán con un lance tan narrado como legendario: una cita nocturna, una tapia que se derrumba en el momento más inoportuno, un marido celoso que sale al ruido y unas cuchilladas que dieron con el señor Cortés en el hospital; tanto las cicatrices como la afición a las damas lo acompañarían hasta su muerte.

Recobrada la salud, y viéndose sin oficio ni beneficio, determinó trasladarse a Nápoles, pero no pasó de Valencia y allí permaneció cerca de un año. Luego regresó a Medellín y, al escuchar las narraciones de sus paisanos sobre el Nuevo Mundo, comprendió claramente cuál era su destino: viajar a las Indias y allí labrarse un porvenir, alcanzar la fama, hacer fortuna, conseguir honores. No era el único en tener ese sueño, pero sería el primero en realizarlo plenamente.

En 1504, Cortés partió para La Española, estableciéndose en la isla como escribano de la villa de Azúa. Siete años después se alistó en la em-

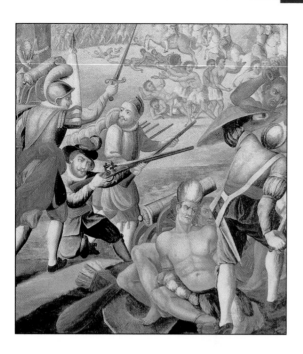

La expedición de Hernán Cortés hacia Yucatán encontró su primer enfrentamiento en Tabasco, donde la caballería fue decisiva para reducir a los bravos indígenas.

presa conquistadora de la isla Fernandina (Cuba), organizada por Diego Colón y llevada a cabo por Diego de Velázquez, pero no llegó a desempeñar cargos militares sino burocráticos, siendo nombrado tesorero de la Real Hacienda. Recién fundada Santiago de Baracoa, se instaló en la ciudad como agricultor y negociante, dedicándose a la cría de vacas, ovejas y cabras.

Surge el conquistador

Al tiempo que sus asuntos prosperaban, mantuvo algunas diferencias, tanto en el terreno amoroso como político, con el gobernador Velázquez; pasó algunos meses entre rejas y se fugó dos veces, para acabar casándose con Catalina Juárez y reconciliándose con el gobernador. El joven impulsivo y calavera fue dejando paso al hombre maduro, sereno y diplomático, animoso y diestro, tal como nos lo retrata Bernal Díaz del Castillo. Por ello, cuando se planteó una ambiciosa expedición a tierra firme, Velázquez no

dudó en nombrarle capitán de la misma, pensando que en él se combinaban las necesarias condiciones de atrevimiento, ingenio y capacidad de obediencia. El 18 de noviembre de 1518, Cortés zarpó rumbo al Yucatán al frente de once navíos en los que viajaban cien marineros, quinientos soldados, doce cañones y dieciocho caballos, los cuales habrían de resultar de una importancia decisiva. A principios de marzo la flotilla recaló en la desembocadura del río Tabasco después de recoger a un náufrago llamado Jerónimo de Aguilar, que había aprendido la lengua maya durante su estancia entre los indios yucatecos y que les serviría de intérprete. En Tabasco tuvo lugar el primer choque con los autóctonos, que fueron sometidos después de una dura refriega y tras la intervención providencial de la caballería. Los nativos nunca habían visto este tipo de animales; caballo y jinete, recubiertos de brillante armadura, eran a sus ojos monstruos portentosos, una especie de dioses terribles como el trueno y el rayo. Cortés descubrió inmediatamente la causa del espanto de los indígenas y, desde entonces, cuando alguno de sus corceles moría en el combate, ordenaba que lo enterraran secretamente, para que los amerindios no llegasen a saber que aquellos extraordinarios seres eran vulnerables.

Una vez ganada la primera batalla, Cortés entabló negociaciones valiéndose de los buenos oficios de Jerónimo de Aguilar. Los naturales empezaron a pensar que aquellos extranjeros eran poco menos que dioses y los colmaron de regalos, entre los que se incluían veinte doncellas; una de ellas, bautizada con el nombre de Marina, se convirtió en compañera y fiel auxiliar de Cortés. Esta indígena, llamada también Malinche, que hablaba las lenguas azteca y maya, pronto aprendió el idioma de los conquistadores y pudo actuar en los años siguientes como insustituible emisaria e intérprete de Cortés.

Destino: Tenochtitlán

Los jefes de aquellas tribus regalaron también a los expedicionarios presentes de oro y, cuando se les preguntó de dónde procedía el codiciado metal, contestaron: «Moctezuma, señor del Imperio Azteca, es quien lo posee». A partir de ese momento, la ciudad de Tenochtitlán, la capital del emperador Moctezuma, se convirtió en el objetivo de los españoles, más aún cuando empezaron a llegar emisarios del soberano con regalos valiosísimos, puesto que Moctezuma había decidido causar buena impresión a aquellos hombres blancos, llamados también «hijos del dios Quetzalcoatl» a consecuencia de una antigua leyenda según la cual un día llegarían procedentes del mar y ocuparían sus territorios.

Cortés bordeó la costa hacia el norte y fundó la ciudad de Veracruz, donde fue nombrado por sus acompañantes capitán y justicia mayor. Con ello, los lazos de dependencia respecto al gobernador de Cuba quedaron rotos, y el conquistador sólo tendría que justificar en adelante su actuación ante el propio rey Carlos I. Para recabar la aprobación del monarca, Cortés decidió enviar un buque a España con diversas cartas y parte de los tesoros recogidos. Pero cuando la nave se hizo a la mar, descubrió una conspiración tramada por algunos de sus subordinados partidarios de Diego de Velázquez para capturar el bergantín y asesinar a sus oficiales. Cortés castigó severamente a los responsables y, para cortar toda comunicación con Cuba e impedir futuras deserciones, ordenó que los barcos fuesen barrenados. A partir de ese instante, no quedaba otra posibilidad que seguir adelante.

La marcha hacia el corazón del Imperio Azteca fue emprendida a continuación. Las huestes de Cortés entablaron relaciones amistosas con algunas tribus que encontraron, aprovechando que muchas de ellas albergaban sentimientos hostiles hacia Moctezuma, quien aparte de gravarlas con impuestos excesivos les arrebataba a los hombres para hacerlos soldados y a las doncellas para que sirviesen como esclavas.

Al llegar al rocoso y helado país de los tlaxcaltecas, tribu indomable que se había negado siempre a pagar tributo a Moctezuma y a la que los aztecas no habían podido subyugar, Cortés se dispuso a intercambiar presentes con los caciques para ganarse su apoyo. Sin embargo, los indígenas hicieron gala ante los españoles de su talante belicoso y los obligaron a librar una de las más sangrientas batallas de toda la historia de la conquista de América. Una vez más, la caballería fue el artífice de la victoria y los bravos tlaxcaltecas fueron rechazados; al día siguiente, Cortés era invitado a entrar en la ciu-

Impresionados por la apariencia portentosa de los jinetes vestidos con armadura, los nativos los tomaron por seres prodigiosos y les colmaron de presentes. Malinche, una esclava que le fue entregada a Hernán Cortés por los indígenas como regalo, se convirtió en fiel auxiliar y compañera del conquistador.

dad de Tlaxcala bajo una lluvia de flores, pues quien había derrotado a tan temibles guerreros merecía ser considerado un héroe y un amigo. En adelante, los tlaxcaltecas iban a ser aliados de Cortés y a prestarle una serie de inapreciables servicios.

En la capital del Imperio Azteca

Poco después tendría lugar el negro episodio de la matanza llevada a cabo en la ciudad sagrada de Cholula, una de las más firmes aliadas de Moctezuma. Allí, los españoles fueron recibidos con notable hostilidad y pronto llegó a oídos de Cortés que se preparaba un plan para dar muerte a los indeseables extranjeros. El jefe de los expedicionarios reaccionó con extrema dureza y ordenó asesinar fríamente a los principales personajes de la ciudad y a los soldados que la protegían, en total más de dos mil indígenas, mientras varios cientos de tlaxcaltecas llamados secretamente por Cortés invadían el lugar impidiendo toda resistencia. Así pues, sólo faltaba la etapa final para alcanzar la soñada meta de Tenochtitlán. Unos cuatrocientos españoles y alrededor de cinco mil tlaxcaltecas componían la expedición que se puso en camino hacia la capital mexicana.

El 8 de noviembre de 1519 los conquistadores llegaron por fin a Tenochtitlán, actual ciudad de México, donde fueron bien recibidos por Moctezuma, asignándoseles incluso el palacio de Axayacatl para su alojamiento. Durante la primera semana todo marchó bien y Cortés se dedicó a recorrer la ciudad, magnífica por sus calles y edificios, provista en abundancia de todo lo necesario y fiel reflejo del esplendor y el lujo de la corte del soberano azteca. Pero a pesar de la amistosa acogida dispensada por Moctezuma, los indígenas se mostraron desde el primer momento remisos a aceptar la soberanía española y a prestar acatamiento a un monarca lejano al que no conocían. Además, Cortés cometió una imprudencia que contribuyó a hacer la situación más difícil: al contemplar los altares del gran templo de la capital, ennegrecidos por la sangre seca de los sacrificios humanos y envueltos en una fetidez que los aztecas consideraban sagrada, perdió los estribos y exigió al emperador que le permitiera limpiar aquel sitio y erigir en su lugar un altar cristiano, tachando a los dioses locales de demonios indeseables y ávidos de sangre.

La reacción no se hizo esperar. Una noche, la fiel Marina, compañera de Cortés, se presentó con la noticia de que los españoles estaban a punto de ser atacados. El extremeño decidió asestar un golpe de audacia y tomó como rehén a Moctezuma, quien, avergonzado y con lágrimas en los ojos, no tuvo más remedio que dejarse conducir por los soldados españoles fuera de su palacio, siendo llevado a la residencia de los hombres blancos.

La imprudencia de Alvarado

A partir de ese momento, la vida de los conquistadores empezó a correr serio peligro. Aunque Moctezuma trató de que sus súbditos no se alarmasen y procuró que pagasen de buen grado los tributos que inmediatamente fueron exigidos por Cortés, la tensión entre unos y otros llegó casi al límite. Además, por aquellas fechas se supo que una flota española enviada por Velázquez al mando de Pánfilo de Narváez había anclado en Veracruz con el propósito de apresar a Cortés y conducirle a Cuba sin demora. El extremeño decidió abandonar Tenochtitlán y enfrentarse a las tropas que venían en su busca, dejando en la ciudad una guarnición al mando de Pedro de Alvarado.

Cortés logró vencer a Narváez e incluso consiguió que parte de sus soldados pasaran a engrosar sus propias filas, pero no pudo impedir la actuación imprudente de Alvarado, que desencadenó en Tenochtitlán una matanza ante el rumor de que iba a ser atacado, provocando con ello realmente la insurrección de los indígenas. Los españoles fueron sitiados. Ni el rápido regreso de Cortés ni la intervención de Moctezuma consiguieron aplacar las iras del pueblo azteca; el primero pidió al segundo que intentara calmar a sus súbditos, el soberano accedió y se presentó ante los suyos, pero en la vorágine de la revuelta ya había sido elegido un nuevo emperador y Moctezuma fue apedreado e insultado por quienes unas horas antes se postraban ante él.

Tener como rehén a un soberano que ya no gobernaba no podía servir de nada a los españoles; se le dio, pues, muerte, con la confianza de que la celebración de los funerales daría un respiro a los conquistadores. El plan de Cortés funcionó sólo en parte: la precipitada huida de los españoles ante el tenaz acoso de los aztecas ha pasado a la Historia como la famosa «Noche Triste» del 30 de junio de 1520.

Aunque aquella jornada costó cientos de vidas a los conquistadores y a sus aliados tlaxcaltecas, Cortés logró reorganizar sus huestes e infundirles nuevos ánimos, con tanto éxito que en plena retirada fue posible vencer a los aztecas en Otumba de un modo casi milagroso. Por fin, los españoles llegaron a Tlaxcala, donde se preparó la segunda conquista de Tenochtitlán.

De la gloria a la tumba

La idea de volver a la carga parecía propia de un loco, pero una vez más la fortuna iba a

Hernán Cortés, representado en la batalla de Otumba, en que venció a los aztecas el 7 de julio de 1520, no fue sólo el primer conquistador de una parte de América, sino en cierta forma, su prototipo. Hidalgo, extremeño, ávido de riqueza y de gloria, independiente y valeroso, fue buen estratega e implacable guerrero.

acompañar al esforzado extremeño. Una feliz casualidad hizo que arribaran a Veracruz tres naves con provisiones y refuerzos, recibidos con alborozo por los quebrantados soldados. Los planes del nuevo asedio fueron preparados minuciosamente y se llevaron a cabo durante los meses de junio, julio y agosto de 1521. Pese a la denodada defensa que hizo de la ciudad el nuevo emperador azteca Cuauhtémoc, Tenochtitlán cayó en manos de los españoles el 13 de agosto: la capital azteca era ese día una vasta extensión de ruinas ardientes sembradas de cadáveres, la más cruda estampa de la desolación, la destrucción y la guerra.

CONQVISTA DE MEXICO POR CORTES. N°7

Parecía una locura que Hernán Cortés se decidiera a tratar de tomar Tenochtitlán después de la famosa Noche Triste de 1520, en que cientos de conquistadores perdieron sus vidas en la capital azteca, pero nada pudieron hacer las fuerzas desplegadas por el nuevo emperador Cuauhtémoc: la ciudad fue arrasada el día 13 de agosto de 1521.

Los primeros meses después de la conquista fueron dedicados a la reconstrucción de la urbe, mientras los capitanes de Cortés consumaban la incorporación de los territorios que habrían de constituir el Reino de Nueva España o México, del que el extremeño fue nombrado gobernador y capitán general por el emperador Carlos I. Siete años después, un viajero declaraba que no había en Europa ciudad superior a la capital del nuevo reino, tanto por su belleza como por su buen gobierno y contento de sus habitantes.

Veinticuatro años pasó Cortés en tierras americanas hasta su primer regreso a España, donde fue recibido como un héroe nacional a pesar de que se intrigaba activamente contra él e incluso se indujo al rey a sospechar que pretendía hacer de Nueva España un estado inde-

Arriba, representación de Hernán Cortés y doña Marina, nombre con que fue bautizada la esclava Malinche. Esta indígena, que hablaba las lenguas azteca y maya, pronto aprendió el idioma de los conquistadores, con lo que se convirtió en intérprete de Cortés y prestó importantes servicios a los españoles.

pendiente. Por ello, la política del soberano, tendente a substituir en todos los casos a los conquistadores por funcionarios, no hizo excepción con Cortés, al que le fue retirado el título de gobernador.

Durante varios años, Cortés continuó sus exploraciones y recorrió las costas californianas, llegando a dar su nombre al actual golfo de California. Aunque se le había otorgado el marquesado del Valle de Oaxaca, con cerca de veintitrés mil vasallos, su proverbial prodigalidad y los costes de sus últimas empresas no agregaron nada a su fama y consumieron su fortuna en breve tiempo.

En 1540 volvió de nuevo a España y se encontró abocado a la vejez careciendo de recursos. De tal situación se quejaba ante su soberano, cuyo auxilio imploró en un memorial del año 1544, donde puede leerse: «Pensé que haber trabajado en la juventud me aprovechara para que en la vejez tuviera descanso, y así ha cuarenta y cinco años que me he ocupado en no dormir, mal comer, y a las veces ni bien ni mal; traer las armas a cuestas, poner la persona en peligros, gastar mi hacienda y edad, todo en servicio de Dios, trayendo ovejas a su corral desde lugares muy remotos de nuestro hemisferio, y dilatando el nombre y patrimonio de mi rey. Véome viejo, pobre y cargado de deudas. Paréceme que al coger del fruto de mis trabajos, no debía echarlo en vasijas rotas y dejarlo en juicio de pocos, sino tornar a suplicar a Vuestra Majestad. (...) No ha de perderse lo que me otorguéis, porque no tengo ya edad para andar por mesones, sino para recogerme en mi casa a aclarar mi cuenta con Dios, pues la tengo larga, y poca vida para dar los descargos, y será mejor dejar la hacienda que el ánima.»

Permaneció Cortés en España por espacio de siete años, esperando recibir al fin alguna muestra de gratitud de la corona. Como ésta no llegó, quiso regresar a su hogar en México, pero la muerte le sorprendió cuando se dirigía a puerto para embarcarse. Su última voluntad fue que sus restos fueran trasladados a la tierra que había descubierto y, sin duda alguna, amado.

Tenochtitlán, la capital del emperador Moctezuma, se convirtió en el objetivo de los españoles. La fase de conquista implicó duros enfrentamientos armados como *el que refleja la pintura de los combates entre aztecas y españoles en esta ciudad, en los que se impuso la superioridad tecnológica de los conquistadores.*

1488	Nace **Hernán Cortés** en Medellín (Badajoz), España.
1504	Parte para La Española. Se establece en la isla como escribano.
1511	Participa con Diego Velázquez en la conquista de Cuba.
1518	El 18 de noviembre sale rumbo al Yucatán al frente de una escuadra de once barcos.
1519	En Tabasco, primer choque armado con los indígenas. Fundación de Veracruz.
1520	Cortés se enfrenta a Pánfilo de Narváez. Sublevación de Tenochtitlán. Los españoles abandonan la ciudad en la llamada Noche Triste (30 de junio-1 de julio). Victoria de los conquistadores en Otumba.
1521	Asedio de Tenochtitlán, que cae el 13 de agosto.
1522	Cortés es nombrado gobernador y capitán general de México.
1524	Reúne en sus *Ordenanzas* las directrices de su gobierno.
1528	Regreso triunfal a España.
1530-1539	Realiza varias expediciones por las costas de California.
1540	De vuelta en España, solicita el auxilio del rey ante sus numerosas deudas y litigios.
1547	Muere en Castilleja de la Cuesta (Sevilla) cuando se disponía a embarcar para México.

Atahualpa
(1500-1533)

La crisis sucesoria en el imperio inca entre Atahualpa y su hermano Huáscar facilitó la conquista del reducido grupo de españoles al mando de Pizarro.

Poco antes de su muerte, acaecida cuando sólo contaba treinta y tres años, Atahualpa fue descrito por los escribanos y cronistas españoles como un hombre apuesto, de anchas cejas y mirada penetrante. Su complexión era robusta y su persona irradiaba una majestuosidad que infundía respeto incluso a los rudos conquistadores, poco dados a tomar en consideración otra cosa que no fuese su emperador, su Dios y su ambición. No en vano era Atahualpa hijo de Huayna Cápac, undécimo soberano de su pueblo y, por tanto, heredero de un antiguo linaje que durante cerca de un siglo había reinado sobre el fabuloso Tahuantinsuyu, el vasto Imperio Inca, una de las más excepcionales y fascinantes civilizaciones de la América precolombina.

Primeras noticias de los hombres barbudos

Huayna Cápac, sucesor de Túpac Yupanqui, había logrado consolidar el dominio inca sobre los territorios de la zona norte del imperio, el país de los indios caranquis. Una de las consecuencias de estas campañas por la región quiteña fue que Huayna Cápac desposó a la princesa Paccha, hija del último *shiri* o soberano de Quito, y tuvo un hijo, Atahualpa, nacido un día del año 1500. Su infancia transcurrió rodeada de lujo y atenciones tal como exigía su rango. Se educó junto a los hijos de la más alta nobleza y muy pronto aprendió el arte de la guerra, pues estaba destinado a mandar enormes ejércitos y a conducirlos por el camino de la victoria. Su destreza y habilidad en los juegos de competición y en las pruebas de estrategia despertaron la admiración y el orgullo de su padre, que no tardó en convertirlo en su compañero de campañas. Mientras el muchacho crecía, Huayna Cápac había logrado que el Tahuantinsuyu alcanzase su mayor extensión, desde la región del Pasto, al norte, hasta el río Maule, en la frontera meridional. Convertido ya en joven guerrero, Atahualpa colaboró con su padre en mantener pacificada la zona septentrional, y pronto empezó a brillar con luz propia. Con la asidua presencia del Inca en el norte del imperio, la corte quedó dividida entre las dos capitales más importantes, a cual más esplendorosa, del reino: Cuzco y Quito.

Tal era la situación cuando una noticia inquietante vino a alterar los ánimos del todopoderoso y ya envejecido Huayna Cápac: el mar había arrojado de su seno unas extrañas criaturas que viajaban en enormes cajas de madera flotantes, unos seres fantásticos de cabellos brillantes y rostros blancos terminados en increíbles lanas rojas. Se aseguraba también que poseían enormes cuchillos capaces de partir en dos a un hombre de un solo golpe, hondas mágicas que lanzaban fuego en medio de un ruido como de trueno y, sobre todo, animales monstruosos que corrían a gran velocidad obedeciendo a la voluntad de los extranjeros subidos encima de ellos.

Lucha entre hermanos

Aquellos insólitos seres no eran otros que los españoles o, para ser más exactos, la reducida hueste que a las órdenes de Francisco Pizarro había recorrido la costa norte del actual Perú en su primera exploración. Luego, según decían los mensajeros, aquellos extraños hijos del mar se habían marchado como llegaron, en sus portentosas casas flotantes. Por ello, la visita de los extranjeros quedó pronto sumida en el recuerdo, más aún cuando una serie de importantes acontecimientos sacudieron el mismo centro del imperio.

Huayna Cápac, que había permanecido una larga temporada en Quito, se disponía a regresar a Cuzco cuando una terrible epidemia se desató en las tierras andinas. El soberano fue presa de las fiebres y murió en pocos días; se planteaba el problema de su sucesión. Todo parecía indicar que entre sus hijos siempre había preferido a uno llamado Huáscar y al propio Atahualpa, pero ese favoritismo nunca se había decantado claramente por ninguno de los dos. Así pues, la crisis sucesoria y la guerra civil entre ambos hermanos estaban servidas.

Tanto Huáscar como Atahualpa se consideraban los herederos legítimos de su padre. A la muerte de Huayna Cápac, Huáscar fue aclamado en Cuzco como emperador, mientras Atahualpa era apoyado por el pueblo y el ejército en Quito. De esta forma se consolidaban en el imperio dos núcleos políticos: uno en el centro y el sur y otro en el norte, ahora separados y enemigos. En 1530 se iniciaron las hostilidades entre ambos bandos, pues los dos hermanos ambicionaban la posesión de todo el imperio del Tahuantinsuyu.

Con el apoyo de las tribus cañaris, Huáscar consiguió que los primeros encuentros le fueran favorables, pero posteriormente los soldados mejor entrenados de Atahualpa se impusieron en Riobamba, invadiendo el territorio cuzqueño. La resistencia fue inútil y Huáscar fue definitivamente vencido en Cotobamba, donde cayó en poder de los generales de su hermano. Éste ordenó que fuese conducido a su presencia con una escolta armada que impidiera cualquier intento de sus fieles, aún activos, de ponerlo en libertad.

Guerra de nervios

Entretanto Pizarro había regresado y, aprovechando aquellas luchas intestinas, había penetrado en el país y se había dirigido a marchas forzadas hacia Cajamarca, donde Atahualpa tenía su fortaleza y su centro de operaciones. De nuevo los singulares forasteros, que se hacían llamar cristianos o españoles, aparecían en los aledaños del Imperio, pero esta vez eran más numerosos, avanzaban con rapidez y no parecían tan pacíficos como en su anterior visita. De hecho, los blancos barbudos empezaban a ser un problema mayor que la guerra con Huáscar, ya prácticamente resuelta.

Atahualpa proyectó someter a los audaces viajeros a una espera que pusiera a prueba el temple de sus nervios y optó por asumir ante ellos una actitud de franca superioridad. Dispuso que la ciudad quedara prácticamente desierta y situó su numeroso ejército en los alrededores, esperando desconcertar a los extranjeros. Los españoles entraron en la gran plaza de Cajamarca el 14 de noviembre de 1532 y esa misma tarde tuvo lugar el primer contacto entre el soberano de los incas y los extraños barbudos, impresionados por el lugar y por la magnitud de la guarnición que habían visto al llegar. Francisco Pizarro aceptó el reto de esta guerra de nervios y resolvió no entrevistarse en un primer momento con Atahualpa, sino enviarle una embajada encabezada por Hernando de Soto y otra al frente de la cual iba su hermano Hernando Pizarro. Fue un verdadero tanteo de fuerzas al fin del cual se concertó formalmente un encuentro entre los jefes de ambas huestes.

Los españoles observaban con angustia poco disimulada la movilización de las tropas incas en el exterior de la ciudad, seguros de que iban a ser víctimas de una celada. Al fin, el impresionante cortejo de Atahualpa se puso en marcha hacia el lugar donde se encontraban los extranjeros. En medio de la plaza desierta el desfile se detuvo y el Inca bajó de su litera, creyendo que los recién llegados no se atreverían a asomarse ante la magnificencia desplegada por su nutrido séquito. El

El encuentro entre Pizarro y Atahualpa fue una emboscada a dos bandas, de la que salió vencedor el español, que no se dejó disuadir por el impresionante cortejo del que se rodeó el inca. Pizarro se adelantó al ataque ordenado por Atahualpa, quien fue apresado mientras sus hombres huían en desbandada dejando decenas de cadáveres tras ellos.

dominico fray Vicente de Valverde, acompañado por un intérprete, fue el único que salió enviado por Pizarro para invitar a Atahualpa a que se adelantase de su gente con objeto de hablar con él. Intentó el fraile justificar su presencia en aquellas tierras disertando sobre la fe cristiana y la autoridad del emperador Carlos. Le mostró una Biblia, asegurando que las palabras de su Dios se hallaban allí contenidas. Atahualpa tomó el libro sin comprender cómo aquel pequeño y extraño objeto, plagado de misteriosos signos, podía contener voz alguna. Incluso debió de acercarlo a su oído para comprobar si ciertamente se escuchaban aquellas palabras. Después lo arrojó lejos de sí con gesto airado.

Inteligencia y crueldad

Algunos cronistas aseguran que en ese momento Atahualpa dio la orden de ataque. En todo caso, Pizarro fue más rápido: desde su puesto de observación se lanzó, blandiendo la espada y seguido de sus peones, al tiempo que hacía una señal convenida a los hombres de a caballo y a los artilleros, distribuidos previamente en lugares estratégicos. En breves minutos el soberano inca fue capturado y sus acompañantes huyeron en desbandada, dejando en la plaza decenas de cadáveres. El ejército inca, que se encontraba fuera de las fortificaciones de la ciudad, no pudo hacer nada para liberar a su señor.

Durante su cautiverio, Atahualpa demostró ser un hombre sagaz, inteligente y capaz de adaptarse a las más adversas circunstancias. Su perspicacia le hizo ver que, por encima de todo, los españoles codiciaban las riquezas de su reino. Por ello, propuso comprar su libertad llenando la enorme estancia donde se hallaba preso de piezas de oro y plata traídas de los más recónditos lugares de su imperio, con lo cual consiguió ganar tiempo. Al mismo tiempo, continuó dando órdenes a sus tropas situadas en el exterior mediante mensajeros consentidos por sus captores: una de ellas fue que se ajusticiase inmediatamente a Huáscar, con objeto de que su rival no menoscabase ante los españoles su categoría de gran y único señor de los incas.

Día tras día, Atahualpa actuó de forma que no se despertase el enojo de los hombres de Pizarro. Uno de los escribanos consigna: «Era tan agudo que en veinte días supo la lengua de los cristianos.» Otro cuenta cómo «... aprendió a jugar diestramente al ajedrez y a varios juegos de naipes». El propio Francisco Pizarro no podía ocultar su admiración por el prisionero, al que nunca dejó de considerar un caballero en el sentido hispánico. El comportamiento final de los españoles, sin embargo, no estuvo a la altura de estas consideraciones. Aunque el enorme tesoro que debía servir para pagar su rescate fue reunido, Atahualpa no fue puesto en libertad. Pizarro creyó que no podía permitirse en momentos tan comprometidos renunciar a la baza de retener al caudillo de los incas en su poder. Además, la inseguridad y el malestar creciente entre los españoles, que veían en él la fuente de todo peligro, hicieron pensar en su muerte. La ocasión se presentó con la noticia del asesinato de Huáscar, llevado a cabo por orden suya. El hecho de que la cabeza del desdichado llegase a manos de Atahualpa convertida en botijo horrorizó a los cristianos; en efecto, la cabeza había sido vaciada, revestida de oro y provista de un caño entre los dientes. Atahualpa bebía de ella y la mantuvo muchos días ante su vista, regocijándose de ser ya el dueño total y absoluto, aunque cautivo, del Tahuantinsuyu.

Durante el juicio a que se le sometió, Atahualpa fue acusado de parricidio, idolatría, poligamia y conspiración contra los españoles y condenado a muerte. El tiempo apremiaba: habían llegado hasta oídos de los capitanes de Pizarro rumores ciertos de que se preparaba un levantamiento contra ellos, y era sabido que, a pesar de encontrarse prisionero, ni siquiera las hojas de los árboles se movían en su imperio sin que él lo ordenase. La sentencia se cumplió el 16 de julio de 1533, después de que Atahualpa consintiese en ser bautizado para ahorrarse el tormento del fuego. A muchos repugnó el ahorcamiento de Atahualpa, e incluso Pizarro quiso resistirse a aceptar el resultado del proceso, pues si bien lo consideraba necesario políticamente nunca había sido visto un indígena que pudiera ser comparado con el prisionero de Cajamarca.

1500	Fecha probable del nacimiento de **Atahualpa**.
1517	Acompaña a su padre Huayna Cápac en las guerras contra las tribus ecuatorianas.
1524	(?) Primeras noticias sobre la llegada de la expedición de Francisco Pizarro a la frontera norte del Imperio Inca.
1525	Muerte de Huayna Cápac. Ruptura de las hostilidades entre sus hijos Huáscar y Atahualpa.
1531	Pizarro sale de Panamá y llega por tercera y definitiva vez a Perú.
1532	Pizarro se interna en tierras del Imperio Inca. Encuentro entre incas y españoles en Cajamarca.16 de noviembre: Atahualpa es hecho prisionero.
1533	Muerte de Huáscar. 16 de julio: Atahualpa es ahorcado en Cajamarca.

Nostradamus
(1503-1566)

Michel de Nostredame, más conocido como «Nostradamus», escribió una serie de enigmáticas profecías, algunas de las cuales él mismo pudo ver cumplidas.

Enigmáticas y sugerentes, las cuartetas proféticas reunidas por Nostradamus en sus *Centurias* brillan como las estrellas lejanas, cuya claridad es más misteriosa que la del sol.

«Sentado en la noche, en secreto estudia,
Solitario se sienta en sede de bronce,
La llama tenue que brilla sola,
Nos da aliento para no creer en vano.»

Estos cuatro versos son, acaso los más fáciles de entender de toda su obra. Podemos imaginar al sabio solitario, sentado a la manera de los antiguos oráculos sobre un trípode de bronce, como la Pitia de Delfos, contemplando el firmamento y alumbrándose con una pequeña vela que simboliza la hermética ciencia que guía sus pasos.

No obstante, Nostradamus no redactó sus profecías pretendiendo rigor, sino llevado por su olfato y su inspiración. En 1542 escribirá a su hijo César: «Estando a veces durante toda una semana penetrado de la inspiración que llenaba de suave olor mis estudios nocturnos, he compuesto, mediante largos cálculos, libros de profecías un poco oscuramente redactados, y que son vaticinios perpetuos desde hoy hasta el año 3797. Es posible que algunas personas muevan con escepticismo la cabeza en razón de la extensión de mis profecías sobre tan largo período, y sin embargo todas ellas se realizarán y se comprenderán inteligiblemente en toda la Tierra.»

Michel de Nostredame

Jean-Aimes de Chavigny, magistrado de la ciudad de Beaune en 1548 y doctor en Derecho y Teología, nos informa cumplidamente de los primeros años del enigmático profeta: «Michel Nostradamus, el hombre más renombrado y el más famoso de cuantos se han hecho famosos desde hace largo tiempo por la predicación deducida del conocimiento de los astros, nació en la villa de Saint-Rémy, en Provenza, el año de gracia de 1503, un jueves 14 de diciembre, alrededor de las doce del mediodía. Su padre se llamaba Jacobo de Nostredame, notario del lugar; su madre, Renata de Saint-Rémy. Sus abuelos paternos y maternos pasaron por muy sabios en matemáticas y en medicina, habiendo recibido él de sus progenitores el conocimiento de sus antiguos parientes.»

Esos antepasados eran judíos, de la tribu de Isacar, al parecer pródiga en adivinos. En torno a 1480, un edicto regio había amenazado a todos los hebreos de Provenza con la confiscación si no se convertían, de modo que el bisabuelo de nuestro profeta, llamado Abraham Salomón, pensó que era más práctico bautizarse que perderlo todo. Tomó el apellido de Nostredame, que más tarde Michel latinizaría y convertiría en Nostradamus, en un intento de revestirlo de dignidad y misterio. Así pues, Nostradamus nació en el catolicismo y rodeado de sabios que muy pronto le iniciaron en las profundidades de las mate-

Catalina de Médicis, víctima de las supersticiones de la corte, encontró en las pócimas de Nostradamus el remedio a sus males y el crédulo sosiego que necesitaba.

que rendir el debido respeto a Su Santidad», dijo con sencillez el adivino; en 1585, Peretti subiría al trono pontificio con el nombre de Sixto V.

Pócimas prodigiosas

Convertido en boticario y perfumista, se instaló en Marsella y dedicó su ingenio a la elaboración de elixires, perfumes y filtros de amor. Fue en esos días de 1546 cuando tuvo lugar un acontecimiento que llevaría a Nostradamus a los umbrales de la fama: la terrible epidemia llamada del «carbón provenzal». Aix-en-Provence fue el centro de la plaga. Los afectados por ella se volvían negros como el carbón antes de morir atacados por tremendos dolores, de ahí el nombre que se le asignó con ironía no exenta de crueldad. Nostradamus inventó un mejunje compuesto de resina de ciprés, ámbar gris y zumo de pétalos de rosa que habían de recogerse en cestos cada madrugada. El fármaco, inexplicablemente consiguió cortar el contagio y revistió a su creador de honores y prestigio, hasta el punto de ser requerida su presencia en Lyon cuando allí se declaró un nuevo brote de peste.

Al año siguiente, Nostradamus se instaló en la villa de Salon, que entonces se llamaba Salon-de-Crau. En una casa de modesta apariencia abrió su consulta y se dedicó a atender a una nutrida clientela, ansiosa de adquirir sus aceites, pócimas y bebedizos contra todo tipo de males. En esa época elaboró una de sus más apreciadas mixturas, capaz de curar la esterilidad. La fórmula se componía de los siguientes ingredientes: orina de cordero, sangre de liebre, pata izquierda de comadreja sumergida en vinagre fuerte, cuerno de ciervo pulverizado, estiércol de vaca y leche de burra.

Al parecer, Nostradamus empleó este remedio para poner fin a los desvelos de la florentina Catalina de Médicis, nieta del papa Clemente VII, hija de Lorenzo de Médicis y esposa del rey de Francia Enrique II. Catalina era tan inteligente como víctima de las supersticiones, se rodeaba de una nube de adivinos, nigromantes y astrólogos y encontró en Nostradamus el crédulo sosiego que necesitaba. Había permanecido once años sin hijos y sufría viendo a su regio marido rodeado de amantes.

máticas, lo que por aquel entonces significaba adentrarse en la astrología, y también en el arte de la medicina y la farmacia.

Desde muy joven aprendió a manejar el astrolabio, a conocer las estrellas y a describir el destino de los hombres en sus aparentemente caprichosas conjunciones. En Avignon y Montpellier estudió letras, además de medicina y filosofía, asombrando a compañeros y profesores por sus raras facultades y su infalible memoria. Tenía veintidós años cuando, durante una epidemia de peste que asoló la ciudad de Montpellier, inventó unos polvos preventivos que tuvieron mucho éxito. Su espíritu inquieto y errabundo le llevó a recorrer Francia e Italia, donde tuvo lugar una ya famosa anécdota: en Génova, paseando con otros viajeros, encontró a un humilde monje franciscano, antiguo porquerizo, llamado Felice Peretti. Nostradamus se arrodilló ante él, en medio del estupor de quienes presenciaban la escena. «No hago otra cosa

Tras ingerir el que suponemos repugnante pre-parado de Nostradamus, Catalina empezó a parir de forma prodigiosa hasta alcanzar la cifra de diez hijos.

Versos proféticos

Nostradamus atendía a sus clientes durante el día y permanecía durante la noche encerrado en un observatorio que había hecho instalar en la parte alta de su casa. Todos lo consideraban un maravilloso hechicero y un habilísimo médico, lo que para las gentes era lo mismo, pero muy pocos conocían su relación con los astros. En aquellos días abundaban los pronosticadores y Nostradamus no quería ser uno más, sino el mejor. El magistrado Chavigny nos cuenta cómo «... él preveía las grandes revoluciones y cambios que habían de ocurrir en Europa y aun las guerras civiles y sangrientas y las perniciosas perturbaciones que iban a asolar el mundo, y lleno de entusiasmo y como arrebatado por un furor enteramente nuevo, se puso a escribir sus *Centurias* y demás presagios». Por miedo a que la novedad de la materia suscitase maledicencias y calumnias, como efectivamente ocurrió, Nostradamus prefirió guardar sus profecías para sí mismo, hasta que en 1555 decidió darlas a la luz. El éxito de esos crípticos cuartetos fue inmediato. En la corte, el rey y su esposa quedaron maravillados. Nostradamus fue reclamado en París, donde Enrique II lo colmó de regalos y su impresionante figura barbada hechizó a los cortesanos. En los años siguientes, su prestigio aumentaría hasta límites inconcebibles cuando una de sus predicciones, la relativa a la muerte del rey, se cumplió tal como él había escrito.

Años antes, el astrólogo Luca Gaurico, consultado por Catalina de Médicis, ya había pronosticado que su marido perecería en duelo. Convertido en rey, Enrique había escrito: «No existe apariencia alguna de que yo vaya a morir de tal manera. El rey de España y yo acabamos de hacer la paz, y aunque no la hubiéramos hecho, dudo mucho de que llegásemos a batirnos en duelo ocupando tan alta dignidad». Cuando aparecieron las profecías de Nostradamus, fue grande la curiosidad en la corte. ¿Era el profeta de Salon de la misma opinión que Gaurico? Los más aficionados a los criptogramas no tardaron en en-

Tras el éxito de sus profecías, Nostradamus fue reclamado en la corte de Enrique II de Francia (en la imagen), donde hechizó a los cortesanos y fue colmado de regalos.

contrar en las *Centurias* una cuarteta en la que podía encontrarse la respuesta:

«El joven león al viejo ha de vencer,
En campo del honor, con duelo singular.
En jaula de oro, sus ojos sacará,
De dos heridas una, para morir muerte cruel.»

Posteriormente, los comentadores han encontrado que todo está muy claro. De los dos leones, el primero trataba de representar el signo astrológico de Francia y de su rey; el otro era el león heráldico de Escocia, bajo cuyo blasón combatía el conde de Montgomery, lugarteniente entonces de la guardia escocesa en la corte de Francia. Los hechos ocurrieron así. En uno de los torneos que festejaban el fin de la guerra con España, el rey quiso medir sus fuerzas con Montgomery. Este último golpeó involuntariamente con su lanza la coraza de Enrique, con tan mala fortuna que una astilla penetró bajo la visera del yelmo real, que brillaba como el oro. Como auguraba la profecía, el joven león escocés era doce años más joven que el rey y de las dos heridas, fractura de cráneo y ojo atravesado, sólo la segunda era mortal, como indicaron los médicos. La crueldad de la muerte se advierte en que la agonía de Enrique duró más de doce días. Los versos se habían cumplido con fatídica precisión. Nostradamus nada más se equivocó en un detalle: no fueron los dos sino un solo ojo el herido. Lo demás aparecía tan exacto que la reputación de Nostradamus no iba a decaer ya hasta su muerte.

Los últimos días del profeta son también narrados con rigor de letrado por Jean-Aimes de Chavigny: «Había pasado ya de los sesenta años y estaba muy débil a causa de las enfermedades frecuentes que lo afligían, en especial artritis y gota. Falleció el 2 de julio de 1566, poco antes de la salida del sol. Podemos muy bien creer que le fue conocido el tiempo de su muerte, y aun el día y la hora, puesto que, a finales de junio de dicho año, había escrito de su propia mano estas palabras latinas: 'Hic prope mors est', mi muerte está próxima. Y el día antes de pasar de esta vida a la otra, habiéndolo yo asistido durante largo tiempo y habiendo estado cuidándolo desde el anochecer hasta el día siguiente por la mañana, me dijo estas palabras: '¡No me verá con vida la salida del sol!'»

Al pie de un retrato de Nostradamus aparecido después de su muerte, una mano anónima con-

Catalina de Médicis, reina consorte de Enrique II de Francia, confiaba ciegamente en las predicciones de Nostradamus; arriba, el profeta mostrándole el futuro en un espejo, según un grabado del siglo XVII.

signó esta estrofa que él mismo pudo haber escrito:

*«Por unos versos oscuros
me hice calificar de profeta,
pero la gloria es imperfecta
cuando sólo la conceden los necios.»*

1503	14 de diciembre: nace Michel de Nostredame, **Nostradamus**, en Saint-Rémy (Francia).
1529	Tras estudiar en Avignon, se doctora en la universidad de Montpellier.
1530-1532	Francia e Italia. Finalmente se instala en Agen, junto al río Garona.
1543	Se traslada a Marsella.
1546	Elabora un brebaje contra la epidemia que asolaba la región de Aix-en-Provence.
1547	Se instala en la ciudad de Salon-de-Crau.
1555	Publica sus *Centurias*, que incluyen profecías hasta el año 3797.
1556	Es llamado a la corte por Enrique II y su esposa, Catalina de Médicis.
1559	30 de junio: el rey resulta gravemente herido en un torneo y muere doce días después, tal como había predicho Nostradamus.
1564	Carlos IX le visita en Salon para nombrarlo su consejero y médico de cabecera.
1566	2 de julio: fallece en Salon a los sesenta y dos años, seis meses y diecisiete días de su nacimiento.

Miguel de Cervantes
(1547-1616)

Miguel de Cervantes, nacido en 1547 en Alcalá de Henares, concibió con Don Quijote de la Mancha *la obra cumbre de la literatura universal.*

La ciudad de Alcalá de Henares está situada en el centro de la península Ibérica, en la meseta de Castilla la Nueva, llamada durante mucho tiempo así por ser una región trufada de castillos y porque había sido el último territorio arrebatado a los moros de aquella llanura fatigada ora por un sol sin paliativos ora por la nieve lenta o estremecida por el cierzo. En ella y en una fecha inconcreta del año 1547, probablemente beneficiado por la clemencia del otoño, bajo un cielo añil, daba las primeras bocanadas de aire fino el conspicuo poeta castellano que, algunas décadas después, escribiría este hermoso endecasílabo: «libre nací y en libertad me fundo». Cuarto hijo de un cirujano sordo y sin posibles llamado Rodrigo de Cervantes y de su esposa doña Leonor de Cortinas, fue bautizado el 9 de octubre en la medieval iglesia de Santa María la Mayor, pero pronto pasó a Valladolid donde su padre ejercía su oficio, poco más lucido que el de sangrador o barbero, acaso en el Hospital de la Resurrección, escenario de las fantasías de la niñez evocado por el escritor en la obra *El coloquio de perros*.

Es probable que estudiara Miguel en el colegio de la Compañía de Jesús en Sevilla o en Salamanca, y es seguro que fue discípulo en Madrid del maestro de humanidades Juan López de Hoyos, aunque este «ingenio lego», en feliz expresión de Tamayo de Vargas, aprendió más en las adversidades de la vida que en la familiaridad con los libros. Por los azares de la pobreza que atenazaba a su familia y que lo perseguiría tercamente hasta el fin de sus días residió en diversas ciudades españolas y viajó en su juventud a Italia con el séquito del cardenal Acquaviva, admirándose de las bellezas renacentistas de Florencia, Milán, Palermo, Venecia, Parma, Ferrara y Roma. En la ciudad del Vaticano se alistó como soldado a las órdenes de Diego de Urbino y, en 1571, participó heroicamente en la gloriosa batalla naval en la que Juan de Austria demostró que los turcos no eran invencibles en el mar y que se trabó en el golfo de Lepanto.

El caballero de la dulce herida

Allí se produjo el último gran encontronazo entre barcos de guerra resuelto por la técnica del abordaje y en aquella lid jugó un papel menos decisivo la artillería que el arrojo de los hombres, enfrentados cuerpo a cuerpo sobre las cubiertas en medio del rebullir y entrechocar de armas blancas, los aullidos de los heridos, las arengas de los capitanes y las explosiones de los arcabuces.

Ese día, un 7 de octubre, hallábase el soldado Miguel de Cervantes enfermo a bordo de *La Marquesa*, una de las 208 galeras españolas. Abatido como estaba por la fiebre, los amigos y el propio capitán le recomendaron que permaneciese en la cámara, pero el ardoroso joven protestaba que más quería ser muerto en

En 1571 la flota española mandada por Juan de Austria, en la que iba Cervantes como soldado, libró en el golfo de Lepanto, contra una poderosa escuadra turca, la batalla (arriba representada) que el autor del Quijote consideró con orgullo «la más alta ocasión que vieron los siglos pasados, los presentes, ni esperan ver los venideros».

combate por su Dios y por su rey que permanecer a resguardo. Y así, cuando se entabló la lucha, dio muestras de singular temeridad hasta que recibió un arcabuzazo en el pecho y otro en la mano izquierda que le dejó manco para siempre.

El benemérito soldado, que se describiría a sí mismo muchos años después, en 1613, en el prólogo de las *Novelas ejemplares*, se muestra en dicho autorretrato orgulloso de su nobilísima herida: «Este que veis aquí de rostro aguileño, de cabello castaño, frente lisa y desembarazada, de alegres ojos y de nariz corva, aunque bien proporcionada, las barbas de plata, que no ha veinte años que fueron de oro, los bigotes grandes, la boca pequeña, los dientes ni menudos ni crecidos, porque no tiene sino seis, y esos mal acondicionados y peor puestos, porque no tienen correspondencia los unos con los otros; el cuerpo entre dos extremos, ni grande ni pequeño, la color viva, antes blanca que morena; algo cargado de espaldas, y no muy ligero de pies. Este, digo, que es el rostro del autor de *La Galatea* y de *Don Quijote de la Mancha*, y de otras obras que andan por ahí descarriadas y quizás sin el nombre de su dueño, llámase comúnmente Miguel de Cervantes Saavedra. Fue soldado muchos años, y cinco y medio cautivo, donde aprendió a tener paciencia en las adversidades. Perdió en la batalla de Lepanto la mano izquierda de un arcabuzazo, herida que, aunque parece fea, él la tiene por hermosa, por haberla cobrado en la más memorable y alta ocasión que vieron los pasados siglos, ni esperan ver los venideros, militando debajo de las vencedoras banderas del hijo del rayo de la guerra, Carlos V, de feliz memoria.»

En efecto, sanadas las heridas, el joven Cervantes permaneció en el ejército varios años: ingresó en el tercio de don Lope de Figueroa y aún combatió en Navarino, la Goleta y Túnez. Más adelante, regresando a España desde Nápoles en la galera *Sol*, fue capturado, junto con su hermano Rodrigo, por el terrible pirata Arnaute-Mamí, quien lo vendió como esclavo a Dali-Mamí el Cojo, un griego renegado, opulento y despótico. Durante los cinco años largos que duró su penoso cautiverio consagró su ingenio y su valor a la improbable esperanza de la fuga, pergeñando audaces planes tanto para su beneficio como para que otros ganaran la libertad. De sus diversas tentativas frustradas sacó escaso provecho, por no decir ninguno, a no ser, como él mismo escribe, el de templar para siempre su entereza o la inspiración para su novela *El cautivo*, sus dramas *El trato de Argel* y *Los baños de Argel*, así como para otros pasajes dispersos por su obra. En cierta ocasión, cuando Rodrigo ya había sido rescatado, se tramó una conspiración con ayuda del exterior que fue desbaratada por la traición de un jardinero español llamado «el Dorador», y en otra, el delator también fue un compatriota, el doctor Blanco de Paz, cuya extraña animadversión a Cervantes lo llevó incluso a entorpecer las diligencias para intentar su rescate. También estudió la manera de conquistar Argel y pretendió hacer llegar el fruto

Publicada en 1585, La Galatea, *de Miguel de Cervantes, es una égloga en prosa en la que se narran los amores de varias parejas de pastores que viven en las orillas del Tajo.*

de sus investigaciones y de su atento espionaje al secretario del rey, Mateo Vázquez, pero descubierta esta actividad hostil u otra del mismo jaez sólo consiguió ser condenado a recibir mil azotes en las costillas, castigo que probablemente no se completó, pues de otro modo su enflaquecido cuerpo no lo hubiera resistido. Por fin, gracias a las providencias de fray Juan Gil, se juntaron los 500 escudos que franquearían la salida del hidalgo, produciéndose su anhelada partida de Argel rumbo a Valencia el 24 de octubre de 1580. Tenía treinta y tres años.

La azarosa vida de un hidalgo

El cúmulo de desdichas que sobrevinieron a Miguel de Cervantes durante su vida posterior puedo hacer creer en que el destino quiso distinguirlo con un ensañamiento singular. Fuera de algún presumible momento de breve ven-

tura en su amoroso comercio con Ana Franca de Rojas, quien le dio por hija natural a Isabel de Saavedra, pronto se casó infortunadamente con la modesta hacendada de diecinueve años Catalina de Palacios, mujer tan apegada a su pueblo natal que no quiso nunca seguir a su marido en su obligada itinerancia. El lugar se llamaba Esquivias, del que Cervantes dice humorísticamente que es «por mil causas famoso, una por sus ilustres linajes, y otra por sus ilustrísimos vinos.»

Tratando de ganarse honradamente el sustento se entrometió en negocios muy ajenos a su afi-

ción y dotes y obtuvo una encomienda para la compra y venta de aceite y cebada, que le imponía permanentes viajes por Andalucía. Fue ésta, como tantas otras, tarea en la que se mostró poco ducho, cayendo en todas las celadas con que le burlaban los pícaros y terminando por dar con sus huesos en la cárcel.

Tal vez en una prisión sevillana, «donde toda incomodidad tiene su asiento y donde todo triste ruido hace su habitación», trazara el borrador de las aventuras bufas de un caballero flaco, con el seso menguado y descrecido por el mucho leer y el poco alimento, al que lla-

Don Quijote de la Mancha –*arriba, un tapiz de Van der Goten conservado en el Palacio Real de Madrid que narra el encuentro de don Quijote con los galeotes*– es, después de la Biblia, el libro más editado del mundo.

mismo modo que la tragedia y la parodia no son sino dos caras de la misma moneda. Vino a sumarse a todo ello otro episodio lamentable, éste protagonizado por el caballero don Gaspar de Ezpelate, que recibió varias cuchilladas de unos emboscados enfrente de la casa vallisoletana donde Cervantes residía con sus hermanas Andrea y Magdalena y su hija Isabel, la cual había quedado a sus expensas. Aunque unos vecinos trataron de restañar sus heridas, todos los cuidados fueron en vano, y el juez don Cristóbal de Villarroel inició las diligencias para esclarecer lo que acabó siendo

mará don Quijote; pero lo cierto es que el caprichoso sino de ese incompetente adalid de causas perdidas imaginario y el del muy real desafortunado comisionista comienzan por entonces a ofrecer un trasfondo idéntico, del

«Llenósele la fantasía de todo aquello que leía en los libros (...), y así asentósele de tal modo en la imaginación que era verdad toda aquella máquina de aquellas soñadas invenciones que leía, que para él no había otra historia más cierta en el mundo», escribe Cervantes de su héroe, en un pasaje ilustrado por Gustave Doré.

un asesinato. Fruto de sus primeras pesquisas fue el descubrimiento de que la víctima estaba implicada en un peligroso y subrepticio lío de faldas, aunque no consiguió arrancarle al agonizante la confesión del nombre de la da-ma ni los de sus agresores. Atando cabos, o más bien dando crédito a habladurías y a pruebas circunstanciales, concluyó que alguna de las mujeres que vivían bajo la protección de Cervantes era la responsable del desaguisado, de modo que sin encomendarse ni a Dios ni al diablo mandó encerrar a todos los habitantes de la casa. Aunque al poco fueron puestos en libertad, se les impuso la humillación de permanecer bajo vigilancia y la prohibición de recibir visitas en aquella ciudad.

Naturalmente Cervantes se apresuró a cambiar de residencia y se trasladó definitivamente a Madrid, adonde también lo siguió fielmente el infortunio. Allí procurará viajar con el conde de Lemos a Nápoles, pero este favor le es igualmente negado al terciar para mal Lupercio de Argensola, e incluso reclamará un puesto vacante en las Indias, pero esta solicitud, como casi siempre, tampoco será atendida. Por fin, resignado a la estrechez o convertido más bien en maestro de la desesperanza, se ocupará enteramente de la literatura, dando a luz lo más notorio de su impresionante obra y asistiendo a tertulias tan célebres como la que se reunía en casa de Francisco Silva, en la calle Atocha, y que se denominaba Academia Selvaje.

Las dos muertes

En el verano de 1604, Cervantes entregó el manuscrito del *Quijote* al librero del rey Francisco de Robles, quien negoció la solicitud de la licencia de impresión. La cifra que por ello cobrara este escritor semidesconocido debió de ser exigua y en todo caso inferior a los 1.600 reales que obtuvo en 1612 con la publicación de sus *Novelas ejemplares*, cuando ya era un literato de cierto renombre. Su parodia de un hidalgo altruista y alucinado, propenso a descalabrarse en todos los lances a los que lo llevaban su desvarío y su sin igual generosidad, le valió un inopinado éxito: tras la primera edición en enero de 1605 se sucedieron ese mismo año otras seis, dos en Madrid por Juan de la Cuesta, dos clandestinas en Lisboa y dos en Valencia; apareció en Bruselas en 1607 y de nuevo en Madrid en 1608; en vida de Cervantes se tradujo al inglés y al francés, en 1622 al italiano y en 1648 al alemán. Pese a ello, y a que el fantástico personaje fue objeto de una apropiación indebida por el oportunista y hábil Avellaneda, el libro no procuró gran alivio económico a su autor. Picado, no obstante, por las apócrifas aventuras de don Quijote, com-

Escena de la segunda salida de don Quijote con Sancho Panza, uno de los episodios más famosos del libro ilustrado por Gustavo Doré. Don Quijote confunde los molinos de viento con gigantes, con los que entra en desigual batalla.

puso una segunda parte de sus andanzas que, además de ser de un calado mayor y más admirable que las anteriores, contenían el tan formidable como práctico episodio de la cristiana e inapelable muerte del protagonista. La redacción de esta patética escena fue llevada a cabo cuando el propio Cervantes presentía su inminente fallecimiento: si la segunda parte del *Quijote* apareció en 1615, su última obra, *Los trabajos de Persiles y Segismunda*, se publicó póstumamente en 1616; en su magistral prólogo, acaso dictado desde el lecho, el escritor se despide emocionadamente de sus lectores. Es curioso comparar estas dos muertes, una acaecida en la fantasía y otra en el siglo, no tanto en la anécdota de su representación como en las palabras de quien se sabe al final de sus días.

En el último capítulo del *Quijote*, la súbita lucidez del moribundo y la resistencia del fiel Sancho a asistir a la muerte de su querido amo constituye el más triste de los pasajes de esta obra maravillosa:

«Y volviéndose a Sancho le dijo:

—Perdóname, amigo, de la ocasión que te he dado de parecer loco como yo, haciéndote caer en el error en que yo he caído de que hubo y hay caballeros andantes en el mundo.

—¡Ay! —respondió Sancho, llorando—. No se muera vuesa merced, señor mío, sino tome mi consejo, y viva muchos años; porque la mayor locura que puede hacer un hombre en esta vida es dejarse morir, sin más ni más, sin que nadie le mate, ni otras manos le acaben que las de la melancolía. Mire no sea perezoso, sino levántese desa cama, y vámonos al campo vestidos de pastores, como tenemos concertado: quizá tras de alguna mata hallaremos a la señora Dulcinea desencantada, que no haya más que ver. Si es que se muere de pesar de verse vencido écheme a mí la culpa, diciendo que por haber yo cinchado mal a Rocinante le derribaron; cuanto más que vuesa merced habrá visto en sus libros de caballerías ser cosa ordinaria derribarse unos caballeros a otros, y el que es vencido hoy será vencedor mañana.» En la misma sazón y mezcolanza patética, bromas y veras se reúnen en el citado prólogo al lector de *Los trabajos de Persiles y Segismunda*. En él describe el anciano escritor cómo halló por casualidad a un estudiante en su viaje en rocín hacia Esquivias, y cómo anduvieron un trecho juntos en amena conversación:

«Y con paso asentado seguimos nuestro camino, en el cual se habló de mi enfermedad, y el buen estudiante me desahució al momento, diciendo:

—Esta enfermedad es la hidropesía, que no la sanará toda el agua del mar Océano que bebiese.»

Cervantes conviene en ello, y aún añade: «Mi vida se va acabando, y, al paso de las efemérides de mis pulsos, que, a más tardar, acabarán su carrera este domingo, acabaré yo la de mi vida.»

Y con esa melancolía que ha traspasado el corazón de millones de lectores se despide el pobre escritor de una existencia jalonada de calamidades: «Tiempo vendrá, quizá, donde anudado este roto hilo, diga lo que aquí me falta y lo que sé convenía. ¡Adiós gracias, adiós donaires, adiós regocijados amigos! que yo me voy muriendo y deseando veros presto contentos en la otra vida.»

1547	29 de noviembre (?): nace **Miguel de Cervantes** en Alcalá de Henares, España. Es bautizado el 9 de octubre.
1568	Asiste a la escuela de Humanidades de Juan López de Hoyos en Madrid. Se hace soldado.
1571	7 de octubre: en la batalla de Lepanto recibe un arcabuzazo que lo deja manco.
1574	Cae en manos del pirata Arnaute-Mamí y comienza su cautiverio en Argel.
1580	Es rescatado merced a los buenos oficios de fray Juan Gil. 24 de octubre: embarca rumbo a Valencia.
1583	Nace una hija natural, Isabel, de su relación con Ana Franca de Rojas.
1584	Se casa con Catalina de Palacios.
1585	Escribe su novela pastoril *La Galatea*.
1587	Obtiene un beneficio para la comisión de compra y venta de aceites y cebadas.
1605	Publica la primera parte de *El ingenioso hidalgo don Quijote de la Mancha*.
1613	Publica las *Novelas ejemplares*.
1615	Segunda parte del *Quijote*.
1616	23 de abril: fallece en su casa de la madrileña calle del León.

Galileo Galilei
(1564-1642)

Galileo Galilei dedicó sus investigaciones a la hipótesis del movimiento terrestre, rechazando el sistema tolemaico que tenía a la Tierra como centro del Universo.

Víctima de una persecución secular por parte de la Iglesia de Roma, que sólo muy recientemente ha reconocido la injusticia del proceso incoado contra él, el obstinado Galileo Galilei profesó una tan verdadera como audaz doctrina cuya influencia se dejó sentir desde el mismo momento de su exposición y cuyos principios no han perdido vigencia desde entonces. Si el irrefutable científico fue rechazado hasta la desesperación durante su vida, también el hombre Galileo, acaso el de más amplias miras de su tiempo, padeció una existencia cercada por las estrecheces. Nacido en Pisa el 15 de febrero de 1564 y muerto en el destierro de Arcetri en 1642, se inscribió a los diecisiete años en la universidad de su ciudad natal para cursar estudios de Medicina, pero no concluyó la carrera reconociendo desde muy pronto su auténtica vocación de matemático. Sus investigaciones fueron desde un principio encaminadas tanto a la teoría, estudiando empeñosamente a Euclides y Arquímedes, como a la práctica, preocupándose de manera absorbente por la mecánica y atento siempre a la observación directa de la Naturaleza.

El péndulo de la catedral

Como consecuencia de esta decidida tendencia a las investigaciones empíricas, a los diecinueve años observó sagazmente que las oscilaciones de una lámpara colgada de la bóveda de la catedral de Pisa eran isócronas, es decir que tenían siempre la misma duración, por lo que se le ocurrió aplicar estos movimientos constantes a la medición del tiempo. Y pocos años después, en 1586, construyó una balanza que permitía medir el peso específico de los cuerpos.

Hacia 1589 se había convertido en profesor de matemáticas, posición ganada merced al prestigio y al respeto con que contaba entre los cultivadores de esta ciencia, pero dicho empleo estaba dotado de una exigua retribución que apenas le daba para malvivir. Su penuria económica se agravó un par de años después con la muerte de su padre, porque el primogénito Galileo se vio obligado entonces a hacerse cargo de su familia. Por fin, en 1592, logró algún desahogo para su extremada pobreza al acceder a la cátedra de Matemáticas de la Universidad de Padua, aunque tampoco con ello pudo asistir satisfactoriamente a los requerimientos continuos de su madre y de sus hermanos más pequeños, por lo que se veía obligado, a menudo, a pedir adelantos y aumentos de sueldo al gobierno veneciano, del que dependía la universidad, así como a impartir clases particulares a un buen número de selectos discípulos atraídos a Padua por su fama.

En esta ciudad, y a pesar de las presiones económicas a las que hubo de dedicar su permanente atención, pasó los dieciocho años mejores y tal vez más fecundos de su vida, acompañado de su amante Marina Gamba, que le dio dos hijas y un hijo, y de algunos buenos amigos, como Gianfrancesco Sagredo, nombre inmortalizado en su polémico *Diálogo acerca de los dos máximos sistemas del mundo, tolomeico y copernicano*. En el período que va desde 1592 a 1616, Galileo conoció el anteojo que se venía utilizando en los Países Bajos y en Francia y construyó un instrumento mucho más potente que los usados en su tiempo, con el que podrá entregarse a la observación de los fenómenos celestes. Con comprensible alegría pudo establecer la existencia de los cuatro satélites de Júpiter, a los que denominó mediceos en honor de la conspicua familia toscana, y estudiar por primera vez las manchas de la Luna y el Sol, de todo lo cual dio cumplida noticia en su libro *Sidereus nuntius*, aparecido en Venecia en 1610. Lejos de granjearse con ello el aplauso general, sus descubrimientos no hicieron sino desatar la más abierta hostilidad contra él de un buen número de pensadores demasiado apegados a la tradición. Se le acusó entonces de haberse aprovechado de aparatos construidos por otros y de haber imaginado que estaban en el cielo las manchas que en realidad se hallaban en su defectuoso instrumento de observación, pero de esta primera andanada de sus enemigos logró salir airoso merced al reconocimiento de las autoridades científicas de la época, tanto de Johannes Kepler como de los astrónomos de la Compañía de Jesús. Con ello, vio por un momento, cómo su precaria posición social se volvía más sólida, ya que Cosme II de Médicis le concedió el puesto de Matemático extraordinario del Estudio de Pisa y lo adscribió a su erudita corte con el título de Filósofo del Serenísimo Gran Duque.

No obstante, aceptar estas prebendas no era una decisión exenta de riesgos, pues Galileo sabía bien que el poder de la Inquisición, escaso en la República de Venecia, era notoriamente superior en su patria toscana donde ahora habría de trasladarse. En una carta fechada en 1613 ya deja constancia inequívoca de que su revisión de la estructura general del firmamento lo ha llevado a las mismas conclusiones que a Copérnico y a rechazar frontalmente el sistema de Tolomeo, o sea a preconizar el heliocentrismo frente al geocentrismo vigente. Desgraciadamente, por esas mismas fechas tales ideas interesaban igualmente a los inquisidores, pero éstos abogaban por la solución contraria y comenzaban a hallar a Copérnico sospechoso de herejía.

Ahora bien, como estas circunstancias no se le ocultaban en absoluto a Galileo, hay que pensar que el rechazo de la prudencia que le aconsejaban su allegados y su actitud desafiante se debe tanto a una personalidad demasiado apegada a sus convicciones como excesivamente confiada en que la Iglesia terminaría por aceptar sus axiomas. El astrónomo creía que los textos sagrados no contenían, si eran bien interpretados, contradicción alguna con el sistema heliocéntrico, por lo que combatió con todas sus fuerzas para que la Iglesia no se encastillara en teorías científicas equivocadas. Por el contrario, en Roma se concibió el proceso contra Galileo como una forma enérgica de proclamar el poder y preservar la autoridad católica. De hecho, si bien se mira, la actitud moderada de Galileo comportaba en realidad una radical transformación ideológica: hasta la fecha, cuando se hallaba incompatibilidad entre la religión y la ciencia, se declaraba a ésta falsa sin más contemplaciones; Galileo no negaba la religión, pero sostenía que era ella la que debía acomodarse permanentemente a los descubrimientos científicos, sin renunciar a su contenido sagrado, pero transformando sutilmente erróneas interpretaciones humanas asentadas en la tradición y no en el conocimiento.

¡Y sin embargo se mueve!

En 1616 Galileo es reclamado por primera vez en Roma para responder a las acusaciones esgrimidas contra él, batalla a la que se apresta sin temor alguno presumiendo una resolución favorable de la Iglesia que supondrá una nueva victoria en la guerra por conquistar la libertad de la ciencia. El astrónomo es en un primer momento recibido con grandes muestras de respeto, y hasta de entusiasmo, en la ciudad; pero, a medida que el debate se desarrollaba, fue quedando claro que los inquisidores no darían su brazo a torcer ni seguirían de buen grado las brillantes argumentaciones del pisano. Muy al contrario, este episodio pareció convencerles definitivamente de la urgencia de incluir la obra de Copérnico en el Índice de obras proscritas y de conminar bajo coacción a Galileo a

Convencido de la verdad de la teoría heliocéntrica de Copérnico, Galileo Galilei chocó con la doctrina de la Iglesia Católica que sustentaba el puesto central de la Tierra en la obra creadora de Dios. Arriba, Galileo en la corte del dux de Venecia difundiendo sus teorías.

que abandonase para siempre dichas teorías. Tres años después, no obstante, el terco Galileo estaba enfrascado en una violenta polémica con el jesuita Orazio Grassi sobre los cometas y la inalterabilidad del cielo, y, más adelante, sus inquebrantadas opiniones fueron expuestas en un espléndido ensayo de 1623 con el título *Il Saggiatore*. Así mismo, confiado en la elevación al trono pontificio de Urbano VIII, un hombre magnánimo y liberal perteneciente a la familia de los Barberini, afrontó de nuevo el tema proscrito y escribió su famoso *Diálogo acerca de los dos máximos sistemas del mundo, tolomeico y copernicano* en 1632. Cautelosamente, procurando parecer que adoptaba un punto de vista aparentemente neutral, redactó su obra como si se tratara de una pequeña pieza dramática en la que un aristotélico, al que llamó Simplicio, y un copernicano, Salviati, eran invitados a exponer sus respectivas convicciones por un tercero, Sagredo, quien deseaba formarse un juicio exacto de los términos precisos en los que se desenvolvía la controversia.

Interpretado este hecho como un nuevo acto de desacato e insolencia, sus inveterados enemigos lo reclamaron de nuevo en Roma, ahora en términos menos diplomáticos, para que respondiera de sus ideas ante el Santo Oficio. El anciano y sabio Galileo, a sus setenta años de edad, se vio sometido a un humillante y fatigoso proceso que duró veinte días, enfrentado inútilmente a unos inquisidores que de manera cerril, ensañada y sin posible apelación calificaban su libro de «execrable y más pernicioso para la Iglesia que los escritos de Lutero y Calvino». Encontrado culpable, fue obligado a pronunciar de rodillas la abjuración de su doctrina y condenado a prisión de por vida, aunque este castigo se aminoró permitiéndosele aislarse del mundo en su villa rural de Arcetri.

Quiere una piadosa tradición, de sobras conocida, que el orgullo y la terquedad del astrónomo lollevaran, tras su vejatoria renuncia a creer en lo que creía, a golpear enérgicamente con el pie en el suelo y a proferir delante de sus perseguidores: «¡Y sin embargo se mueve!» No obstante, muchos de sus correligionarios no le perdonaron la cobardía de su abjuración, actitud que amargó los últimos años de su vida, junto con el ostracismo al que de forma injusta se vio condenado, su progresiva ceguera y la triste muerte de su adorada hija Virginia, quien, curiosamente, había profesado en religión.

Cuatrocientos años después, en 1939, el dramaturgo alemán Bertold Brecht escribió una pieza teatral basada en la vida del astrónomo pisano en la que discurre sobre la interrelación de la ciencia, la política y la revolución social. Aunque en ella Galileo termina diciendo «Yo traicioné mi profesión», el célebre dramaturgo opina, cargado de melancólica razón, que «desgraciada es la tierra que necesita héroes».

Procesado por la Inquisición y obligado a abjurar de su doctrina, Galileo Galilei (arriba en un lienzo ochocentista) fue también condenado al ostracismo por la comunidad intelectual de la época.

1564	15 de febrero: **Galileo Galilei** nace en Pisa en el seno de una familia florentina.
1592	Es nombrado profesor de matemáticas de la universidad de Padua.
1609	Construye su anteojo.
1610	12 de marzo: publica en Venecia *Sidereus nuncius*.
1616	Es llamado por primera vez a a Roma para dar cuenta de su propensión al copernicanismo.
1619	Polémica con el jesuita Orazio Grassi sobre los cometas y la inalterabilidad de los cielos.
1623	Escribe *Il Saggiatore*.
1632	Aparece su obra *Diálogo acerca de los dos máximos sistemas del mundo, tolomeico y copernicano*.
1633	Es procesado, obligado a abjurar y condenado al aislamiento.
1634	Muere su hija Virginia, sor María Celeste.
1636	Recibe la visita de Hobbes.
1638	Publica en Holanda *Discursos y demostraciones matemáticas sobre dos nuevas ciencias*.
1642	8 de enero: condenado al ostracismo de la comunidad intelectual, muere, completamente ciego, en su villa de Arcetri.

William Shakespeare

(1564-1616)

Dramaturgo excepcional, los protagonistas de la obra de Shakespeare reflejan con poética crudeza las pasiones del corazón humano.

En torno a 1860, al tiempo que culminaba su obra *Los miserables*, Victor Hugo escribió desde el destierro: «Shakespeare no tiene el monumento que Inglaterra le debe». A esas alturas del siglo XIX, el nombre y la obra del que hoy es considerado el autor dramático más grande de todo el universo eran ignorados por la mayoría y despreciados por los exquisitos. Las palabras del patriarca francés cayeron como una maza sobre las conciencias patrióticas inglesas; decenas de monumentos a Shakespeare fueron erigidos inmediatamente. En la actualidad, el volumen de sus obras completas es tan indispensable como la Biblia en los hogares anglosajones; Hamlet, Otelo o Macbeth se han convertido en símbolos y su autor es un clásico sobre el que corren ríos de tinta. A pesar de ello, William Shakespeare sigue siendo, como hombre, una incógnita.

Shakespeare nunca escribió

Grandes lagunas, un ramillete de relatos apócrifos y algunos datos dispersos conforman su biografía. Ni siquiera se sabe con exactitud la fecha de su nacimiento. Esto daría pie en el siglo pasado a una extraña labor de aparente erudición, protagonizada por los «antiestratfordianos», tendente a difundir la maligna sospecha de que las obras de Shakespeare no habían sido escritas por el personaje histórico del mismo nombre, sino por otros a los que sirvió de pantalla: Francis Bacon, Cristopher Marlowe, Edward de Vere, Walter Raleigh, la reina Isabel I e incluso la misma esposa del bardo, Anne Hathaway, fueron los candidatos a ese ficticio Shakespeare propuestos por los especuladores estudiosos. Ciertos aficionados a la criptografía creyeron encontrar, en sus obras, claves que revelaban el nombre de los verdaderos autores. En consonancia con las carátulas teatrales, Shakespeare fue dividido en el Seudo-Shakespeare y en Shakespeare el Bribón. Bajo esta labor de mero entretenimiento alentaba un curioso esnobismo: un hombre de cuna humilde y pocos estudios no podía haber escrito obras de tal grandeza. Afortunadamente, con el transcurrir de los años, ningún crítico serio, menos dedicado a injuriar que a discernir, más preocupado por el brillo ajeno que por el propio, ha suscrito estas anécdotas ingeniosas. Pero de las muchas refutaciones con que han sido invalidadas, ninguna tan concluyente, aparte de los escasos pero incontrovertibles datos históricos, como el testimonio de la obra misma; porque a través de su estilo y de su talento inconfundibles podemos descubrir al hombre.

El cazador cazado

En el sexto año del reinado de Isabel I de Inglaterra, el 26 de abril, fue bautizado William

Representación de una comedia de Shakespeare, según una estampa del siglo XVII (Biblioteca de las Artes Decorativas, París). William Shakespeare fue actor, autor y accionista de una compañía que actuaba en los teatros Blackfriars y El Globo y, además, realizaba giras por provincias. El teatro El Globo fue destruido por un incendio en 1613.

Shakespeare en Stratford-upon-Avon, un pueblecito del condado de Warwick que no sobrepasaba los dos mil habitantes, orgullosos todos ellos de su iglesia, su escuela y su puente sobre el río. Uno de éstos era John Shakespeare, comerciante en lana, carnicero y arrendatario que llegó a ser concejal, tesorero y alcalde. De su unión con Mary Arden, señorita de distinguida familia, nacieron cinco hijos, el tercero de los cuales recibió el nombre de William.

Así pues, no fue su cuna tan humilde como asegura la crítica adversa, ni sus estudios tan escasos como se supone. A pesar de que Ben Johnson, comediógrafo y amigo del dramaturgo, afirmase exageradamente que «sabía poco latín y menos griego», lo cierto es que Shakespeare aprendió la lengua de Virgilio en la escuela de Stratford, aunque fuera como alumno poco entusiasta, extremos ambos que sus obras confirman. Sin embargo, no debió de permanecer mucho tiempo en las aulas, pues cuando contaba trece años la fortuna de su padre se esfumó y el joven hubo de ser colocado como dependiente de carnicería. A los quince años, según se afirma, era ya un diestro matarife que degollaba las terneras con pompa, esto es, pronunciando fúnebres y floreados discursos. Se lo pinta también deambulando indolente por las riberas del Avon, emborronando versos, entregado al estudio de nimiedades botánicas o rivalizando con los más duros bebedores y sesteando después al pie de las arboledas de Arden. A los dieciocho años hubo de casarse con Ana Hathaway, una aldeana nueve años mayor que él cuyo embarazo estaba muy adelantado. Cinco meses después de la boda tuvo de ella una hija, Susan, y luego los gemelos Judith y Hamnet. Pero Shakespeare no iba a resultar un marido ideal ni ella estaba tan sobrada de prendas como para retenerlo a su lado por mucho tiempo. Los intereses del poeta lo conducían por otros derroteros antes que camino del hogar. Seguía escribiendo versos, asistía hipnotizado a las representaciones que las compañías de cómicos de la legua ofrecían en la Sala de Gremios de Stratford y no se perdía las mascaradas, fuegos artificiales, cabalgatas y funciones teatrales con que se celebraban las visitas de la reina al castillo de Kenilworth, morada de uno de sus favoritos.

Según la leyenda, en 1586 fue sorprendido in fraganti cazando furtivamente. Nicholas Rowe, su primer biógrafo, escribe: «Por desgracia demasiado frecuente en los jóvenes, Shakespeare se dio a malas compañías, y algunos que robaban ciervos lo indujeron más de una vez a robarlos en un parque perteneciente a sir Thomas Lucy, de Charlecote, cerca de Stratford. En consecuencia, este caballero procesó a Shakespeare, quien, para vengarse, escribió una sátira contra él. Este, acaso, primer ensayo de su musa resultó tan agresivo, que el caballero redobló su persecución, en tales términos que obligó a Shakespeare a dejar sus negocios y su familia y a refugiarse en Londres». Es más plausible que el virus del teatro le impulsara a unirse a alguna farándula de cómicos nómadas de paso por Stratford, abandonando hijos y esposa y trocándolos por la a la vez sombría y espléndida capital del reino.

Escena de la obra Otelo, el moro de Venecia, *una tragedia que tiene como protagonista a Otelo, un general moro al que los celos transforman en un personaje cruel y vengativo.*

Shakespeare en la ciudad de los teatros

A partir de ese momento hay una laguna en la vida de Shakespeare, un período al que los biógrafos llaman «los años oscuros». No reaparece ante nuestros ojos hasta 1593, cuando es ya un famoso dramaturgo y uno de los personajes más populares de Londres. Entretanto se le atribuyen los siguientes empleos: pasante de abogado, maestro de escuela, soldado de fortuna, tutor de noble familia e incluso guardián de caballos a la puerta de los teatros. Pasarían varios meses hasta que pudiera ingresar en ellos y meterse entre bastidores, primero como traspunte o criado del apuntador, luego como comparsa, más tarde como actor reconocido y, por fin, como autor de gran y merecido prestigio.

Prohibidos por un ayuntamiento puritano que los consideraba semillero de vicios, los teatros se habían instalado al otro lado del Támesis, fuera de la jurisdicción de la ciudad y de la molestia de sus alguaciles. La Cortina, El Globo, El Cisne o Blackfriars no eran muy distintos de los corrales hispanos donde se representaba a Lope de Vega. La escenografía resultaba en extremo sencilla: dos espadas cruzadas al fondo del proscenio significaban una batalla; un actor inmóvil empolvado con yeso era un muro, y, si separaba los dedos, el muro tenía grietas; un hombre cargado de leña, llevando una linterna y seguido por un perro, era la luna. El vestuario se improvisaba en un rincón de la escena semioculto por cortinas hechas jirones, a través de las que el público veía a los actores pintándose las mejillas con ladrillo en

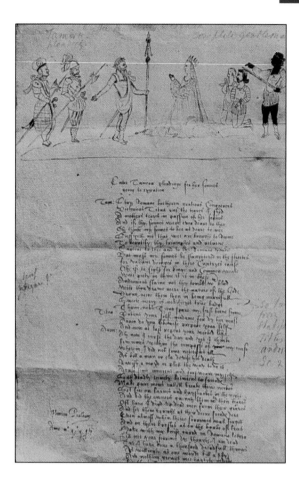

Página del manuscrito de Tito Andrónico *de Shakespeare, ilustrada por el marqués de Bath, en 1595 (Instituto de Arte Courtland, Londres).*

puestas por la penuria o por la ley. Inspirándose en el severo primitivismo del Deuteronomio, los legisladores puritanos prohibían la presencia de mujeres en la escena. Las Julietas, Desdémonas y Ofelias de Shakespeare fueron encarnadas por jovencitos bien parecidos de voz atiplada, ascendidos a Hamlets, Macbeths y Otelos en cuanto les despuntaba la barba y les cambiaba la voz. Tal era el teatro en que Shakespeare empezó su carrera dramática.

La fecundidad en persona

Hacia 1589, Shakespeare comenzó a escribir. Lo hacía en hojas sueltas, como la mayoría de los poetas de entonces. Los actores aprendían y ensayaban sus papeles a toda prisa y leyendo en el original, del que no se sacaban copias por falta de tiempo, de ahí que ya no existan los manuscritos. Como cada tarde se ofrecía una obra diferente, el repertorio había de ser muy variado. Si la obra fracasaba ya no se volvía a escenificar. Si gustaba era repuesta a intervalos de dos o tres días. Una obra de mucho éxito, como todas las de Shakespeare, podía representarse unas diez o doce veces en un mes. Se conocen actores capaces de improvisar a partir de un somero argumento los diálogos de la obra conforme se iba desarrollando la acción. Shakespeare nunca los necesitó.

Acuciado por este ritmo vertiginoso y espoleado por su genio, Shakespeare empezó a producir dos obras por año. En 1591, cuando el muy católico rey Felipe II pensaba en organizar una nueva armada contra Inglaterra, más afortunada que la primera porque no se botó nunca, compuso las tres partes de *El rey Enrique VI*; en 1594, mientras se miraban de reojo los monarcas de España, Inglaterra y Francia diciendo los tres al unísono «mi hermosa ciudad de París», completó *El sueño de una noche de verano*; en 1596, año en que Felipe II arrojó de su presencia a una mujer por reír al verle sonarse las narices, compuso *La tragedia de Romeo y Julieta*; en 1600, cuando el duque de Lerma convenció a Felipe III de que trasladase su corte a Valladolid, escribió *Hamlet, príncipe de Dinamarca*; en 1604, al perder la corona española sus últimos dominios en los Países Bajos, escribió *Otelo, el moro de Venecia*; en 1606, año en

polvo o tiznándose el bigote con corcho carbonizado. Mientras los actores gesticulaban y declamaban, los hidalgos y los oficiales, acomodados a su mismo nivel sobre la plataforma, les desconcertaban con sus risas, sus gritos y sus juegos de cartas, prestos a lucir su ingenio improvisando réplicas y a echar a perder la representación si la obra no les complacía. En torno al patio, las galerías acogían a las damas de alcurnia y los caballeros. Y en el fondo de «la cazuela», envueltos en sombras, sentados en el suelo entre jarras de cerveza y humo de pipas, se veía a «los hediondos», el maloliente pueblo. En todo caso, se trataba de un público con más imaginación que el actual o, al menos, buen conocedor de las convenciones teatrales im-

Mapa del Londres de inicios del siglo XVII. Arriba se observan dos teatros: el The bear Gardne y The Globe (El Globo), ambos reconocibles por su perímetro poligonal. En este último teatro se representaron entre 1599 y 1613, fecha en que se incendió, muchas de las obras de Shakespeare.

que nacía Felipe IV, sojuzgador de díscolos catalanes, terminó *El rey Lear y La tragedia de Macbeth*; en 1611, mientras los moriscos, expulsados de España por Felipe III, se arrastraban penosamente fuera de su tierra, compuso *La tempestad*.

Aparte de ser un autor fecundo, Shakespeare actuaba en obras propias y ajenas y aún le quedaba tiempo para dirigir su propia compañía y ocuparse de la explotación de los teatros El Globo y Blackfriars, privilegio en extremo rentable que habíale concedido el nuevo rey Jacobo I. Además, no se limitó a triunfar en la escena, en 1593 su reputación como poeta quedó firmemente establecida con la publicación de *Venus y Adonis*, poema reeditado seis veces en los once años siguientes, algo muy notable para su época.

Más importantes aún son sus *Sonetos*, cuyo posible contenido autobiográfico ha dado pie a tan infinitas como infecundas interpretaciones.

En ellos, por ejemplo, el poeta se declara esclavo tanto de un hombre joven de clase superior, posiblemente el conde de Southampton, como de una misteriosa mujer infiel, la llamada «Dama Morena», datos que pueden ser por igual veraces como imaginarios.

El último acto

Shakespeare tuvo siempre obras en escena, pero nunca aburrió. Entre 1600 y 1610 no dejó de estar en el candelero con sus príncipes impelidos a acometer lo imposible, sus monarcas de ampuloso discurso, sus cortesanos vengativos y lúgubres, sus tipos cuerdos que se fingen locos y otros locos que pretenden llegar a lo más negro de su locura, sus hadas y geniecillos vivaces, sus bufones, sus monstruos, sus usureros y sus perfectos estúpidos. Esta pléyade de criaturas capaces de abarrotar cielo e infierno le llenaron la bolsa.

A fines de siglo ya era bastante rico y compró o hizo edificar una casa en Stratford, que llamó New-Place. En 1597 había muerto su hijo, dejando como única y escueta señal de su paso por la tierra una línea en el registro mortuorio de la parroquia de su pueblo. Susan y Judith se casaron, la primera con un médico y la segunda con un comerciante. Susan tenía talento; Judith no sabía leer ni escribir y firmaba con una cruz. En 1611, cuando Shakespeare se encontraba en la cúspide de su fama, se despidió de la escena con *La tempestad* y, cansado y quizás enfermo, se retiró a su casa de New-Place dispuesto a entregarse en cuerpo y alma a su jardín y resignado a ver junto a él cada mañana el adusto rostro de su mujer.

En el jardín plantó la primera morera cultivada en Stratford; a su mujer legaría «la segunda de mis mejores camas, con su guarnición», en testamento firmado con mano temblorosa y espíritu aún jovial. Murió el 23 de abril de 1616 a los cincuenta y dos años, en una fecha que quedó marcada en negro en la historia de la literatura universal por la luctuosa coincidencia con la muerte de Cervantes.

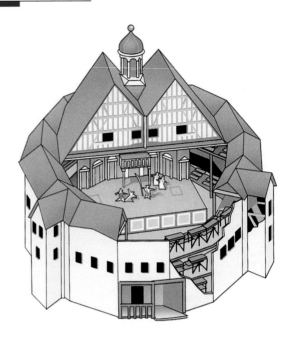

La configuración del teatro El Globo, similar a todos los de la época, permitía representar al mismo tiempo varias escenas en distintos escenarios accesorios.

1564	Nacimiento y bautizo (26 de abril) de **William Shakespeare** en Stratford-upon-Avon, condado de Warwick, Inglaterra.
1577	Su padre, John Shakespeare, cae en la ruina.
1582	Se desposa con Ana Hathaway.
1586	Es descubierto cazando furtivamente en la finca de Sir Thomas Lucy, y en el mismo año huye a Londres.
1590	Escribe su primera obra: *Pericles, príncipe de Tiro*.
1590-1591	Da fin a las tres partes de *El rey Enrique VI*.
1596	*Romeo y Julieta*.
1600	*Hamlet*.
1604	*Otelo*.
1606	*Macbeth*.
1611	Se representa ante la corte con éxito extraordinario *La tempestad*, su última obra.
1615	A finales de año comienza a redactar su testamento.
1616	23 de abril: muere en su finca New-Place, en su pueblo natal.
1623	John Heminge y Henry Condell, actores y amigos del dramaturgo, publican por primera vez sus obras completas en la célebre edición *in-folio*.

René Descartes
(1596-1650)

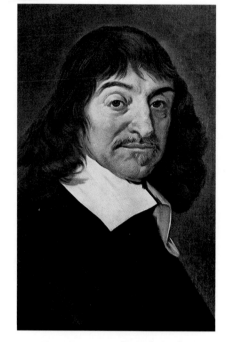

René Descartes hizo de la duda metódica el punto de partida para un sistema filosófico cuyo objetivo último es la certeza de la verdad.

Consideró René Descartes que su pensamiento era dato suficiente que proclamaba sin duda su existencia, curiosa y pintoresca tesis a caballo entre un escolasticismo que detestaba y un programa nuevo del que no llegó a saberse fundador y que se llamó «idealismo». Más dudoso es aún su método, la llamada «duda metódica», que parece implicar una contradicción en sus propios términos; pero es que Descartes, filósofo genial, fue antes que nada hombre mundano, y como mundano y como hombre no pudo o no quiso desgajar del todo las limpias abstracciones de la inconfortable vida, y su mayor acierto fue encontrar acomodo para las ideas en un lugar insólito y provisional: en el cuerpo, en la historia, en la biografía.

En manos de los jesuitas

Nació el francés René Descartes como hijo de un consejero del Parlamento de Rennes que amaba las letras. Se crió como un buen burgués pese a pertenecer a una noble familia de magistrados y cursó estudios con los jesuitas en el prestigioso colegio de La Fléche. Esta carrera duraba tres años: en el primero se leía y comentaba la *Lógica* de Aristóteles y la *Introducción* de Porfirio, entre otros libros; en el segundo se estudiaba la *Física* y la *Matemática* del filósofo ateniense, y el último se dedicaba a la *Metafísica* aristotélica. La orden de Loyola imponía claramente tanto el procedimiento de la enseñanza como la estricta ortodoxia de los contenidos que allí se impartían. Durante el desarrollo de una clase, el profesor dictaba y explicaba a Aristóteles o a Santo Tomás; en la glosa de alguna parte de sus tratados aislaba y discutía un problema conceptual, la *quaestio*, desmenuzaba sus partes y, procediendo por silogismos, probaba su verdad. Por su parte, los alumnos venían obligados a actuar de igual modo en disputas y argumentaciones que en algunos casos eran públicas y constituían un auténtico espectáculo donde se derrochaba convencional ingenio y florida oratoria.

Además, en los estatutos de la Compañía de Jesús quedaba así mismo perfectamente estipulado todo aquello y sólo aquello que debía enseñarse: «Cuiden los maestros de no apartarse de Aristóteles, a no ser en lo que haya de contrario a la fe o a las doctrinas universalmente recibidas; nada se defienda ni se enseñe que sea contrario, distinto o poco favorable a la fe, tanto en filosofía como en teología.»

El aventajado discípulo que fue René Descartes se formó generosa opinión de sus maestros, como así lo expresa en una significativa carta a un amigo, pero realizó su aprendizaje con profundas reservas y ya en edad madura se apartó de manera más decisiva de lo que él mismo supuso de la rígida doctrina de sus mentores, y aun de todos sus contemporáneos, razón por la cual no dejaría de tener algún de-

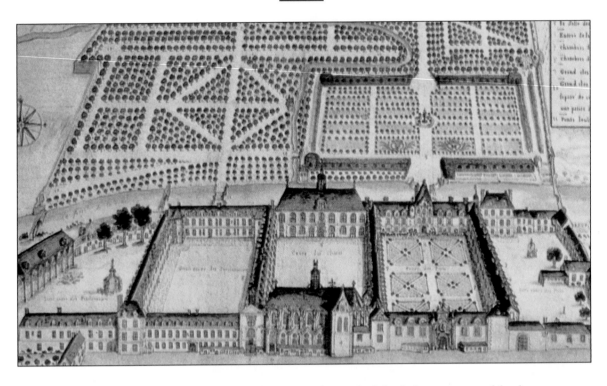

Descartes, que estudió en el colegio jesuítico de La Flèche (arriba), partió del principio de la incertidumbre de los datos del mundo sensible y, haciendo de la duda sistemática el fundamento de su método, halló una certeza irrefutable en la conciencia de existir como ser que duda.

sagradable tropiezo con los celosos inquisidores católicos.

Al calor de la estufa

Al terminar su formación su familia quiso que se dedicara al ejercicio de las armas. Descartes pasó un tiempo primero en Rennes y luego en París, donde, perdido el primer entusiasmo por las armas, llevó una vida más o menos disoluta, hasta que se enroló como voluntario en el ejército del príncipe Mauricio de Nassau. En los años siguientes estaría al servicio del duque de Baviera y del conde de Bucquoy y durante esta época viajó por casi todos los países europeos. En medio de este peregrinaje, apartado del estruendo de las batallas, comenzó a intuir los principios de su inédito método de filosofar. Ya durante sus años de juventud, la rigidez de la escolástica le había provocado una antipatía visceral,

pues, aunque siguiera con brillantez los estudios, no veía que la filosofía antigua ofreciera el verdadero método para la conquista de la verdad. Los instrumentos de análisis que manejaba el pensamiento escolástico ortodoxo se le antojaban a todas luces insuficientes y parciales, y, además, había llegado a la conclusión de que resultaban contaminados y distorsionados durante la enseñanza. Las matemáticas, por contra, sí habían despertado su interés «a causa de la certeza y evidencia de sus razones»; en las demostraciones matemáticas, la verdad brillaba sin dejar lugar a dudas. A Descartes le extrañaba que «sobre fundamentos tan firmes y sólidos no se hubiese edificado algo más sólido» y se propuso trasladar el razonamiento matemático a todos los demás terrenos del pensamiento: «Estas largas cadenas de razones, tan sencillas y fáciles, de que los geómetras acostumbran a servirse para llegar a sus más complicadas demostraciones, me habían dado ocasión de pensar que

En 1649, la reina Cristina de Suecia invitó a Descartes a su corte, donde a pesar de ser recibido por los gramáticos reales y tratado con gran deferencia se sintió al principio incómodo y más tarde aburrido. Arriba, óleo de P. Dumesnil que reproduce una escena de su estancia en Suecia.

todas las cosas que pueden caer bajo el conocimiento humano se entrelazan de la misma manera, y que con tal de abstenerse de tomar ninguna por verdadera que no lo sea y que se tenga cuidado de seguir el orden conveniente en el deducir las unas de las otras, no habrá ninguna tan remota a la cual al fin no se llegue, ni tan oculta que no se descubra.»

En 1629 trasladó su residencia a los Países Bajos, donde moraría durante veinte años y donde dio a la imprenta sus principales obras: *El Discurso del método, Dióptrica, Meteoros,* y *Geometría* en 1637; *Meditaciones metafísicas* en 1641; *Principios de filosofía* en 1644; *Tratado de las pasiones humanas* en 1650. Celebrado por ilustres adeptos, sus ideas se hicieron sospechosas para el rector Voetius, que lo acusó de ateísmo y calumnia. Contrariado Descartes por esta condena, aceptó la hospitalidad de la reina Cristina de Suecia en 1649, pero al cabo de doce meses los rigores del clima y una pulmonía acabaron con su vida a los cincuenta y tres años. Trasladados sus restos a París en 1667, durante su inhumación en la parisina iglesia de Santa Geneviève du Mont le fue prohibido al padre Lallemand, canciller de la universidad, pronunciar su elogio fúnebre. Sus libros fueron incluidos en el Índice de obras prohibidas por la Iglesia Católica.

No obstante, siglos después, aún emociona leer en su influyente *Discurso del método* cómo se produjo en él la revolucionaria iluminación que transformó la filosofía del porvenir cierta jornada invernal, exactamente el 10 de noviembre de 1619, cuando se hallaba, según cuenta él mismo, «en un lugar en donde, no encontrando conversación alguna que me divirtiera y no teniendo tampoco, por fortuna, cuidados ni pasiones que perturbaran mi ánimo, permanecía el día entero solo y encerrado junto a una estufa».

Y así mismo aún resulta perturbadora y estimulante su extraña argumentación y su vago epigrama: «Considerando que todos los pensamientos que nos vienen estando despiertos pueden también ocurrírsenos durante el sueño, sin que ninguno entonces sea verdadero, resolví fingir que todas las cosas que hasta entonces habían entrado en mi espíritu no eran más verdaderas que las ilusiones de mis sueños.

»Pero advertí luego que, queriendo yo pensar de esa suerte que todo es falso, era necesario que yo, que lo pensaba, fuese alguna cosa; y observando que esta verdad: 'yo pienso, luego soy', era tan firme y segura que las más extravagantes suposiciones de los escépticos no son capaces de conmoverla, juzgué que podía recibirla, sin escrúpulo, como el primer principio de la filosofía que andaba buscando». La humanidad no ha dejado de repetir desde entonces, interpretándolo cada cual a su aire, el feliz silogismo. Así este insigne filósofo, que ha dado nombre a un adjetivo, «cartesiano», con el significado de metódico, y que gustó de la vida placentera, en sus períodos de gran concentración dio forma a toda la filosofía futura.

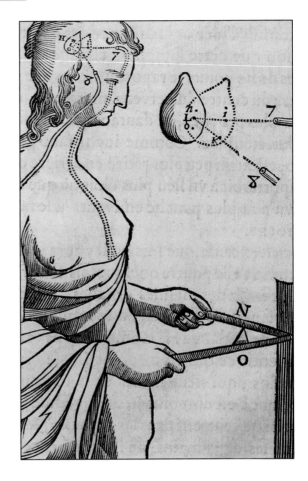

René Descartes sentó la filosofía sobre nuevas bases introduciendo en ella los métodos de razonamiento deductivo propios de la geometría. Arriba, grabado de su obra Tratado del hombre *(Biblioteca Nacional de París).*

1596	Nace **René Descartes** en La Haya, localidad de la Turena.
1604	Ingresa en el colegio de La Flèche, regentado por los jesuitas.
1617	Se alista voluntario en el ejército de Mauricio de Nassau.
1629	Se traslada a los Países Bajos, donde permanecerá veinte años.
1637	Publica el *Discurso del método*, prefacio a *Dióptrica, Meteoros y Geometría*.
1641	Publica *Meditaciones metafísicas*.
1644	Publica en latín *Principia philosophiae*.
1649	Publica *Pasiones del alma*. Es requerido a su corte por la reina Cristina de Suecia.
1650	11 de febrero: muere en Estocolmo a consecuencia de una pulmonía.

Benjamin Franklin
(1706-1790)

Benjamin Franklin fue uno de los padres de la independencia estadounidense. Arriba, retratado por Haley (Museo de Versalles, París).

No era uno de esos hombres que deben su grandeza a las oportunidades de su época. En cualquier edad y en cualquier momento histórico, Franklin hubiera sido un gran hombre. La voluntad, el talento, el genio y la gracia se reunían en él, como si la naturaleza al formarle se hubiese sentido derrochadora y feliz». Estos elogios, aparentemente exagerados, fueron escritos por Carl van Doren, uno de los biógrafos de Franklin, y en verdad no hacen sino expresar con toda justicia y fidelidad el carácter absolutamente deslumbrante de este norteamericano universal. Porque si bien es conocida en todo el mundo su faceta de inventor y científico, son pocos los que han profundizado en sus logros como estadista y escritor. Sólo desde la admiración es posible aproximarse a su figura, y al mismo tiempo es difícil pensar en Franklin sin experimentar una sensación de calor humano. Su apariencia era tan sencilla, su personalidad resultaba tan agradable y su sentido del humor brotaba tan espontáneamente que para la gente resultaba fácil quererlo y respetarlo. Unos grandes ojos grises y una boca propensa a la sonrisa adornaban el rostro de este dechado de virtudes, que fue capaz de sobresalir en cuantos campos se propuso.

El «Pobre Richard»

Benjamin fue el número quince entre los diecisiete hijos de un pobre fabricante de velas radicado en Boston. Sólo asistió a la escuela durante un año y a los doce entró como aprendiz en la imprenta de su hermano James. Entre esa época y 1723, cuando dejó su casa y se dirigió a Nueva York, el muchacho se procuró una vasta cultura autodidacta: estudió ciencia y filosofía, aprendió por sí mismo latín, francés, alemán, español e italiano y leyó en profundidad a los clásicos. Luego lo encontramos en Filadelfia trabajando de nuevo en una imprenta y más tarde establecido por su cuenta como director, editor y redactor de *El almanaque del Pobre Richard*, obra que comenzó cuando tenía veintiséis años y que publicaría durante veinticinco más, hasta 1757.

Hacia mediados del siglo XVIII, los almanaques eran el único papel impreso que podía encontrarse en un hogar norteamericano. Solían contener datos astronómicos, predecían el tiempo con un año de antelación y ofrecían informaciones médicas.

Franklin rellenaba los espacios libres de su almanaque con proverbios de su propia cosecha y con algo de filosofía fácil de digerir. Convirtió al Pobre Richard, supuesto autor de la publicación, en un personaje popularísimo a quien todos consideraban real y alcanzó una venta de diez mil ejemplares al año, lo que resultaba extraordinario en aquellos tiempos. Muchos de sus refranes se han incorporado hoy al acervo popular y consiguen expresar a la perfección su peculiar sentido del humor, como los que dicen: «Haber sido pobre no es una vergüenza, pero

Benjamin Franklin demostró en 1752 la naturaleza eléctrica del rayo por medio de una llave atada a una cometa. La cuerda de la cometa se había convertido en un conductor al mojarse.

sentirse avergonzado de ello sí lo es», o, «Es de mala educación hacer callar a un tonto, pero es una crueldad dejar que siga hablando». Otros transmitían un mensaje de confianza en las propias capacidades («Dios ayuda a los que se ayudan a sí mismos»), como era lógico que escribiese alguien que se había labrado un brillante porvenir a costa de su propio esfuerzo, rompiendo con ello los rígidos lazos sociales heredados de los ingleses. En efecto, Franklin fue el típico, y, que sepamos, posiblemente uno de los primeros *self-made man* norteamericanos, y a los cuarenta y dos años había amasado con su almanaque una pequeña fortuna que le permitió retirarse de sus negocios como impresor.

Inventor, músico y estadista

Fue a partir de entonces cuando se dedicó a cultivar con esmero sus facultades científicas. Todo el mundo ha oído hablar de cómo atrajo la electricidad de una nube mediante una cometa, pe-

ro es menos conocido que escribió un libro sobre los fenómenos eléctricos que fue aclamado en Europa, que identificó por primera vez los polos negativo y positivo de la electricidad o que a él se deben los términos de batería, carga eléctrica, condensador y conductor.

En otros campos de la ciencia estudió algunos problemas relacionados con el crecimiento demográfico, la contaminación atmosférica y la higiene, investigó la llamada Corriente del Golfo y el desplazamiento de las tormentas, inventó la estufa que lleva su nombre, creó las gafas bifocales y fue el primero en demostrar científicamente que la tela oscura retiene el calor. También era un músico experto, dominaba el arpa, la guitarra y el violín, y escribió sobre los problemas de la composición musical, en particular de los referentes a la adaptación de la música a la letra, para que esta última pudiera ser inteligible. Una relación detallada de sus hallazgos resultaría interminable y agotadora, pues su capacidad creadora y su sentido de anticipación fueron absolutamente extraordinarios.

Su carrera como estadista y político fue tan rica y deslumbrante como los logros obtenidos en el ámbito de la ciencia. Empezó en 1753, al ser nombrado director general de Correos en Filadelfia. Franklin alcanzó una serie de éxitos fulgurantes en la mejora del servicio, amplió considerablemente la frecuencia de los envíos y mejoró los caminos postales. Luego creó la primera agrupación de policía profesional y el primer servicio voluntario de bomberos.

Defensor de los Estados Unidos

Pero lo más importante fue su tarea como inspirador y activo factótum de la independencia norteamericana. Puede atribuírsele la idea primigenia de unos Estados Unidos como nación única y no como un grupo de colonias separadas, ya que dos décadas antes de la guerra de Independencia americana concibió un sistema de gobiernos estatales reunidos bajo una sola autoridad federal.

Cuando en 1757 fue enviado a Londres para defender los intereses de las colonias americanas ante la metrópoli, desarrolló una intensa labor política que acabaría dando los frutos apetecidos. En una famosa ocasión estuvo durante to-

La carrera política de Franklin fue tan importante como sus logros científicos. Partidario de la independencia, en 1775 fue nombrado diputado ante el II Congreso Continental. Al año siguiente, junto con Jefferson y Adams, redactó la Declaración de Independencia respresentada en una obra de J. Trumbull.

do el día en la Cámara de los Comunes contestando con gran habilidad las preguntas que le dirigían los miembros de tan honorable institución en torno a la resistencia de las colonias ante la muy odiada ley tributaria inglesa, que resultaba nefasta para los intereses de los colonos americanos. El resultado fue que el Parlamento revocó la ley y la guerra se retrasó diez años, dando a los independentistas tiempo suficiente para prepararse. Ante las nuevas presiones fiscales y políticas ejercidas por la metrópoli, dejó Londres y regresó a Filadelfia en 1775 y se adhirió decididamente al movimiento independentista. Ese mismo año fue nombrado diputado por Pensilvania ante el II Congreso Continental, en el que los representantes de las trece colonias norteamericanas decidieron formar un ejército para luchar contra Inglaterra, y al año siguiente redactó, conjuntamente con Thomas Jefferson y John Adams, la Declaración de Independencia.

Debido a su prestigio, se le escogió en diciembre de ese año para efectuar una gira por Europa en busca de apoyo para la causa independentista. Era fundamental conseguir la ayuda de Francia, sin la cual la contienda podía prolongarse indefinidamente e incluso perderse. Washington se había entregado a la organización de un ejército norteamericano pero la metrópoli contaba con todo el poder, las armas e importantes aliados. Era preciso contrarrestar ese poderío consiguiendo el auxilio de Francia. Franklin no sólo convenció al reacio monarca francés, Luis XVI, de que enviara secretamente suministros al general Washington, sino que un año después logró que entrara abiertamente en la guerra como aliado después de firmar un tratado de amistad.

Tras la victoria, Franklin consiguió resolver un problema que amenazaba con dificultar seriamente la formación del nuevo país: los pequeños Estados querían tener idéntica representación en el Congreso que los grandes y, a su vez, éstos pretendían que el número de delegados se eligiera según la población de cada Estado. Franklin resolvió la dificultad aceptando la primera propuesta como base para el Senado y la segunda para la Cámara de Representantes; luego, cuando la Constitución estuvo lista, se encargó personalmente de que fuera ratificada por los distintos Estados, tarea para la que tuvo que poner en juego todas sus dotes de persuasión y sus capacidades de magistral razonador: ninguno de sus interlocutores se resistió a sus argumentos.

Virtuoso hasta el fin

Una de las razones que lo llevaron a la longevidad fue su profundo conocimiento de los temas relativos a la salud. Daba largas caminatas en cuanto tenía ocasión, era un ejemplo de moderación en la mesa y, en contra de muchos prejuicios acatados por sus contemporáneos, tenía hábitos que resultaban insólitos para el americano medio, como la costumbre, considerada extravagante y perniciosa, de dormir con las ventanas abiertas de par en par. Al mismo tiempo, creía firmemente que era posible modificar los aspectos negativos del carácter mediante una disciplina a la vez suave y constante. En su juventud llevaba siempre consigo una lista de cualidades dignas de admiración, que más tarde se convirtió en un pequeño libro donde cada página estaba consagrada a una virtud. Franklin dedicaba una semana de atención a cada una de ellas, que releía en cuanto tenía ocasión, y volvía a empezar cuando llegaba al final.

A la edad de ochenta y dos años se retiró de la vida pública aquejado de algunos achaques y se dedicó a escribir su autobiografía, publicada póstumamente. Murió al año siguiente, en 1790, convertido en una de las figuras públicas más queridas en su país y en el mundo. Unos meses antes había recibido la siguiente carta: «Si los deseos unidos de un pueblo libre, apoyados por las fervientes plegarias de todos los amigos de la ciencia y de la humanidad, pudieran librar al cuerpo de los dolores y las enfermedades, pronto se pondría usted bien. Si el ser venerado por su benevolencia, el ser admirado por su talento, el ser estimado por su patriotismo y el ser amado por su filantropía pudiera satisfacer la mente humana, tendrá usted el agradable consuelo de saber que no ha vivido en vano. Usted será recordado con respeto, veneración y afecto por nuestro país, por todos los hombre a los que ha llegado un eco de su vida y por éste su sincero amigo y más obediente servidor. Jorge Washington.»

1706	17 de enero: nace **Benjamin Franklin** en Boston.
1726	Se establece en Filadelfia como impresor.
1732	Comienza a publicar *El almanaque del Pobre Richard*.
1747	Es elegido miembro de la Asamblea de Pensilvania.
1752	Realiza el famoso experimento de la cometa y la llave.
1753	Es nombrado director general de Correos de Filadelfia.
1757	Viaja a Londres para defender los intereses de las colonias.
1766	Logra la derogación de la ley inglesa del Timbre.
1775	Regresa a Filadelfia. Es nombrado diputado por Pensilvania ante el II Congreso Continental.
1776	Redacta conjuntamente con Jefferson y Adams la Declaración de Independencia Norteamericana. Vuelve a Europa en busca de apoyo para la causa independentista.
1778	Consigue la firma de un tratado de amistad con Francia.
1783	3 de septiembre: firma la Paz de Versalles, fin de la guerra de Independencia norteamericana.
1790	17 de abril: muere en Filadelfia.

George Washington
(1732-1799)

En 1775, cuando los partidarios de la independencia norteamericana frente a Inglaterra lo nombraron comandante en jefe de sus tropas, George Washington tenía cuarenta y tres años. Su aspecto resultaba imponente: medía un metro ochenta y siete centímetros, pesaba noventa kilos y sus muslos eran robustos como los de un experimentado jinete. Sus penetrantes ojos azules y su porte de general le daban un aire de autoridad que no se olvidaba fácilmente. A ello contribuía también una actitud reposada que sin embargo irradiaba energía y arrojo.

Washington era también un hombre con sus pequeñas debilidades. Sólo usaba medias de seda importadas de la metrópoli y zapatos con hebilla de plata, aprovechaba cualquier oportunidad para que le cortaran, peinaran y empolvaran sus cabellos color castaño, de los que se sentía orgulloso, y le encantaba bailar. Sufría de una dentadura cariada que en el sitio de Yorktown le hizo padecer una verdadera agonía y su piel era extraordinariamente suave y delicada, por lo que no le importaba protegerla del sol con un paraguas abierto atado a la silla de su caballo.

George Washington —retratado por J. Perovani (Academia de Bellas Artes de San Fernando, Madrid)— fue elegido primer presidente de los Estados Unidos de América en 1789.

Terrateniente y soldado

Había nacido caballero en el seno de una familia virginiana rica en tierras y escasa de dinero, por lo que su educación fue breve y accidentada. En su infancia aprendió a leer y escribir, junto a algunas nociones de geografía y matemáticas. A los dieciséis años viajó como ayudante de agrimensor a las salvajes tierras del Oeste e intervino en el reparto del valle de Shenandoah, lo que le reportó extensas y valiosas propiedades con las que aumentó el legado familiar. Luego, cuando cumplió veintiún años, el gobernador de Virginia lo envió de nuevo allí en misión militar para disuadir a los franceses de que cruzaran los límites de las tierras pertenecientes a la corona británica, en el valle del río Ohio. Fue así como en 1754 derrotó a un destacamento francés al que sorprendió cerca de Fort Duquesne, convirtién involuntario protagonista del incidente que motivó la guerra franco-británica. La rivalidad entre Francia e Inglaterra en tierras norteamericanas había ido en aumento a lo largo del siglo. Las trece colonias inglesas, situadas en el litoral atlántico, se veían amenazadas por la nueva colonia francesa de Luisiana, que las rodeaba por el Oeste. El intento francés de establecerse en el valle del Ohio fue la piedra que desencadenó el alud de la guerra de los Siete Años. En ella, los ingleses resultaron vencedores, se apoderaron de Quebec y Montreal y establecieron su hegemonía en América del Norte sobre franceses y españoles.

Washington, convertido pronto en jefe de las fuerzas virginianas al servicio de la corona británica, combatió con éxito en diversas campañas. En cierta ocasión, cuatro balas le atravesaron el uniforme sin ocasionarle el menor rasguño; fue entonces cuando empezó a creer que la Divina Providencia lo protegía. Como primer soldado de Virginia, Washington empezó a conocer las dificultades que entrañaba reclutar y mandar norteamericanos, convertidos en soldados de la noche a la mañana. No obstante, supo apreciar sus cualidades y se convenció de que podían ser la materia prima de un extraordinario ejército.

Vientos de revolución

Tras el cese de las hostilidades entre ambas potencias, Washington planteó a los británicos su nombramiento como oficial de alto rango a tenor de lo realizado durante la guerra. No fue escuchado, por lo que dimitió y se retiró a Virginia. En 1759 contrajo matrimonio con Martha Dandridge Custis, enlace que le supuso un considerable aumento de su patrimonio y lo convirtió en uno de los más prósperos propietarios de Virginia, donde fue elegido miembro de la Cámara de los Burgueses.

Engordó y empezó a creer que iba a terminar sus días como un simple hacendado. Sin embargo, los vientos de la revolución llamaron a su puerta y él no pudo negarse a participar en lo que consideraba justo y necesario para su pueblo. En efecto, la política autoritaria del rey Jorge III de Inglaterra y de algunos de sus ministros empezaba a resultar insoportable en Ultramar. El déficit financiero creado por la guerra de los Siete Años intentaba ser enjugado por la metrópoli mediante elevados impuestos que pesaban como una losa sobre la economía de las colonias. Poco a poco, las reivindicaciones administrativas y económicas planteadas por los colonos se convirtieron en políticas debido a la intransigencia de Londres. Inglaterra se dispuso a imponer su autoridad por las armas y los norteamericanos se prepararon para resistir. Fue entonces cuando Washington escribió: «Las llanuras pacíficas de América han de ser inundadas de sangre o habitadas por esclavos. ¿Puede un hombre honesto dudar de su elección?» A pesar de su sensatez, su paciencia y su moderación en asuntos políticos, Washington decidió oponerse sin reservas a la política colonial británica. En 1774 y 1775 asistió a los Congresos Continentales que los independentistas convocaron en Filadelfia, y en el segundo fue designado sin discusión como la persona que habría de organizar y mandar el futuro ejército americano.

La guerra de independencia norteamericana

Era lógico que los generales británicos consideraran que la rebelión era simplemente una exhibición de audacia por parte de un grupo de excitados colonos. Las colonias, poco unidas y sujetas a múltiples rivalidades, tenían poca industria, nula preparación militar, escaso armamento y ningún aliado. Frente a ellas se alzaban las tropas bien entrenadas y equipadas de una gran potencia militar, respaldadas por la mejor marina del mundo, por diversas tribus salvajes y por multitud de americanos leales a la corona.

Sin embargo, los primeros hechos de armas resultaron milagrosamente favorables a los rebeldes: resistieron una serie de feroces ataques británicos en Bunker Hill y, con Washington al frente, tomaron Boston en 1776. A pesar de estos éxitos fugaces, era evidente que formar un verdadero ejército iba a ser una tarea ardua y lenta.

Había que alimentar, disciplinar y enseñar los rudimentos del arte militar a miles de americanos voluntarios propensos a emborracharse y a discutir con sus oficiales, que se alistaban sólo por unos meses y regresaban luego a sus casas tratando de llevarse con ellos los fusiles. Pronto fue patente la superioridad inglesa, que obligó a Washington a abandonar el acoso a Nueva York y Filadelfia. A partir de ese momento, la pauta de la guerra fue un reparto equitativo de victorias y derrotas entre uno y otro bando. A veces, cuando todo parecía perdido para los rebeldes, Washington asestaba un golpe de audacia que los conducía a la victoria y hacía renacer las esperanzas. El clima de euforia se vivía hasta que los británicos volvían a hacer gala de todo su poderío y preparación. En ocasiones, la guerra se estancaba durante meses y daba paso a la diplomacia: se intercambiaban prisioneros, se respetaban treguas interminables y los comandantes enemigos se cruzaban notas que más bien parecían ejercicios literarios de caballerosidad. Washington llegó a devolver oficialmente el pe-

Arriba, George Washington cruzando el Dela-
ware, *por E. Gottlieb (Museo Metropolitano de
Nueva York). Aunque los primeros choques bélicos favorecieron a los rebeldes, la reacción británi-
ca fue terrible y* la guerra de independencia larga. En ocasiones, la
guerra se estancaba durante meses y daba paso a
la diplomacia. Ésta acabó en octubre de 1781,
tras la capitulación de el general Cornwallis ante
Washington.

rro del general sir William Howe, capturado heroicamente en Germantown días antes.
Entretanto, el jefe de los rebeldes preparaba a
su ejército, consciente de que sus soldados, bien
dirigidos, eran capaces de cualquier proeza. Tras
librar las batallas de Saratoga y Monmouth y expulsar a los británicos de Filadelfia, la máquina
militar que Washington había creado empezó a
trabajar a pleno rendimiento. Por fin, el 17 de
octubre de 1781, obligó a capitular al general
Cornwallis en Yorktown y pudo decirse que los
rebeldes habían ganado la guerra.

Washington político

Poco antes de abandonar el ejército, entregar
el mando y retirarse a sus plantaciones, el general victorioso escribió: «No quiero ningún premio para mí. Si he sido tan afortunado como para obtener la aprobación de mis compatriotas,
medoy por satisfecho. Ahora les toca a ellos completar mis deseos, adoptando un sistema político que asegure la tranquilidad, la felicidad y la
gloria de este extenso imperio.»
Durante la lucha, las trece colonias se habían
reunido en un nuevo Congreso y promulgado
la Declaración de Independencia. Pero la nación
aún no había nacido y todo el sufrimiento de la
guerra podía resultar estéril si no se actuaba rápidamente. Tras un período de discusiones infructuosas y de declaraciones tan grandilo-
cuentes como vacías, empezó a considerarse
perentorio el nombramiento del primer presidente de los recién nacidos Estados Unidos de
América. El 30 de abril de 1789, Washington

fue unánimemente elegido. No podía competir, y tampoco trató de hacerlo, con los refinados políticos que lo rodeaban, como Thomas Jefferson o John Adams. Habló poco y sugirió menos, pero la Constitución de los Estados Unidos, aún hoy en vigor, le pertenece más que a cualquier otro hombre y está impregnada de su sentido práctico, su visión clara del futuro y su inteligente conservadurismo. Durante sus años como presidente, revistió el cargo de una dignidad que ha llegado hasta nuestros días. Se oponía a dar la mano porque creía que ese gesto de familiaridad no era digno de un puesto de tan elevado rango; en su lugar hacía siempre una inclinación de cabeza. Se vestía ricamente de terciopelo, viajaba en un coche tirado por seis caballos y se consideraba al mismo nivel que cualquier rey europeo. Tenía algo de esa rústica majestad sin arrogancia que tanto gusta a los norteamericanos y que han heredado sus sucesores. Siempre pensó de sí mismo que era el más obediente y el más humilde servidor del pueblo de los Estados Unidos. En 1797 terminó su segundo mandato y se retiró a Mount Vernon, donde murió tres años después viendo hecho realidad el sueño de llevar a su pueblo a la libertad.

Escena de la capitulación del ejército británico, al mando de Cornwallis, en Yorktown, el 17 de octubre de 1781, que puso fin a la guerra de independencia de los Estados Unidos.

1732	**George Washington** nace en Wakefield (Virginia).
1748	Viaja al Oeste como ayudante de agrimensor y obtiene extensas propiedades.
1749	Ingresa en las milicias virginianas.
1754	Derrota a un destacamento francés cerca de Fort Duquesne (Ohio).
1758	Finalizada la guerra de los Siete Años, se retira a Virginia.
1759	Contrae matrimonio con Martha Dandridge Custis.
1774	Asiste en Filadelfia al Primer Congreso Continental, convocado por los independentistas en Filadelfia.
1775	Es elegido comandante en jefe de las tropas independentistas en el Segundo Congreso Continental.
1776	Consigue tomar Boston.
1778	Expulsa a los británicos de Filadelfia tras librar las batallas de Saratoga y Monmouth.
1781	17 de octubre: Obliga a capitular al general Cornwallis en Yorktown.
1789	30 de abril: Washington, primer presidente de los Estados Unidos de América.

Túpac Amaru
(1738-1781)

Las inhumanas condiciones del pueblo indígena animaron al cacique José Gabriel Condorcanqui, Túpac Amaru, a rebelarse contra los españoles.

J osé Gabriel Condorcanqui fue un cacique dieciochesco que se levantó contra las fuerzas militares españolas en Perú representando los intereses indígenas, por lo que su sobrenombre, Túpac Amaru, sirvió luego, numerosas veces, como bandera de revueltas criollas. Había nacido en Surimana en 1738, hijo del cacique Miguel Condorcanqui y era descendiente por línea materna del último soberano de la dinastía de los incas, Túpac Amaru I, promotor así mismo de diversas insurreciones contra el virrey de Toledo, que fueron cruelmente reprimidas por Martín de Hurtado de Arbieto siguiendo las directrices del Consejo de Indias. Siglo y medio después de que su lejano antepasado fuera ejecutado públicamente en 1572, también el vigoroso José Gabriel, hombre de alta y elegante estampa, padecería la misma triste suerte y sería víctima del escarnecimiento de sus poderosos enemigos, a quienes, sin embargo, con sus flacas pero valerosas fuerzas consiguió por un momento poner en jaque.

Mitas y obrajes

Por aquel tiempo se había impuesto a los indígenas de Perú el servicio personal forzoso, o mita, por lo que venían obligados periódicamente a servir en la explotación de las minas, en la agricultura, en las obras públicas y en el servicio doméstico. Curiosamente, se concedían mitayas para la construcción de casas para particulares porque se consideraba de «interés público», pero no así para el cultivo de determinadas plantas juzgadas dañinas, como la coca y la viña. Estas medidas produjeron graves consecuencias en cadena, porque el trasplante del llano a la sierra y viceversa, lo que se ha dado en llamar la «agresión climática», desencadenó una gran mortandad entre los indios peruanos; las aldeas se iban despoblando, de modo que cada vez les tocaba a los supervivientes con más frecuencia el servicio de mita. No eran los únicos en ser explotados: los que trabajaban en las fábricas de tejidos, llamadas obrajes, comenzaban su tarea al alba, no la interrumpían hasta que las mujeres les traían la comida, y continuaban hasta que faltaba la luz solar en una extenuante jornada a destajo.

Una rebelión desesperada

Ante este intolerable estado de cosas se levantó, primero pacíficamente, Túpac Amaru, que viajó en 1776 a Lima para rogar que se exonerara a los indios de los servicios de mita y de la despiadada explotación de los obrajes. Pero todas sus reclamaciones fueron desatendidas y regresó a su cazicazgo de Tungasuca en 1778; la revuelta no se haría esperar. Comenzó en noviembre de 1780 en Tinta, cuando sus partidarios hicieron preso al déspota corregidor Arriaga y él lo mandó ejecutar, ordenando así mismo la destrucción de diversos obrajes. Como respuesta inmediata, las autoridades de Cuzco enviaron una expedición de castigo de 1.200 hombres, pero éstos fueron derrotados el 18 de noviembre en Sangarará. Por razones difíciles de comprender, Túpac Amaru no intentó entonces el asalto definitivo a Cuzco, sino que regresó a Tungasuca, se autoinvistió de la dignidad de soberano legítimo del imperio incaico e intentó ingenuamente negociar la rendición de la ciudad. La reacción fue, como era previsible, militar y no diplomática: esta vez llegó desde Lima un poderoso ejército que venció a los insurrectos el 8 de enero de 1781. Poco después, en la noche del 5 al 6 de abril, el mariscal José del Valle, al frente de 17.000 hombres, asestaba el golpe definitivo a los sublevados y capturaba a su cabecilla junto con su esposa y otros familiares, a los que sañudamente mandó ejecutar en presencia de Túpac Amaru.

Para él estaban reservadas primero las torturas mandadas ejecutar por un hombre implacable, llamado Areche, cuya misión consistía en averiguar los nombres de los cómplices del vencido caudillo. Mas, pese a los pocos miramientos que tuvo para con el prisionero, no obtuvo sino esta noble respuesta: «Nosotros somos los únicos conspiradores: Vuestra Merced por haber agobiado al país con exacciones insoportables y yo por haber querido librar al pueblo de semejante tiranía.» El propio Areche hubo de conceder que Túpac Amaru era «un espíritu de naturaleza muy robusta y de serenidad imponderable», pero ello no fue óbice para que, convencido al fin de que

Ajusticiamiento de Túpac Amaru I, último soberano inca y abuelo de Túpac Amaru, a manos de los españoles.

no lograría convertir a Túpac Amaru en delator, mandara que en medio de la plaza de Cuzco el verdugo le cortara la lengua, que le atasen luego las extremidades a gruesas cuerdas para que tirasen de ella cuatro caballos y que se procediera a la descuartización. Así se hizo, pero las bestias no consiguieron durante largo rato desmembrar a la imponente víctima, por lo que Areche, según algunos piadosamente, según otros más airado que compadecido, decidió acabar con el inhumano espectáculo de la tortura ordenando que le cortaran la cabeza.

1738	Nace en Surimana, Perú, José Gabriel Condorcanqui, llamado **Túpac Amaru.**
1750	Hereda de su padre el cacicazgo de Tungasuca.
1776	Viaja a Lima para pedir que se exonere a los indios de su explotación.
1778	Regresa a Tungasuca después de ser desatendidas sus reclamaciones.
1780	En noviembre se inicia la rebelión en Tinta. Túpac Amaru arresta y manda ejecutar al corregidor Arriaga. 18 de noviembre: triunfo en Sangarará sobre las tropas gubernamentales.
1781	8 de enero: los insurrectos son vencidos. 6 de abril: nueva derrota ante el general del Valle. Túpac Amaru es torturado y decapitado.

Thomas Jefferson
(1743-1826)

Thomas Jefferson contribuyó con su vasta cultura y su ejemplar sentido de la libertad a la formación de los Estados Unidos de América.

S e dice que el aspecto de los más famosos presidentes de la historia de los Estados Unidos de América resultaba impresionante para sus contemporáneos por una u otra circunstancia. Washington era tan robusto y orgulloso que incluso las personas más cercanas a él le tenían un poco de temor. La imagen de Lincoln, con su afilada nariz y sus negrísimas cejas, estaba bañada de una melancólica majestad. Kennedy parecía reunir en sus ojos toda la tristeza y en su sonrisa todo el encanto de las gentes sencillas. Jefferson, sin embargo, podía muy bien pasar desapercibido en tanto no se conversara con él. Su físico no era especialmente llamativo ni impresionante. Tampoco destacaba como orador o líder de masas. Era en el trato directo y, por ello, sus interlocutores quedaban sorprendidos, porque pocos hombres de Estado han sido tan arrolladoramente inteligentes, tan sabios y perspicaces como él.

Alma de la independencia norteamericana

Thomas era el primogénito de los diez hijos nacidos del matrimonio de Peter Jefferson, agrimensor y coronel de milicia, con Jane Randolph, descendiente de una vieja familia virginiana. Se educó con preceptores religiosos y, a la muerte de su padre, heredó más de mil hectáreas de tierra y treinta esclavos. Luego estudió leyes y obtuvo el derecho de ejercer la abogacía en 1767. Pero, sin duda, lo que más profunda huella dejó en su espíritu durante esos años de formación fue la filosofía que en aquellos momentos se gestaba en Francia. Jefferson tenía veintidós años cuando concluía la publicación de la *Encyclopédie*, por lo que, prácticamente, fue contemporáneo de Rousseau, Voltaire, Diderot y D'Alembert. Es fácil imaginar el efecto producido por las ideas de estos pensadores en la mente de un hombre joven, estudioso, buen conocedor del francés y desde un primer momento comprometido con los ideales que propugnaba la Ilustración.

Su carrera política se desarrolló paralelamente al impulso cobrado por la revolución americana en aquellos tiempos decisivos. Fue elegido para la Cámara Burguesa de Virginia y asistió a los Congresos Continentales de 1774 y 1775, en los que los representantes de las trece colonias norteamericanas promovieron definitivamente el movimiento independentista. Junto con Benjamin Franklin, el famoso inventor, y John Adams, que sería el segundo presidente de los Estados Unidos, fue el encargado de elaborar la Declaración de Independencia. Él mismo redactó el borrador de tan importante documento, que apenas fue corregido después por sus célebres compañeros. Por ese motivo, muchos lo han considerado el alma de la revolución norteamericana.

Más tarde gobernó el Estado de Virginia, fue nombrado delegado para el Congreso y entre

Ceremonia de transferencia de Luisiana, territorio adquirido por Jefferson a Francia, en 1803, por sesenta millones de dólares.

tuvo de atacar al presidente Washington, por el que sentía un profundo respeto.

El tercer presidente de los Estados Unidos

Las elecciones de 1796 llevaron a la presidencia al federalista John Adams y a la vicepresidencia al propio Jefferson, que aglutinaba al movimiento republicano. El distanciamiento entre ambos políticos se acentuó por momentos. Jefferson se vio obligado a pasar a un segundo plano en espera de nuevas elecciones. Al fin, en 1800, fue elevado a la presidencia.

Los dos grandes acontecimientos de su mandato fueron la compra de Luisiana a Francia y la expedición a las tierras situadas al oeste del Misisipí. La primera de estas iniciativas puso de manifiesto el instinto comerciante de Jefferson y su capacidad para impulsar la expansión territorial de los Estados Unidos por medios pacíficos. Napoleón había firmado con España, en 1800, un tratado mediante el cual se devolvía a Francia la Luisiana. Informado de este hecho y conocedor de la pésima situación económica del gobierno francés, Jefferson propuso la compra de ese territorio, una inmensa franja de tierra correspondiente a la zona central de lo que hoy son los Estados Unidos. Por quince millones de dólares de aquella época, se adquirían más de dos millones de kilómetros cuadrados. Desde luego, no fue un mal negocio.

En cuanto a los viajes hacia el salvaje Oeste que realizaron los exploradores militares Lewis y Clark, sirvieron para establecer relaciones pacíficas con las tribus autóctonas y para obtener datos relativos a la geografía, los recursos minerales, la vida vegetal y animal, las organizaciones tribales y los idiomas de los pobladores originarios de aquellas tierras. Además, abrieron las puertas de una lenta y constante migración de un buen número de colonos que empezaron poco a poco a ganar espacio para la Unión. Comenzaba la legendaria conquista del Oeste.

Defensor de la libertad

Las realizaciones de Jefferson no fueron obra de la improvisación, sino el resultado de unos

1785 y 1789 representó a su país en Francia, de donde regresó al ser nombrado secretario de Estado por el recién elegido presidente Washington. Jefferson aceptó el cargo exclusivamente por patriotismo, pues deseaba apartarse de la vida política. A la sazón era secretario de Hacienda Hamilton, cuya política exterior y medidas financieras diferían totalmente de las sostenidas por Jefferson. Ambos defendieron sus posiciones y Jefferson acabó por dimitir de su cargo en 1793. Desde su retiro de Virginia, Jefferson encabezó una campaña contra el partido federalista, cuyos jefes eran Hamilton y John Adams, a los que acusaba de intentar crear una oligarquía financiera a expensas de los agricultores. Su campaña consistió en conversar con decenas de políticos y en enviar centenares de cartas a quienes podían respaldarlo. Sin embargo, se abs-

planes que habían sido largamente elaborados. A pesar de pertenecer a una casta aristocrática de terratenientes, favoreció el parcelamiento de las grandes propiedades porque convenía a la expansión de su país; aunque era el mayor de los varones de su familia, combatió el derecho de primogenitura para que los propietarios fueran los más aptos; había nacido en el seno de una vieja familia de las primitivas Trece Colonias, pero reclamó el derecho de ciudadanía para los inmigrantes con sólo dos años de residencia; por último, no obstante haber recibido una educación religiosa, se declaró partidario de la libertad de cultos, lo que le atrajo el respaldo de las minorías. Sería difícil entender los logros de Jefferson sin saber que, por encima de todo, se obstinó en ganar para su pueblo una serie de libertades fundamentales y de valores que rigiesen en el futuro la vida política del país. Poseía fe absoluta en la libertad de palabra y de prensa y en la educación del pueblo como base para el asentamiento de una democracia sólida. No gustaba de discutir sus ideas religiosas y un día, al ser preguntado por su fe, contestó: «Mi religión es algo que sólo concierne a Dios y a mí mismo. Si mi vida ha sido honesta, la religión que la ha animado no puede ser mala, pero esto es algo que pueden decirse muchas personas de credos diferentes». Defensor a ultranza de la libertad, si los Estados Unidos son hoy un país tolerante y emancipado, ello es debido en primer lugar a Thomas Jefferson, que supo inculcar esa tolerancia en sus contemporáneos. Al mismo tiempo, los efectos de su filosofía en torno a la expansión territorial de los Estados Unidos se hicieron sentir muy pronto, hasta el punto de que veinticinco años después de su muerte la unidad continental de la nación era ya un hecho y la mayor parte de la misma se había logrado por medios pacíficos.

Científico y arquitecto

Pero Jefferson era también un erudito polifacético que poseía un profundo conocimiento de los principios científicos y del valor práctico del saber abstracto. Un hombre de menor talla intelectual hubiera atribuido a sus hallazgos en el terreno científico un valor fundamental. Él los consideró, en su mayor parte, intrascendentes.

Retrato del explorador Meriwther Lewis, enviado por Jefferson a remontar el Misuri para descender por el Columbia hasta el océano Pacífico.

Entre sus estudios más importantes figura el relacionado con la introducción del sistema decimal en las monedas, pesas y medidas norteamericanas. Sus argumentos en contra de la continuación del empleo del sistema de libras y peniques británico fueron tan convincentes que el Congreso terminó por adoptar su sistema monetario, basado en el dólar. También creó un método para determinar longitudes geográficas, inventó un arado completamente distinto a los existentes y se adentró en la historia natural llevado por su interés sobre los fósiles de mamíferos prehistóricos.

Su principal aportación es, sin embargo, el impulso que bajo su mandato experimentaron la observación científica y los estudios de todo tipo. Como buen ilustrado, hijo de su tiempo y amante de la labor de los enciclopedistas, fomentó la invención introduciendo un sistema de patentes que permitiera a los investigadores ver recompensada su labor así como interponer reclamaciones contra los usurpadores. También impulsó la elaboración de un censo detallado de la población del país en el que figuraran la edad, origen y profesión de cada ciudadano, para poder conocer los parámetros fundamentales de cualquier zona del país y encontrar las personas capaces de realizar las tareas apropiadas. Por último, concentró su interés en la educación y contribuyó a la creación de la Universidad de Virginia, cuyos estatutos redactó personalmente. Como arquitecto, Jefferson también influyó decisivamente en los hábitos constructivos de su país. Amante de los clásicos y buen conocedor de su estilo, propugnó una vuelta a los modelos antiguos e instituyó una tipología de edificios que se deja notar en sus obras, entre las que destacan el Capitolio de Virginia, la universidad del mismo Estado y su propia residencia de Monticello.

A ella se retiró en 1808, tras finalizar su segundo mandato y rehusar presentarse a una nueva reelección. Desde allí prodigó sus consejos a los presidentes Madison y Monroe, hasta que el día 4 de julio de 1826, aniversario de la Declaración de Independencia de los Estados Unidos, falleció tras haber legado a la posteridad una ingente obra política e intelectual, caracterizada por la honestidad, la determinación y la tolerancia.

Documento de la Declaración de la Independencia de los Estados Unidos de América, aprobada el 4 de julio de 1976 y escrita por Thomas Jefferson.

1743	2 de Abril: **Thomas Jefferson** nace en Shadwell (Virginia).
1757	Recibe en herencia las tierras de su padre.
1767	Obtiene el derecho a ejercer la abogacía.
1769	Es elegido miembro de la Cámara Burguesa de Virginia.
1774-1775	Asiste a los Congresos Continentales celebrados en esos años.
1776	Escribe la Declaración de Independencia.
1778	Redacta varios artículos de la Constitución.
1779	Es elegido gobernador de Virginia.
1783	Es nombrado delegado para el Congreso.
1785-1789	Representa a los Estados Unidos en Francia. Es nombrado por Washington secretario de Estado.
1796	Es elegido vicepresidente del país.
1800	Resulta vencedor en las elecciones presidenciales.
1803	Propone y realiza la compra de la Luisiana a Francia.
1804	Promueve las nuevas expediciones hacia el Oeste. Es reelegido presidente.
1808	Finaliza su segundo mandato y se retira a su residencia de Monticello.
1826	4 de Julio: fallece el día del aniversario de la Declaración de Independencia de los Estados Unidos.

Wolfgang Amadeus Mozart
(1756-1791)

Pocos hombres en la historia de la música han sido tan admirados como Wolfgang Amadeus Mozart. Su vasta y genial obra trasciende en el tiempo.

El compositor más genial, versátil y fecundo de todos los tiempos nació a las ocho de la tarde de un domingo, 27 de enero de 1756, en la casa número 9 de la Getreidegasse de Salzburgo, Austria. Era el séptimo hijo del matrimonio entre Leopold Mozart y Anna Maria Pertl, pero de sus seis hermanos sólo había sobrevivido una niña, Maria Anna, cinco años mayor que él. Wolferl y Nannerl, como se llamó a los dos hermanos familiarmente, crecieron en un ambiente en el que la música reinaba desde el alba hasta el ocaso, ya que el padre era un excelente violinista que ocupaba en la corte del príncipe-arzobispo Segismundo de Salzburgo el puesto de compositor y vice-maestro de capilla.

Leopold quería convertir a sus dos hijos en músicos de categoría, pero su interés y sus atenciones se concentraron al principio en la formación de la dotadísima Nannerl, sin percatarse de la temprana atracción que el pequeño Wolferl sentía por la música: a los tres años se ejercitaba con el teclado del clavecín, asistía sin moverse y con los ojos como platos a las clases de su hermana y se escondía debajo del instrumento para escuchar a su padre componer nuevas piezas. Pocos meses después, Leopold se vio obligado a dar lecciones a los dos y quedó estupefacto al contemplar a su hijo de cuatro años leer las notas sin dificultad y tocar minués con más facilidad que se tomaba la sopa. Pronto fue evidente que la música era la segunda naturaleza del precoz Wolfgang, capaz a tan tierna edad de memorizar cualquier pasaje escuchado al azar, de repetir al teclado las melodías que le habían gustado en la iglesia y de apreciar con tanto tino como inocencia las armonías de una partitura.

Un año más tarde, Leopold descubrió conmovido en el cuaderno de notas de su hija las primeras composiciones de Wolfgang, escritas con caligrafía infantil y llenas de borrones de tinta, pero correctamente desarrolladas. Con lágrimas en los ojos, el padre abrazó a su pequeño «milagro» y determinó dedicarse en cuerpo y alma a su educación. Bromista, sensible y vivaracho, Mozart estaba animado por un espíritu burlón que sólo ante la música se transformaba; al interpretar las notas de sus piezas preferidas, su sonrosado rostro adoptaba una impresionante expresión de severidad, un gesto de firmeza casi adulto capaz de tornarse en fiereza si se producía el menor ruido en los alrededores. Ensimismado, parecía escuchar entonces una maravillosa melodía interior que sus finos dedos intentaban arrancar del teclado.

El milagro de Salzburgo

El orgullo paterno no pudo contenerse y Leopold decidió presentar a sus dos geniecillos en el mundo de los soberanos y los nobles, con objeto tanto de deleitarse con las previsibles alabanzas co-

El pequeño Mozart fue concertista antes de los diez años y compositor a esta misma edad para asombro de sus contemporáneos. Leopoldo Mozart, excelente violinista, enseñó a sus hijos Wolfgang y Maria Anna los secretos de la música.

mo de encontrar generosos mecenas y protectores dispuestos a asegurar la carrera de los futuros músicos. Renunciando a toda ambición personal, se dedicó exclusivamente a la misión de conducir a los hermanos prodigiosos hasta la plena madurez musical.

En 1762 emprendieron su primer viaje a Munich, a la corte de Maximiliano III, y luego a Viena, ciudad imperial de los Habsburgo. Al año siguiente, Leopold continuó sembrando la fama de los jóvenes en una gira vertiginosa por varios países europeos. Los auditorios de Londres, París, Francfort, Bruselas y Amsterdam se mostraron encantados con las facultades de los niños y les aplaudieron entusiastas, aunque era el gracioso Wolferl quien de verdad maravillaba a la gente con su precioso traje de gala y su peluca dorada. En consecuencia, Nannerl hubo de quedarse más de una vez en Salzburgo mientras padre y hermano seguían recorriendo ciudades. Sin embargo, no todos los viajes estaban alfombrados de éxito y beneficios. Los conciertos, en ocasiones similares a números de circo, no daban todo lo esperado. El monedero del padre Mozart se encontraba vacío con demasiada frecuencia. Como la memoria de los grandes es escasa y caprichosa, algunas puertas se cerraron

para ellos; además, la delicada salud del pequeño les jugó diversas veces una mala pasada. El mal estado de los caminos, el precio de las posadas y los viajes interminables provocaban mal humor y añoranza, lágrimas y frustraciones. Leopold reconoció que pedía demasiado a su hijo y en varias ocasiones volvieron a Salzburgo para poner fin a la vida nómada. Pero la ciudad poco podía ofrecer a Wolfgang, aunque recibió a los trece años el título honorífico de *Konzertmeister* de la corte salzburguesa; Leopold no se conformó y quiso que Wolferl continuase perfeccionando su educación musical allí donde fuese preciso, y de nuevo comenzó su peregrinar de país en país y de corte en corte. Wolfgang conoció durante sus giras a muchos célebres músicos y maestros que le enseñaron diferentes aspectos de su arte así como las nuevas técnicas extranjeras. El muchacho se familiarizó con el violín y el órgano, con el contrapunto y la fuga, la sinfonía y la ópera. La permeabilidad de su carácter le facilitaba la asimilación de todos los estilos musicales. También comenzó a componer en serio, primero minués y sonatas, luego sinfonías y más tarde óperas, encargos medianamente bien pagados pero poco interesantes para sus aspiraciones, aceptados debido a la necesidad de ganar el dinero suficiente para sobrevivir y seguir viajando. A menudo se vio también obligado a dar clases de clavecín a estúpidos niños de su edad que le irritaban enormemente.

Entretanto, el padre se sentía cada vez más impaciente. ¿Por qué no ha conseguido todavía la gloria máxima su hijo, que ya sabe más de música que cualquier maestro y cuya genialidad es tan visible y evidente? Ni sus *Conciertos para piano* ni sus *Sonatas para clave y violín*, y tampoco los estrenos de sus óperas cómicas *La finta semplice* y *Bastián y Bastiana* han logrado situarle entre los más grandes compositores. Ofendido, Leopold se trasladará en 1770 con Wolfgang, que tiene catorce años, a Italia, donde el muchacho gozará al fin de un éxito absoluto: el Papa le otorga la Orden de la Espuela de Oro con el título de caballero, la Academia de Bolonia le distingue con el título de *compositore* y los milaneses acompañan su primera ópera seria, *Mitrídates, rey del Ponto*, con frenéticos aplausos y con gritos de «¡Viva il maestrino!»

La difícil madurez

El 16 de diciembre de 1771 los Mozart regresaban a Salzburgo, aureolados por el triunfo conseguido en Italia pero siempre a merced de las circunstancias. Una mala noticia les esperaba: el benévolo príncipe-arzobispo Segismundo había muerto y Jerónimo Colloredo, hombre de duro corazón y no menos duro oído, ocupaba su lugar. Wolfgang recuperó el cargo de *Konzertmeister* y permaneció seis años en ese puesto, soportando a un injusto e ignorante patrón que le trataba despóticamente y le hacía comer con los criados, creyendo que ese era el mejor método para mantenerlo sometido y obediente. Sólo su naturaleza alegre y despreocupada salvó al joven de la apatía o la rebelión y le permitió crear en esta época más y mejor que nunca.

Era el fin del niño prodigio y el comienzo de la madurez musical. En sus conciertos rompía con las concepciones tradicionales alcanzando un verdadero diálogo entre la orquesta y los solistas. Sus sinfonías, de brillantes efectos instrumentales y dramáticos, eran excesivamente innovadoras para los perezosos oídos de sus contemporáneos. Mozart resultaba para todos a la vez nuevo y extraño. Pero tampoco su siguiente ópera, *La finta giardiniera*, en la que fundía por primera vez audazmente drama y bufonada, constituyó un éxito, aunque había tratado de adaptarse al pie dela letra a todas las reglas de la moda y a los convencionalismos. El joven se sentía frustrado, deseaba componer con libertad y huir del marco estrecho y provinciano de su ciudad natal. Nuevas y breves visitas a Italia y Viena aumentaron sus ansias de amplios horizontes.

En consecuencia, en 1777 se despidió de su patrón y viajó de nuevo, ahora en compañía de su madre, a la capital francesa, que con tanto entusiasmo lo había acogido quince años antes. Sin embargo, esta vez París se mostró fría e indiferente, y las esperanzas de Wolfgang quedaron en nada. Pasaron varios meses antes de que el compositor comprendiese que la vanidosa, frívola y musicalmente ignorante capital del Sena no era propicia para su genio. Tocó ante los nobles y siguió componiendo, sí, pero sin alcanzar el eco que merecía. Cuando decidió marcharse, su madre enfermó; el fallecimiento se produjo el 3

Arriba, el pequeño Mozart interpretando una composición para piano. Niño prodigio de la música, murió a edad muy temprana, a los treinta y cinco años, cuando aún le quedaba mucho por decir.

de julio de 1778. Desesperado, Mozart no disponía de dinero suficiente para quedarse en la ciudad ni deseaba volver a la prisión de Salzburgo. Pero no le quedaba otra alternativa.

El éxito y Constance

Salzburgo, 1779. De nuevo el puesto de *Konzertmeister* y de nuevo Colloredo, más autoritario que nunca. La vida familiar, los antiguos conocidos y el fracaso de sus composiciones «demasiado originales» le resultaban aún más insoportables que antes. Wolfgang anhelaba más que nunca romper con su pasado y con los desgraciados años de su adolescencia, de modo que en junio de 1781 hizo sus maletas y se marchó a Viena, desoyendo las protestas paternales y los consejos de sus amigos.

La familia Mozart, *grabado de la época en el que aparecen Maria Anna y Wolfgang al piano ante la atenta mirada de su padre y, en el retrato, de su madre.*

El genio de Mozart le permitió asimilar y sintetizar las influencias más dispares. Ya desde su infancia exhibió su arte en las cortes de toda Europa y fue presentado a los grandes de su época. Entre sus contemporáneos, le influyó especialmente Joseph Haydn, otro de los grandes maestros del clasicismo vienés.

Recién llegado a la ciudad, comenzó a dar lecciones de piano y a componer sin descanso. Muy pronto la suerte se puso de su lado: recibió el encargo de escribir una ópera para conmemorar la visita del gran duque de Rusia a Viena. Como por aquel entonces estaban de moda los temas turcos, exponentes del exotismo oriental con ciertos toques levemente eróticos, Mozart abordó la composición de *El rapto del serrallo*, que, estrenada un año más tarde, se convirtió en su primer éxito verdadero, no solamente en Austria sino también en Alemania y otras ciudades europeas como Praga.

Satisfecho y feliz, Mozart corrió a Estrasburgo para anunciar su triunfo. Allí le esperaba Aloysia Weber, muchacha de la que se había enamorado fugazmente en uno de sus viajes. La familia Weber, compuesta por la madre viuda y sus cuatro hijas, le recibió como antaño con los brazos abiertos. No obstante, Aloysia se mostró un tanto fría. A pesar del rechazo, Wolfgang se sintió como en casa junto a la amable dama y las cuatro doncellas. La señora Weber, que había soñado alguna vez con convertir al prometedor joven en su yerno, intentó despertar el interés de Mozart por su hija menor, Constance, de catorce años. No fue difícil: Wolfgang no pudo ni quiso resistir a la dulce presión y se prometió a la muchacha, que era bonita, infantil, alegre y cariñosa, aunque quizás no iba a ser la esposa ideal para el caótico compositor. Constance tenía aún menos sentido práctico que él, todo le resultaba un juego y no podía ni remotamente compartir el profundo universo espiritual de su marido, enmascarado tras las bromas y las risas. Aún así, Mozart se consideró el hombre más afortunado del mundo el día de su boda, celebrada el 4 de agosto de 1782, y continuó creyendo que lo era durante los nueve años siguientes, hasta su muerte.

Arriba, Mozart ofrece un concierto en la corte del príncipe de Conti, según M. B. Ollivier. En 1777, en compañía de su madre, Mozart viaja de nuevo a la capital francesa, que con tanto entusiasmo lo había acogido quince años antes.

De la felicidad al ocaso

El matrimonio se instaló en Viena en un lujoso piso céntrico que se llenó pronto de alegría desbordante, fiestas hasta el amanecer, bailes, música y niños. Era un ambiente enloquecido, anárquico y despreocupado, muy al gusto de Mozart, que en medio de aquel caos pudo desarrollar su enorme impulso creador. La única sombra en estos años fue la poca salud de su mujer, debilitada con cada embarazo; en los nueve años de su matrimonio dio a luz siete hijos, de los que sólo sobrevivieron dos.

De 1783 es la *Misa en do menor*, a la vez solemne y exultante; de 1784 datan sus más célebres *Conciertos para piano*; en 1785 dedicará a Haydn los *Seis cuartetos*: todas ellas son obras magistrales, pero el público sigue mostrándose consternado ante una música que no acaba de entender y que por lo tanto le ofende. Mozart espera con impaciencia el día del estreno de su nueva ópera *Las bodas de Fígaro*, que tiene lugar en 1786. Los mejores artistas habían sido contratados y todo parecía anunciar un triunfo absoluto, pero después de algunas representaciones los vieneses no volvieron al teatro y la crítica descalificó la obra tachándola de excesivamente audaz y difícil. Viena se distanciaba de su músico y la fortuna le daba de nuevo la espalda. Se iniciaba el trágico declive de un genio incomprendido.

Mozart fue un creador que no renunció a ninguna de las formas de expresión musical. A lo largo de su corta vida compuso una obra vasta y diversa.

prestado, desaparecieron uno tras otro. Los largos inviernos de Viena son inclementes y si la pareja seguía bailando en salas de dimensiones cada vez más reducidas no era por festiva alegría sino para que la sangre circulase por sus heladas piernas. Constance estaba a las puertas de la muerte y Mozart tuvo que enviarla, pese a sus deudas, a un sanatorio. Era la primera vez que los esposos se separaban y el compositor sufrió enormemente; nunca dejó de escribirle cada día apasionadas cartas, como si su amor continuara tan vivo como el día de la boda. A pesar de la penuria y la tristeza, las composiciones de esta época nos hablan de un Mozart tierno, ligero y casi risueño, aunque con algunos toques de melancolía. La *Pequeña música nocturna* y su célebre *Sinfonía Júpiter* son buena muestra de ello. Mientras Constanza está internada, Mozart recibirá desde Praga el encargo de una ópera. El resultado será *Don Giovanni*, estrenada apoteósicamente el 29 de octubre de 1787. Praga, enamorada del maestro, le suplicó que permaneciese allí, pero Wolfgang rechazó la atractiva oferta, que seguramente hubiera mejorado su posición, para estar más cerca de su esposa. Al fin y al cabo, Viena le atraía como el fuego a la mariposa que ha de quemarse en él.

En 1790 se estrenó en la capital austríaca su ópera *Così fan tutte* y al año siguiente *La flauta mágica*. Inesperadamente, ambas fueron recibidas con entusiasmo por el público y la crítica. Parecía que los vieneses apreciaban al fin su genio sin reservas y deseaban mostrarle su gratitud teñida de arrepentimiento, aunque fuese tarde. El maestro comenzó a padecer fuertes dolores de cabeza, fiebres y extraños temblores. Cuando un misterioso desconocido llame a su puerta para encargarle un réquiem, Mozart le recibirá tiritando y le confundirá con el ángel de la muerte. Ese frío interior que le acongoja y el extraño visitante, se dice a sí mismo, son el anuncio de que su vida toca a su fin. Aunque no le gustaba, las deudas le obligaron a aceptar el tétrico encargo: aquel desconocido mensajero —que no ha revelado el nombre de su patrón: el conde Franz von Walsegg— con su rostro severo, vestido de luto y tocado con un sombrero que le cubre casi toda la cara, ofrece el dinero que Mozart necesita para Constance y sus hijos.

En la casa de los Mozart se instaló de pronto la mala suerte. El dinero faltaba, Constance cayó gravemente enferma, los encargos escasearon y el desprecio de los vieneses se redobló. Mozart se enfrentó a la amenaza de la miseria sin saber cómo detenerla. El matrimonio cambió de casa diversas veces buscando siempre un alojamiento más barato. Sus amigos les prestaron al principio con gesto generoso sumas suficientes para pagar al carnicero y al médico, pero al darse cuenta de que el desafortunado músico no iba a poder devolverles lo

Reunión en la logia masónica de Viena, *obra anónima de 1790, donde se ve a Mozart entre los masones católicos practicantes. La masonería tuvo en Alemania una organización poco sólida y una ideología muy confusa.*

Con muchas interrupciones y con el emisario apremiando a su puerta, Mozart escribió lentamente la angustiosa partitura, convertida en su postrera obsesión. Nunca terminará el *Réquiem*, aunque hasta exhalar su último suspiro dictó con labios trémulos las notas de la trompeta del Juicio Final a su fiel amigo Emmanuele Schikaneder. Según el certificado médico, murió de fiebre reumática. Se le enterró en una fosa común, en un día tan tormentoso que los escasos acompañantes se dispersaron antes de llegar al cementerio.

«¡Era tan bella la vida y comenzó con tantas promesas de felicidad! Pero el destino no puede cambiar. Humildemente hay que aceptar la voluntad de la Divina Providencia.

Tengo que acabar mi Réquiem. No lo puedo dejar incompleto», escribió Mozart, *cuya voz se apagó con las palabras* homo reus, *hombre culpable, del* Lacrimosa.

1756	27 de enero: nace en Salzburgo **Wolfgang Amadeus Mozart.**
1760	Primeras lecciones de música a cargo de su padre. Primeras composiciones.
1762-1767	Realiza diversas giras por Europa. Compone sus primeras sinfonías, sonatas y conciertos.
1768	Estreno de sus óperas *La finta semplice* y *Bastián y Bastiana.*
1769	Nombrado *konzertmeister* de la corte salzburguesa.
1770-1771	Recorre Italia. Estrena *Mitrídates, rey del Ponto* en Milán.
1772-1778	Vuelve a la corte de Salzburgo. Al final de este período viaja a París, donde muere su madre.
1781	Se traslada a Viena. Compone *El rapto del serrallo.*
1782	Matrimonio con Constance Weber.
1783	*Misa en do menor.*
1785	*Cuartetos* dedicados a Haydn.
1786	Se estrena *Las bodas de Fígaro.*
1787	Estreno de *Don Giovanni* en Praga. *Pequeña música nocturna. Sinfonía Júpiter.*
1790	Se estrena *Così fan tutte* en Viena.
1791	*La flauta mágica.* 5 de diciembre: muere en Viena, dejando inacabado su *Réquiem.*

Napoleón Bonaparte
(1769-1821)

Napoleón Bonaparte fue un gran genio de la estrategia militar y política. Sus victorias dieron a Francia el dominio de un gran imperio.

Córcega es una de esas islas maravillosas que salpican el Mediterráneo, un bello conjunto de montañas coronadas por bosques frondosos y valles profundos donde se asientan pequeñas aldeas campesinas. En 1768 los genoveses, cuyo dominio sobre la isla era más ficticio que real, la vendieron a Francia ante la indiferencia de los indómitos corsos, que aspiraban a una total independencia, por lo que les daba lo mismo tener un amo italiano que uno francés. Un año más tarde, el 15 de agosto, nacía en Ajaccio, la población más importante de la isla, un niño al que se bautizó con el nombre griego de Napoleón, antepuesto al apellido de su padre, Buonaparte, y de su madre, Ramolino. Ese infante, convertido más tarde en general, luego en cónsul y por último en emperador de Francia, iba a ser uno de los hombres a la vez más amados y más odiados de Europa, un continente que no volvería a ser el mismo después de ser atravesado, desde Nápoles a Danzig y desde Lisboa a Moscú, por sus terribles ejércitos.

Un artillero prometedor

Carlo de Buonaparte, padre de Napoleón, era de origen italiano y pertenecía a una familia corsa de mediana alcurnia oriunda de la región de Toscana. Casado con Letizia Ramolino a los dieciocho años, tuvo con ella trece hijos, de los que sobrevivieron ocho: José —el mayor—, Napoleón, Luciano, Jerónimo, Luis, Carolina, Elisa y Paulina. Aunque simpatizaba con las ideas de Pasquale Paoli, caudillo independentista de la isla frente a genoveses y franceses, cuando estos últimos ocuparon Córcega prefirió colaborar con el invasor para sacar adelante a su familia. Luego consiguió que el grado de nobleza de su apellido le fuera reconocido y, en 1779, fue nombrado diputado por la isla ante la corte de Luis XVI. Buonaparte partió para la metrópoli con sus dos hijos mayores, José y Napoleón, y los matriculó en el colegio seminario de Autun. El joven Napoleón permaneció muy poco tiempo en él, puesto que le fue concedida una beca para la Escuela Militar de Brienne, donde cursó estudios hasta octubre de 1784, fecha en la que pasó como artillero, gracias a sus excelentes calificaciones, a la Escuela Militar de París.

En aquellos años, el muchacho presentaba un aspecto semisalvaje y apenas hablaba otra cosa que no fuera el dialecto de su añorada isla. Sus compañeros en Brienne y París, hijos de la aristocracia francesa, veían en él a un extranjero raro y mal vestido, al que hacían blanco de toda clase de burlas; no obstante, su carácter indómito y violento imponía respeto tanto a sus camaradas como a sus profesores. Como alumno destacaba en matemáticas, historia y geografía, pero lo que más llamaba la atención era su temperamento y su tenacidad; uno de sus maestros en Brienne diría de él: «Este muchacho está hecho de granito, y además tiene un volcán en su interior».

Pocos meses después de entrar en Varsovia, Napoleón fue derrotado en la batalla de Eylau, el 8 de febrero de 1807. La caballería rusa aniquiló el cuerpo de Augereau y estuvo a punto de hacer prisionero al emperador francés. Napoleón, tras su victoria en Friedland, y el zar Alejandro se entrevistaron en una balsa sobre el Niemen y decidieron aliarse. Arriba, Napoleón en el campo de batalla de Eylau.

En 1789, al estallar la Revolución, Napoleón era ya teniente de artillería y había ocupado diversos destinos en las guarniciones de provincia de Valence y Auxonne. Allí el joven militar había empleado su tiempo en completar su formación y en redactar ensayos históricos o morales que revelan su nostalgia por su isla natal y por las luchas en favor de la independencia conducidas por Paoli. Al producirse la conmoción revolucionaria, este jefe corso se unió a ella en un primer momento, pero luego pretendió organizar una insurrección con ayuda de Gran Bretaña, por lo que Napoleón tomó inmediatamente partido contra él. Aunque Paoli fue neutralizado por las autoridades francesas, los muchos seguidores con que contaba en la isla acusaron a los Buonaparte de ser partidarios del Antiguo Régimen, por lo que la familia hubo de abandonar Córcega y establecerse en Marsella. Como el padre había muerto en 1785, Letizia y sus hijas se vieron obligadas a vivir casi en la miseria. Fue entonces cuando Napoleón tuvo su primera relación amorosa conocida: Désirée, hija de un comerciante marsellés llamado Clary. Ese primer amor de Napoleón se casaría más tarde con el general Bernadotte y moriría siendo reina de Suecia.

Hacia la cumbre

La ruptura de Napoleón con su querida isla fue lo que acabó por convertirle en un verdadero francés y le llevó al campo de la Revolución. Su primer éxito militar tuvo lugar a continuación, cuando fue nombrado capitán artillero y se le ordenó reconquistar la estratégica plaza de Tolón, ocupada por los británicos y los realistas y asediada por las fuerzas de la República. En el ataque a la ciudad, Napoleón demostró ser un admirable estratega, lo que le valió un rapidísimo ascenso al grado de general de brigada.

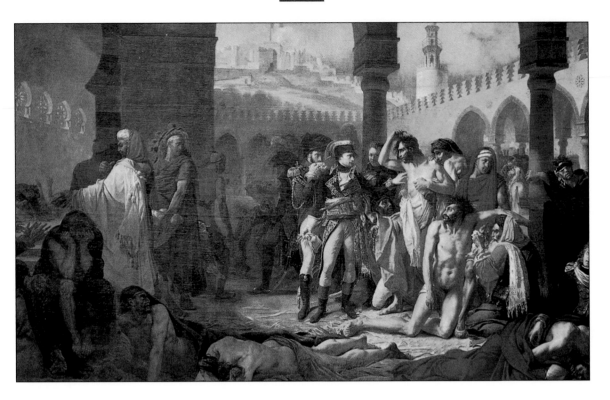

Bonaparte en Jaffa, cuadro de J. A. Gros, Museo del Louvre, París. Esta población, próxima a Tel Aviv, fue ocupada por las tropas napoleónicas durante la campaña de Egipto, *cuyo objetivo era cortar a Inglaterra la ruta de la India, adonde Napoleón soñaba llegar, tal como siglos antes lo hiciera Alejandro Magno. Pero su camino a la gloria era otro.*

A partir de ese instante, fue consciente de que era precisamente la guerra lo que le iba a permitir conquistar la gloria y el poder. En julio de 1794, un golpe de estado moderado derribará la dictadura del terrorífico Robespierre y el joven general se verá implicado en su caída; pero ni siquiera en esos momentos difíciles Napoleón dudará de su buena estrella, que ha visto brillar claramente en Tolón. En octubre de 1795, la fortuna vuelve a sonreírle: impresionado por su mirada de fuego y por su recién ganada fama, el nuevo hombre fuerte de la República, Paul Barras, lo nombra comandante de la guarnición de París, le encomienda aplastar una insurrección realista y por fin lo asciende a general en jefe del Ejército del Interior.

El destino glorioso de Napoleón empezó a dibujarse portentosamente nítido ante sus ojos, con la misma brillantez que su nombre se imponía entre sus contemporáneos. Tan sólo era preciso colaborar un poco con ese futuro triunfal que se avecinaba, y el corso lo hizo casándose con la bella Josefina de Beauharnais, una mujer encumbrada y asidua de los salones influyentes, a la que acabaría ciñendo la corona de emperatriz. Josefina, hija criolla de un plantador de la Martinica, se llamaba Marie-Josèphe-Rose Tascher de la Pagerie y era viuda del vizconde de Beauharnais, aristócrata guillotinado por Robespierre, junto al cual había ascendido vertiginosamente en el mundo de la nobleza. Napoleón la vio fascinante, hermosísima, rica y refinada y no dudó en hacerla suya, considerando que era la compañera ideal de un hombre al que esperaba la gloria.

Le petit caporal

Al tiempo que contraía matrimonio con Josefina, Napoleón fue nombrado comandante en jefe del Ejército de Italia, país en cuya mi-

Pocos episodios ilustran mejor las contradicciones que agitaban a Bonaparte como la instauración del Imperio. En el terreno jurídico e institucional, Bonaparte fue el continuador de la centralización y racionalización del Estado acometida por los jacobinos. Arriba, detalle de La coronación, *célebre cuadro de Jacques-Louis David.*

tad norte se encontraba el teatro de operaciones de la guerra que enfrentaba a Francia con Austria. Desde marzo de 1796 hasta abril de 1797, el genio militar del joven Buonaparte se puso de manifiesto en la península italiana; Lodi, Arcole y Rívoli pasaron a la historia como los escenarios de las principales batallas en las que derrotó a los austríacos; Beaulieu, Wurmser y Alvinczy fueron los más destacados mariscales cuyas tropas fueron barridas por las de Napoleón. El inexperto general llegado de París en la primavera de 1796 despertó la admiración de todos los maestros en estrategia de la época y se convirtió en un tiempo récord en el terror de los ejércitos de Austria. Y en cuanto a sus propios soldados, el recelo de los primeros días pronto se transformó en entusiasmo: comenzaron a llamarle admirativamente *le petit caporal* y a corear su nombre antes de iniciar la lucha. Fue en esos días victoriosos cuando Napoleón varió la ortografía de su apellido en

sus informes al Directorio: Buonaparte dejó paso definitivamente a Bonaparte.

Los nombres de Alejandro Magno y Julio César se codeaban con el suyo en los sueños de gloria del general triunfante. Cuando en 1798, tras la firma con la derrotada Austria de la paz de Campoformio, se puso al frente de una expedición contra Egipto, considerado como una posición estratégica en la ruta británica de la India, Bonaparte estaba preparado para emular a aquellos héroes y llevar su fama hasta Oriente. El balance de la incursión, sin embargo, no fue completamente satisfactorio, pues aunque ocupó la isla de Malta y venció en varias ocasiones a los mamelucos, gobernantes del territorio egipcio, el almirante inglés Nelson destruyó la flota francesa en Abukir.

En agosto de 1799, Napoleón pudo esquivar el cerco de navíos británicos en una fragata que le devolvió a Francia. Los ejércitos de la República habían sufrido algunos reveses en Centroeuropa y el Directorio se encontraba en plena crisis; Bonaparte vio con claridad meridiana que ése era el momento propicio para hacerse con el poder, y el 18 de Brumario del año VIII de la Revolución, correspondiente al 9 de noviembre de 1799, derribó al gobierno con un golpe de estado que inauguraba una dictadura moderada en la que el pueblo delegaba en su persona, revestida luego del cargo de primer cónsul, el poder ejecutivo por diez años.

Buen político y sorprendente emperador

El Consulado terminó con una larga etapa de anarquía y desórdenes. En cuanto tuvo todo el poder en sus manos, Napoleón demostró que no era solamente un general audaz, preocupado por manipular mediante la diplomacia o la guerra los complejos resortes de la política internacional, sino que también estaba interesado por procurar bienestar a sus súbditos y podía actuar como un brillante legislador y administrador. En los años inmediatamente posteriores a su proclamación como cónsul, la obra de reforma, recuperación y reparación que realizó fue espectacular y admirable. Bonaparte introdujo cambios en la administración dando a Francia instituciones que han llegado hasta hoy, como el Consejo de Estado, las prefecturas y la organización judicial, acabó con las guerras civiles que asolaban la zona oeste del país e instauró una política financiera eficaz que permitió poner fin al déficit acumulado durante la Revolución.

A estos logros en el interior se sumaron nuevos éxitos en el exterior. El 14 de junio de 1800 volvió a hacer un derroche de su genialidad como militar al aplastar de nuevo a los austríacos en la renombrada batalla de Marengo, obligándolos a firmar la paz de Lunéville al año siguiente. Además firmó con el papa el concordato de 1801, que preveía la reorganización de la Iglesia de Francia y favorecía el resurgimiento de la vida religiosa tras los desmanes cometidos en los momentos culminantes del período revolucionario. Fue el propio pontífice Pío VII quien lo coronó como emperador el 2 de diciembre de 1804. Napoleón había comprendido que se hallaba cerca de la cúspide de su poder y no quiso retrasar por más tiempo su entronización. Ese día, el más

Grabado que ilustra la entrevista que sostuvieron en Tilsit, el 25 de junio de 1807, el emperador de los franceses Napoleón I y Alejandro I, zar de Rusia, para firmar los tratados de paz.

suntuoso templo de la ciudad de París, la catedral gótica de Notre-Dame, acogió a los más distinguidos representantes de un pueblo que, según se decía, «odiaba el nombre de los reyes», para que fuesen testigos de la ceremonia: Napoleón, ataviado con su mejor traje de gala, colocó la corona sobre la cabeza de su esposa Josefina y luego recibió de manos del papa la corona imperial, que en un gesto de orgullosa independencia ciñó sobre su frente con sus propias manos.

Sus enemigos llamaron a aquel acto «la entronización del gato con botas». Sus admiradores consideraron que nunca antes Francia había alcanzado mayor grandeza. Se asegura que, cuando el cortejo abandonaba la catedral majestuosamente, Napoleón, al pasar junto a su hermano Jerónimo, no pudo reprimir una sonrisa y le susurró al oído: «¡Si nos viera nuestro padre Buonaparte!»

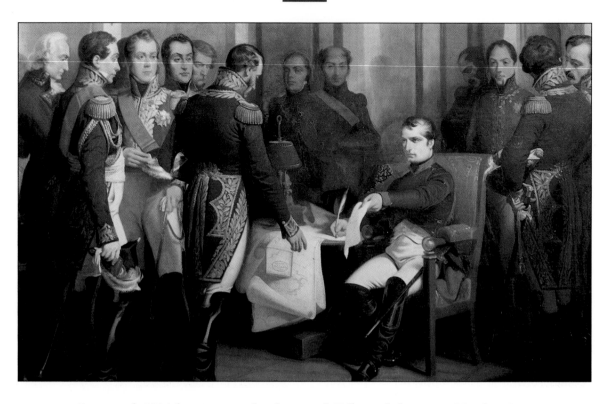

En marzo de 1814, los ejércitos coaligados contra Francia penetraron en París. Un gobierno provisional, dirigido por Charles Maurice de Talleyrand, destituyó a Napoleón Bonaparte. Éste abdicó el 6 de abril de 1814. Arriba, Napoleón firma su abdicación en Fontainebleau.

La Europa de Napoleón

Napoleón se hallaba al frente de uno de los estados más poblados de Europa, en una época en que el potencial demográfico era decisivo a la hora de sostener largas contiendas. Gracias a ello pudo hacer frente a la coalición entre Gran Bretaña, Austria y Rusia, que intentaba acabar con el poderío francés. Aunque frecuentemente fue vencido en el mar (primero en Abukir, luego en Trafalgar), ninguno de los ejércitos enviados contra él pudo hacer nada en tierra. Los nombres de las batallas en las que destrozó a sus enemigos siguen despertando admiración entre los especialistas en táctica militar: Ulm, Austerlitz, Jena, Auerstadt, Friedland y otras muchas fueron sinónimo de victoria y de gloria para los soldados del *petit caporal*.

Su único tropiezo en esos años se produjo en España, donde su decisión de reemplazar a los Borbones por su hermano José provocó un le-vantamiento popular. Por vez primera, el ejército napoleónico se mostró incapaz de controlar la situación; acostumbrados a rápidas contiendas contra tropas de mercenarios, sus soldados no pudieron acabar con aquellos guerrilleros que peleaban en grupos reducidos y conocían a la perfección el terreno. El emperador en persona tuvo que trasladarse a la Península para acabar con la resistencia y reponer a su hermano en el trono.

Corría el año 1809 cuando el matrimonio entre Napoleón y Josefina fue declarado nulo. El emperador necesitaba un heredero y la emperatriz, que ya había tenido varios hijos antes de su matrimonio con Napoleón, era estéril desde los treinta y cinco años. Cuando los austríacos, vencidos una vez más en la batalla de Wagram, accedieron a firmar la paz de Viena, el precio que impuso Bonaparte fue casarse con la hija del emperador Francisco I, la princesa María Luisa. El 20 de marzo de 1811 nació por fin el anhelado heredero y Napoleón supo que

La generación romántica hizo de Beethoven un mito, el creador de una música de una profundidad conceptual y un dramatismo desconocidos hasta entonces. En este sentido, *el músico nacido en Bonn representaba el paradigma del genio romántico. Arriba, la monumental* Beethoven, *del escultor Max Kingler (Museum der Bildenden Künste, Leipzig).*

nía sin cuidado; unos pantalones rotos y un raído frac eran su atuendo habitual, llegando en más de una ocasión a ser detenido en la calle por los gendarmes al ser confundido con uno de los muchos vagabundos que deambulaban por la ciudad. Este mismo estado de abandono presentaba su domicilio, donde se amontonaban los restos de comida, los platos sucios y las partituras sin terminar. En medio de este caos daba Beethoven lecciones de piano a señoritas distinguidas, a muchachas de rostro sonrosado que se sentían al mismo tiempo turbadas y atraídas por tan indómito maestro. Más de una vez se enamoró Beethoven de alguna de sus alumnas y más de una vez su amor fue correspondido, pues las efusiones de su corazón resultaban irresistibles aun cuando su presencia pudiera desagradar. Beethoven era un hombre lleno de amor; el amor era la fuerza motriz de su creatividad y la razón de ser de su existencia. Deseaba con toda su alma encontrar una mujer que se entregase a él ciegamente para convertirla en su esposa. Soñaba con las bellas damas de la alta sociedad, por las que frecuentemente fue rechazado, y se esforzaba en presentarse ante ellas bien peinado, mejor vestido, galante, seguro de sí mismo y tranquilo.

Pero la imagen de un Beethoven acicalado y manso no despertaba el menor interés; si había algo capaz de seducir en él era precisamente su fiero temperamento del «titán», apelativo con el que se lo nombraba a menudo. Por desgracia, ninguna de sus queridas admiradoras le concedió su mano, y el genio hubo de sufrir en silencio el hecho de que, una y otra vez, fueran otros más guapos, más educados y más estúpidos los elegidos por la dama de turno. Jamás se ha sabido si sus relaciones con el bello sexo pasaron alguna vez a un estadio más íntimo que el simple envío de apasionadas cartas, como la que se encontraría en un cajón secreto tres días después de su muerte: una declaración de amor de diez páginas dirigida a una enigmática «amante inmortal» cuya identidad nunca ha sido revelada.

Por todo ello, Beethoven mostraba a toda hora un humor melancólico y sombrío, se denominaba a sí mismo «el pobre desgraciado» y pensó de muchas maneras en el suicidio, sobre todo cuando las enfermedades se ensañaron con él. De otro lado, no llegó a sentirse atraído por la liturgia ni por las normas eclesiásticas, que consideraba trabas para el libre desenvolvimiento del espíritu. Creía en la obra del Creador y, por encima de cualquier otra cosa, en la Naturaleza, donde a menudo encontraba las verdades que su alma inquieta necesitaba. Rodeado de bosques, praderas y arroyos, hallaba a la vez consuelo y renovado vigor, olvidaba el desaliento y se transformaba en un hombre diferente, más unido a las realidades del mundo que de veras importan; en verano, no era difícil verle paseando por los campos casi sin ropa, llenándose de vida y de horizonte, como un fauno triste al que han rechazado todas las mujeres.

Música para la eternidad

Son ciento treinta y siete las obras clasificadas de Beethoven, entre las que destacan sus nueve sinfonías, los seis conciertos para piano y orquesta, las treinta y dos sonatas para piano, dos misas y su única ópera, *Fidelio*. La mayor par-

Iglesia de Heiligenstadt, pequeña localidad famosa porque en ella Beethoven escribió el llamado «Testamento de Heiligenstadt», documento en que el músico expresa su desesperación ante su creciente sordera.

te de estas composiciones fueron escritas cuando su creador estaba ya aquejado de una humillante y trágica dolencia: la sordera. Sus problemas auditivos comenzaron justo cuando Beethoven se hallaba en el punto culminante de su capacidad musical, en el preciso instante en que sus obras empezaban a expresar una madurez magistral y el estilo propio e inconfundible del maestro. Fue en el año 1800, paralelamente a la aparición de la *Gran Sonata Patética en do menor*, que ya mostraba una particular estructura fundamentada en el *leitmotiv*: las cuatro notas iniciales se repiten configurando un tema principal, desarrollado mediante variaciones y otorgando a toda la composición una dinámica muy especial. Seis años después tendría lugar el estreno de la *Tercera Sinfonía en mi bemol mayor*, también llamada *Sinfonía Grande* o *Heroica*, que festejaba las hazañas de Napoleón Bonaparte. Como muchos de sus contemporáneos, Beethoven admiraba al hombre que había sido capaz de recoger el testigo de la Revolución y fundar una nueva república dando sentido a los ideales de libertad y hermandad que recorrían Europa, pero se sintió trai-

cionado cuando el corso se hizo proclamar emperador y hubo de ahogar su cólera en un amargo llanto de decepción.

El estreno de su ópera *Fidelio* le deparó un enorme fracaso. Tras dos accidentadas representaciones en las que abundaron los silbidos y los pateos, Beethoven se vio obligado a retirarla y, en un acceso de cólera, estuvo a punto de destruir libreto y partitura. Sin embargo, pudo más su amor a la obra perfecta y en los años siguientes trabajó minuciosamente con objeto de mejorarla. Cuando en 1814 fue llevada de nuevo a los escenarios, *Fidelio* fue acogida con vítores y el maestro, con amarga ironía, comentó que ello se debía a que «Beethoven no había podido dirigir la orquesta»; en efecto, en esa época ya se encontraba completamente sordo. Su defecto no le desanimó. Continuó trabajando frenéticamente con ayuda de unos audífonos especialmente confeccionados para él y encontró un inestimable colaborador en el recién inventado metrónomo, útil del que se sirvió para consolidar la arquitectura, el ritmo y la dinámica de sus obras. Resultado de su última etapa fueron la soberbia *Missa Solemnis*, en honor del arzobispo de Olmütz, y la *Novena Sinfonía en re menor*, con su grandioso coro final basado en la *Oda a la alegría* de Schiller; era el punto final y la síntesis de toda la fuerza musical que el llamado «general de los músicos», puente de oro entre Mozart y Wagner, fue capaz de desplegar ante los hombres.

Sobre estas líneas, a la izquierda, frontispicio de la Sonata para piano Op. 106 *«Hammerklavier». A la derecha, edición de la* Sinfonía núm. 3 *«Heroica».*

Diablos en el cuerpo

En una carta dirigida a su amigo Wegener en 1802, Beethoven había escrito: «Ahora bien, este demonio envidioso, mi mala salud, me ha jugado una mala pasada, pues mi oído desde hace tres años ha ido debilitándose más y más, y dicen que la primera causa de esta dolencia está en mi vientre, siempre delicado y aquejado de constantes diarreas. Muchas veces he maldecido mi existencia. Durante este invierno me sentí verdaderamente miserable; tuve unos cólicos terribles y volví a caer en mi anterior estado. Escucho zumbidos y silbidos día y noche. Puedo asegurar que paso mi vida de modo miserable. Hace casi dos años que no voy a reunión alguna porque no me es posible confesar a la gente que estoy volviéndome sordo. Si ejerciese cualquier otra profesión, la cosa sería todavía pasable, pero en mi caso ésta es una circunstancia terrible; mis enemigos, cuyo número no es pequeño, ¿qué dirían si supieran que no puedo oír?» Así exponía el músico la trágica verdad. Lo que se había manifestado por primera vez cuando contaba veintiocho años como una ligera molestia era ya preludio del silencio definitivo. En 1814 dejó de ser capaz de mantener un simple diálogo, por lo que empezó a llevar siempre consigo un «libro de conversación» en el que hacía anotar a sus interlocutores cuanto querían decirle. Pero este paliativo no satisfacía a un hombre temperamental como él y jamás dejó de escrutar con desconfianza los labios de los demás intentando averiguar lo que no habían escrito en su pequeño cuaderno. Su rostro se hizo cada vez más sombrío. Sus accesos de cólera comenzaron a ser insoportables. El destino le humillaba demasiado pero su temperamento le impedía rendirse. La sordera del maestro fue origen de alguna conmovedora anécdota, como la ocurrida con ocasión del estreno absoluto de su *Novena Sinfonía*: Beethoven se había atrevido a dirigirla y, cuando el último sonido del esplendoroso *finale* se extinguía, no se percató del aplauso atronador con que se le obsequiaba y permaneció de espaldas al público, ensimismado en sus pensamientos, hasta que uno de los solistas tocó delicadamente su brazo e hizo que se volviera; quizás por última vez, su rostro se iluminó expresando la más completa felicidad. Moriría tres años más tarde, agotado por las enfermedades y recordando quizás unas frases que había escrito en su diario horas antes: «Tú eres un héroe, tú eres lo que representa diez veces más: un hombre verdadero.»

Retrato del célebre compositor Ludwig van Beethoven, alemán de nacimiento y austríaco de adopción, a los treinta y cuatro años de edad, por Willibrord Joseph Mähler.

1770	16 de diciembre: **Ludwig van Beethoven** nace en Bonn.
1777	Primer concierto público. El maestro C. G. Neefe se hace cargo de su formación musical.
1783	Edita su primera obra. Obtiene el puesto de organista en la corte de Colonia.
1792	Se instala en Viena, donde recibe clases de Mozart y Haydn y alcanza una excelente reputación como pianista.
1799-1800	Empieza a componer sus mejores obras: *Sonata Patética en do menor*, *Seis cuartetos de cuerda* y *Primera Sinfonía*.
1806	Estreno de la *Sinfonía Heroica* y de su ópera *Fidelio*.
1807	*Quinta y Sexta Sinfonías, Missa en do menor*.
1811-1812	*Séptima y Octava Sinfonías*.
1814	Beethoven queda completamente sordo.
1822	Termina la *Misa Solemnis*.
1824	7 de marzo: estrena la *Novena Sinfonía en re menor*.
1827	26 de marzo: muere en Viena.

Simón Bolívar
(1783-1830)

Simón Bolívar, el Libertador, concibió el vasto sueño de proyectar la independencia de las colonias españolas en un único Estado panamericano.

La contramoneda del cauto y soñador José de San Martín fue el pragmático y ambicioso Simón Bolívar, hombre de genio enérgico, reflexivo pero no dubitativo, entregado a un ideal titánico, y tan titán él mismo como su propio ideal, que preveía la conquista de la libertad para un continente entero. La tisis dio cuenta de algunos de sus antepasados y acabó con su salud; antes sufrió por la precoz muerte de su padre y por el repentino fallecimiento de su esposa a poco de casados; en el ínterin vio cómo caían en combate miles de hombres, entre los suyos y entre sus enemigos. Pese a todo, gallardamente, la obstinación de Bolívar no desfalleció nunca ni aun en medio de un cementerio con miríadas de cadáveres. Estaba hecho de una pasta insólita: la pasta de los héroes temerarios y confiados, la pasta de los hombres de fe inquebrantable, acaso la pasta de los visionarios.

El discípulo de Rousseau

Nació Simón en el seno de una opulenta familia de origen vizcaíno que se había establecido en Hispanoamérica en el siglo XVI. Su más lejano antepasado en el Nuevo Mundo fue Simón Bolívar el Viejo, que se instaló primeramente en Santo Domingo, donde nació su hijo, el Mozo, quien, tras ordenarse sacerdote, fundó el Seminario Tridentino de Caracas.

El abuelo del que sería llamado, por antonomasia, el Libertador, quiso adquirir, mediante el desembolso de una fuerte suma de dinero, el marquesado de San Luis, entonces en manos de los monjes de Montserrat en Cataluña, pero el rey no consintió en concederle ese privilegio. Sus padres fueron Juan Vicente Bolívar y María de la Concepción Palacios, oriunda de Miranda de Ebro, en la provincia española de Burgos. El primero murió cuando Simón contaba apenas tres años y, cuando tenía nueve, también se vio privado de su madre. Bajo la protección y cuidado de su abuelo materno y tutor, Feliciano Palacios, el niño Simón compartía sus juegos con la pequeña esclava negra Matea y se mostraba particularmente refractario a las lecciones que, por aquel entonces, era obligado que recibiese un muchacho de su posición. Indisciplinado y caprichoso, sus maestros no sabían hacer carrera de él. El padre Andújar apenas le enseñó a leer y a escribir y los rudimentos de las matemáticas; con Guillermo Pelgrón no consiguió pasar de las primeras clases de latín; Andrés Bello le instruyó como pudo en historia y en geografía. Pero hasta que no intervino providencialmente Simón Carreño Rodríguez, el muchacho no dio muestra alguna de curiosidad intelectual. Este ilustrado autodidacta, devoto de Rousseau, un trotamundos a sus jóvenes veintiún años, había tenido una infancia difícil, y quizás por ello supo encarrilar al díscolo muchacho apartándolo de las fastidiosas lecciones convencionales,

Imagen del Libertador Simón Bolívar, descendiente de una aristocrática familia vizcaína, según un retrato realizado por Tito Salas.

ba, y, en particular, por las revueltas que a la sazón sacudían Hispanoamérica.

Una inquietud cosmopolita

A la muerte de Feliciano Palacios, el niño pasó a depender de su tío Carlos Palacios, pero no tardó en huir de su tutela, y a los doce años buscó asilo en casa de su hermana María Antonia. En 1797 pudo por fin entregarse a su auténtica vocación, el ejercicio de las armas, e ingresó como cadete en el batallón de Milicias de blancos de los valles de Aragua, donde había servido años antes su padre. Fue éste un paso que amén de inculcarle la disciplina de que tan necesitado andaba su carácter, lo obligó a tomarse en serio el estudio de materias tales como las matemáticas, el dibujo topográfico o la física, y que además lo animó a emprender fructíferos e instructivos viajes. Para completar sus estudios se trasladó a Madrid en 1799, donde sus tíos Esteban y Pedro Palacios cuidaron de él. Allí fue presentado a la que sería su efímera y bienamada esposa, María Teresa Rodríguez del Toro y Alayza, con quien residió primero en Bilbao y luego viajó a Francia. La muerte inopinada de María Teresa en 1803, apenas unos meses después de que aquel joven entusiasta y feliz de veinte años se instalara con ella en Caracas, dejó honda huella en su ánimo. Inmediatamente emprendió nuevos viajes a Europa, visitó Madrid y Cádiz y se estableció en París. En aquella primavera de 1804, Simón intentó restañar sus heridas sentimentales entregándose a una agitada vida social, frecuentando tertulias, teatros, conferencias y trabando relación con los hombres más notables de la época, como el erudito Alexander von Humboldt.

Así mismo tuvo la suerte de reunirse de nuevo con su antiguo mentor Simón Rodríguez, con quien emprendió un apasionado viaje a Italia, país que lo deslumbró por sus bellezas artísticas, su alegre vitalidad y sus cielos límpidos y clementes. Lugar propicio para los heroísmos románticos, fue precisamente en Roma, en el Monte Sacro, donde juró a su maestro no cejar hasta libertar del yugo español a toda Hispanoamérica. Más tarde, acompañado de su admirado Humboldt, ascendió al imponente Vesubio, el volcán al que la civilización le debe el haber conservado para la posteridad la huella casi intacta

pero sembrando en su espíritu una gran avidez por conocer el mundo. Su actitud dialogante y su paciencia persuasiva indujeron al joven discípulo a interesarse por todo lo que le rodea-

La firma del acta de la independencia de Venezuela, *por Tovar y Tovar. Las invasiones napoleónicas en* la Península y la destitución de Fernando VII fueron los detonantes del proceso independentista en ultramar.

del mundo antiguo en Pompeya. De vuelta en París, como era previsible en un hombre de su capacidad, fue invitado a formar parte de una logia masónica, empecinada en extender la semilla de la fraternidad y el ideario liberal por todo el orbe, ideas que siempre le acompañarían.

El retorno del juramentado

Pronto tuvo noticias de que en Venezuela Francisco de Miranda estaba luchando contra los realistas, y no dudó en regresar a su país para llevar a cabo su misión. A mediados de 1807, después de atravesar Estados Unidos, entró en su país, donde al principio vivió la regalada existencia de un aristócrata ocioso, aunque siempre atento a las conspiraciones subterráneas que habrían de acabar con el ominoso dominio colonial sobre el territorio que sentía suyo. En 1810 fue comisionado para llevar a cabo una misión diplomática ante el gobierno de Gran Bretaña y, enseguida, se distinguió entre la Sociedad Patriótica como uno de los más ardientes partidarios de

la independencia, que las Cortes sancionaron el 5 de julio de 1811. Luchó bajo las órdenes de Miranda para someter la resistencia de los que se oponían al nuevo régimen y, en Curaçao, redactó uno de sus textos fundamentales, *Memoria dirigida a los ciudadanos de Nueva Granada por un caraqueño*, donde ya expone lo más sustancial de su visionaria doctrina panamericana.

La ubicuidad del héroe

Hasta 1818, su suerte fue voluble, debiendo de apechugar con una de cal y otra de arena, pero a partir de ese año los triunfos que atribuye la Historia al gran estadista y militar de genio que fue Simón Bolívar son espectaculares. Todos los estudiantes del mundo han debido aprender que el Napoleón hispanoamericano tomó Cúcuta y, que, pocos meses después, el 6 de agosto de 1813, entró victorioso en Caracas, hazaña que recibe el nombre de «Campaña admirable». En el octubre siguiente se le proclamó, con toda solemnidad, como *Libertador*, aunque las escaramuzas, las batallas, las traiciones, las conferencias para negociar treguas o acciones comunes, la intervención casi ubicua de su persona en los más variados conflictos se sucedieron luego vertiginosamente. En los dieciséis años posteriores de luchas que el destino le había reservado no tuvo respiro: de la frágil cúpula del ideal que Simón Bolívar había erigido, él era la clave, la piedra sólida, tozuda e indispensable.

Pero nadie es invencible, y Bolívar fue derrotado por el realista José Tomás Boves en la batalla de La Puerta en junio de 1814 y debió emigrar a Nueva Granada, más tarde a Jamaica, después a Haití...; en julio de 1817 los patriotas tomaron Angostura, que hoy se llama Ciudad Bolívar, donde asumió el poder no sólo para combatir a los realistas sino para librar la batalla interna contra los disidentes, de modo que se vio obligado a fusilar a un prestigioso correligionario de antaño, el general Manuel Piar.

En 1819, tras remontar los Andes, conquistó Nueva Granada, que dejó bajo el mando del general Santander para regresar a Angostura y promulgar la ley fundamental de la República de Colombia, estado que no se configuraba como el actual, sino que incluía el país que lleva hoy ese nombre más Ecuador, Panamá y Venezuela. El 24 de junio de 1821 los ejércitos realistas quedaron desarbolados por el Libertador en la batalla de Carabobo, y sus despojos, refugiados en Puerto Cabello, se verían obligados a capitular definitivamente en 1823. Tras entrar victorioso, en olor de multitud, en su ciudad natal, fue nombrado presidente de Colombia y emprendió la campaña de Ecuador, que coronó con éxito en 1822. Allá, en Quito, conoció a la que sería su fiel y apasionada amante durante el último tramo de su azarosa vida: la bella Manuela Sáenz.

Dos titanes en una pequeña habitación

El 26 de julio de 1822 Simón Bolívar se entrevistó en Guayaquil con José de San Martín. Los dos guerreros más ilustres de toda América del Sur, los dos campeones de la independencia, los dos semidioses aclamados por las multitudes, se enfrentaron cara a cara. Las relaciones entre ambos prohombres se habían iniciado un año antes bajo el signo de la mutua generosidad y admiración, y Bolívar le había escrito en estos términos: «Nos veremos, y presiento que la América no olvidará el día que nos abracemos». Así mismo recibió afectuosamente al argentino con estas protocolarias palabras: «Al fin se cumplieron mis deseos de conocer y estrechar la mano del renombrado general San Martín». Sin embargo, este último quería negociar sobre todo el destino de Guayaquil, pero Bolívar se le había adelantado anexionándolo a la República de la Gran Colombia.

La misteriosa y breve entrevista que mantuvieron —apenas cuatro horas— fue completamente secreta, a puerta cerrada, sin testigos. De

Bolívar se internó en Colombia y consiguió derrotar a los españoles, comandados por Barreiro, en la batalla de Bocayá, librada el 7 de agosto de 1819. Arriba, escena del combate de Boyacá, triunfo que aseguró la definitiva independencia venezolana.

resultas de la misma, San Martín abandonaría al poco la vida pública y Bolívar continuaría campeando a su antojo por vastos territorios.

Lo cierto es que, aunque San Martín cumplió su palabra de abandonar el Protectorado del Perú para evitar enfrentamientos internos, las facciones se entreveraron en luchas intestinas, y en 1824 Bolívar fue nombrado Dictador con poderes ilimitados para salvar el país. Poco después, en Junín, derrotó al ejército realista de Perú, pero el 10 de febrero de 1825 renunció en Lima a los poderes que se le habían concedido y no aceptó el millón de pesos que se le ofrecía en recompensa y como signo de gratitud. Pero aún redactó la constitución de una nueva república en el Alto Perú, la República Bolívar, actual Bolivia. En 1827 hubo de sofocar el levantamiento del general Páez en Venezuela; al año siguiente su-

Desechada la idea boliviana de crear una o muy pocas entidades políticas latinoamericanas, la evolución del Subcontinente durante el siglo XIX destacó por su complejidad. En la ilustración, Simón Bolívar en el congreso de Angostura (1819), del que surgió la Gran Colombia.

frió un atentado contra su vida; cada vez se sentía más cansado, decepcionado y enfermo. Aún así, en 1828 viajó a Ecuador para intervenir frente a la invasión peruana, que ansiaba anexionarse Guayaquil. A principios de 1830 volvió a Bogotá, donde fue testigo de la secesión de Venezuela y de la creciente oposición hacia su persona en Colombia. Renunció a la presidencia y pensó en viajar a Europa, pero la muerte lo sorprendió aquel mismo año en San Pedro Alejandrino, el 17 de diciembre. Una semana antes de morir, hizo pública su última proclama: «...yo he mandado veinte años y de ellos no he sacado más que pocos resultados ciertos: 1° la América es ingobernable para nosotros; 2° el que sirve a una revolución ara en el mar; 3° la única cosa que se puede hacer en América es emigrar...».

Semblanza irreverente

Mucha tinta se ha vertido sobre el hombre que concibió tan anchos sueños para Hispanoamérica, no sólo por los historiadores, sino también por los novelistas y los poetas. Ningún escritor de relieve entre su contemporáneos lo ignoró, y aún hoy sigue su estela dando origen tanto a relatos destinados al público infantil como a obras tan señaladas como *El general en su laberinto* del colombiano Gabriel García Márquez. Y es que a veces la fría relación de hechos gloriosos, la retahíla de fechas memorables, la mera enumeración de los muchos y remotos lugares donde dejó huella indeleble el héroe errante, acaban por sepultar al hombre en un mar de datos abrumadores. Por eso, para que de nuevo palpite la imagen del pro-

Los líderes de la independencia hispanoamericana se singularizaron por su concepto global del proceso emancipador. En la ilustración, Simón Bolívar al frente de su ejército, pasando por la sabana en dirección a Bogotá, según óleo de F. de P. Álvarez.

hombre con fulgor humano, no con ademán emblemático, sino carnal, frágil y próximo, la anécdota menuda resulta mucho más elocuente que la fría crónica de glorias y desgracias.

Al parecer, Bolívar ganó fama de mujeriego, merecida o apócrifa. Sea como fuere, se narran desde antiguo numerosos chascarrillos que enfrentan en jugosas situaciones al Libertador con damas, damiselas y otras que no lo eran tanto. En cierta ocasión, teniendo necesidad de hospedarse en una pequeña población, Bolívar envió a su ayudante para que tramitara las diligencias de rigor. Con probidad escrupulosa, éste envió al hospedero una carta en la que requería en la fecha y hora señalada para el general «un cuarto con la mayor cantidad posible de comodidades, buena comida, selectos vinos, etc., etc.,

etc.». Cuando el huésped llegó al pueblo, tras rendírsele las zalemas y cabeceos habituales, se le presentó su alojamiento lindamente dispuesto sin que se hubiera escatimado allí el menor lujo, dentro de las modestas posibilidades de la casa, para agasajar al general. Todo fue muy del gusto de Bolívar, pero aún se le hizo pasar a otra alcoba contigua donde halló tres emperifolladas y estremecidas señoritas.

—¿Quiénes son estas jóvenes? —preguntó Bolívar.

—Las tres etcéteras que me dijo su ayudante —contestó respetuosamente el hotelero...

Por su parte, Ricardo Palma en sus *Tradiciones peruanas* escribe: «Si don Simón Bolívar no hubiese tenido en asunto de faldas aficiones de sultán oriental, de fijo que no figuraría en la Historia como libertador de cinco Repúblicas. Las mujeres le salvaron siempre la vida». Y a continuación cuenta las circunstancias en las que Manolita *la Bella*, que a la sazón andaba retozando con el general, lo libró de un atentado. Al oír el ruido de las armas de los conjurados que arrollaban a la guardia, Bolívar tomo su espada y se aprestó al combate, pero con un enérgico «de la mujer el consejo», Manolita le conminó a que huyera por la ventana. Ella misma salió a recibir a los asesinos armada sólo de su valor y les dijo que les llevaría a la alcoba de su amante pero sólo si convenían en no matarlo. Naturalmente, los hombres no tuvieron inconveniente en aceptar hipócritamente la condición y Manolita los guió por laberínticos pasillos, vanas escaleras e inútiles recovecos hasta que, agotada la paciencia de los asaltantes, los condujo a la verdadera habitación por donde hacía rato había huido la víctima, que ya había dado la alerta entre los suyos y estaba en condiciones de apresar a los que poco antes lo amenazaban. Éstos, asustados, no tomaron venganza de su embaucadora, aunque pudieren haberlo hecho, y salieron de estampida.

Tales hechos sucedían en la noche del 25 de septiembre de 1828 y, concluye Ricardo Palma, «de esta manera conquistó la bella Manolita o Manolita *la Bella* el título de la *libertadora del Libertador*, título que se dio a sí misma o que le

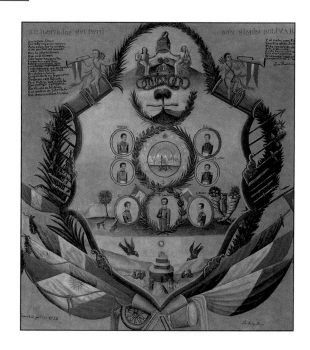

Bolívar recibió el título de «Libertador» al recuperar Caracas, ocupada por los realistas. En la ilustración, Homenaje a Simón Bolívar, de 1825.

confirió Bolívar, porque hay sus dudas, pero ninguna duda cabe en que se acreditó como mujer valerosa en este lance.»

1783	24 de julio: nace **Simón Bolívar** en Caracas (Venezuela).
1799	Embarca con destino a España.
1802	Casa con María Teresa Rodríguez del Toro y regresa a Venezuela.
1804	Muerta su esposa, viaja a París, donde permanecerá hasta 1807, año en que regresa a Venezuela por Estados Unidos.
1812	Crisis de la Primera República en Venezuela y *Manifiesto de Cartagena*.
1817	Bolívar invade Venezuela y proclama la libertad de los esclavos.
1821	Bolívar se erige en presidente de Colombia.
1822	26 de julio: entrevista de Guayaquil con José de San Martín.
1824	Bolívar dictador del Perú. 6 de agosto: batalla de Junín.
1826	Congreso de Panamá y Constitución de Bolivia.
1827	Bolívar somete al general Páez, impulsor de una revolución en Venezuela.
1830	Renuncia a la presidencia de Colombia. 17 de diciembre: muere en San Pedro Alejandrino, cerca de Santa Marta.

Charles Darwin

(1809-1882)

D a risa pensar en la actualidad con cuántas bromas malintencionadas e histéricas recibió la sociedad puritana del siglo XIX la noticia de que el hombre provenía del mono. No sospechaban aquellos buenos burgueses que la historia los juzgaría por sus ridículos aspavientos y por sus injustificables recelos hacia las lúcidas conjeturas científicas de Darwin, verosímiles e inocentes. Precisamente en su escándalo frente a los trabajos del gran naturalista, acaso mejor que en cualquier otra de las protestas ideológicas masivas de la época, se advierte la limitación mojigata de la utopía social de aquellos patricios que otrora habían protagonizado la Revolución, pero cuyas barrigas bien alimentadas y carteras repletas les recomendaron enseguida mayor prudencia y respeto oportunista a las viejas consignas de la Iglesia. No es de extrañar, por lo tanto, que temiesen que se tambalearan sus cimientos con la doctrina de ese científico inglés que había venido al mundo un 12 de febrero de 1809 con la histórica misión de poner en entredicho unas fronteras de la verdad que parecían de una vez por todas establecidas, una falaz justificación de la dignidad humana que se creía asentada en áureas, incontrovertibles y celestes razones.

Charles Darwin convulsionó la comunidad científica de su tiempo al desacralizar el origen del hombre, sentando las bases de la teoría evolucionista.

luntades visionarias, optimistas y crueles en el Imperio Británico, un bebé nacía en el remoto pueblecito de Sherewsbury para contribuir eficientemente al desarrollo de la ciencia. Con apenas ocho años hubo de tomar precipitada conciencia de la triste condición humana, cuando su madre, Susana Wedgwood, falleció precozmente. Quedábanle, sin embargo, otros seres queridos que habrían de acompañarlo en la travesía de esta infancia abruptamente lastimada: su padre, Robert, y sus hermanos, Erasmus, Marianne, Carolinne, Catherine y Susan. Su progenitor era un calmo y campechano médico de pueblo, tan amigo de favorecer en su derredor un clima apacible y confiado como de entregarse en su tiempo libre al estudio absorbente de las ciencias. Heredero de esta afición inagotable fue su hijo Charles, quien ingresó en 1825 en la universidad de Edimburgo para cursar estudios de medicina como consecuencia del portentoso ascendente que su padre mantuvo sobre él durante sus primeros años. No obstante, al trabar conocimiento con las teorías evolucionistas de Lamarck, el muchacho se orientó hacia la zoología, lo cual no pudo menos que contrariar al doctor Robert Darwin, quien, habida cuenta de que su hijo no tenía vocación de médico, le recomendó que se hiciera clérigo. El consejo no fue ni mucho menos desoído por su vástago y Charles consideró esta perspectiva durante algún tiempo con buenos ojos, tal vez imaginándose que aquella previsible vida de vicario rural le permitiría mantener un estrecho

Una infancia burguesa

Mientras se erigían las solemnes chimeneas de las fábricas inglesas y la industrialización aunaba voy permanente contacto con el campo. Así, en 1828 comenzó en Cambridge los estudios de teología y en 1831 alcanzó sin pena ni gloria el título de Bachiller en Artes, el único logro académico que obtendría durante toda su vida. Durante este período, sin embargo, había compensado el tedio que le producían sus vagos estudios con la asistencia reiterada a las clases de botánica de John Stevens Henslow, las cuales se complementaban con numerosas excursiones didácticas al campo. El erudito profesor, versado no sólo en botánica sino también en entomología, química, mineralogía y geología, acabaría por influir en su aventajado alumno para que se enrolase graciosamente, sin paga, en la aventura de la fragata *Beagle*, que fletada por el Almirantazgo Británico debía viajar por el hemisferio Sur para levantar mapas cartográficos de posibles mercados comerciales o insólitos territorios de los cuales extraer materias primas a bajo costo. Aquella razonable peripecia programada por industriales rapaces duraría cinco años, desde el 27 de diciembre de 1831 al 2 de octubre de 1836.

Las asombrosas islas Galápagos

El chico de veintidós años que se embarcó en la *Beagle* se mareaba un poco, no se conformaba con las explicaciones sencillas e indagaba en cualquier cosa que despertara su curiosidad con una testarudez que no conocía el desaliento. Cuando su barco atracó en las inhabitadas islas Galápagos del Pacífico, que se hallaban separadas por un gran trecho marítimo de las costas de Sudamérica, se sorprendió al descubrir lagartos gigantescos, supuestamente extinguidos, según los geólogos, muchos siglos atrás. Había también desmesuradas tortugas, cangrejos descomunales, gavilanes sin malicia que se dejaban derribar de un árbol con una vara y tórtolas amistosas que se posaban sobre el hombro del perplejo Charles. Al cambiar de una isla a otra, aunque el clima y la geología no variaban, la fauna era inexplicablemente distinta. Si el Génesis llevaba razón, el Creador había actuado con caprichosa e inútil versatilidad en cada uno de aquellos pequeños territorios, pero esa explicación no le resultaba demasiado convincente a Darwin. Entonces escribió en su diario: «Parece que en estas pequeñas islas, rocosas y estériles, nos hallamos más cerca del

misterio de los misterios: la primera aparición de nuevos seres sobre la Tierra.»

Los cinco años de travesía le permitieron escrutar territorios tan extraordinarios como Tahití, Nueva Zelanda, Tasmania, Australia, las islas Azores, de la Ascensión y de Cabo Verde; incansablemente, Charles Darwin anotaba en su diario, que más tarde publicó, todo lo que veía: raros fósiles, animales de variadas especies y, sobre todo, intrigantes mensajes que la naturaleza parecía haber dejado, como un náufrago que lanza al mar sin apenas esperanza una botella, para que fueran descifrados por un hombre observador e instruido. Secretamente comenzaba a sospechar el estudioso, no sin quebranto de sus prejuicios morales, que el medio en que se desenvuelve la vida es un juez implacable que permite sobrevivir solamente a los más aptos.

Años después, aquellas desazonadoras y maravillosas intuiciones, cobrarían forma en un libro revelador y polémico: *El origen de las especies, a través de la selección natural*, que publicado en 1859 con una tirada de 1.250 ejemplares se agotó en veinticuatro horas. Desde esa fecha hasta que dio a la imprenta el otro texto decisivo que lo consagró como el gran teórico capaz de explicar las leyes naturales (*El origen del hombre y la selección con relación al sexo*, 1871), no dejó de intervenir pública y polémicamente en la configuración de la ideología fundamental de su siglo con numerosos artículos y conferencias, aun a costa de un progresivo deterioro de su precaria salud.

La mirada certera

El 29 de enero de 1839, tras regresar a Inglaterra, se casó con su prima Emma Wedgwood, y en su diario confiesa que los tres meses siguientes fueron los más improductivos de toda su vida. Ella era una joven sensual de enormes ojos, frente despejada y labios irónicos, colaboradora inteligente en la trascendental tarea científica de su esposo, y también mujer práctica y apegada a la realidad que se ocupó de cuidar de Charles y lo animó a adquirir en 1842 una residencia en Down, localidad no lejos de Londres, donde pudo llevar a cabo su tarea en condiciones óptimas hasta el fin de sus días. Emma le dio diez hijos, de los que sólo sobrevivieron siete, pero Darwin los amó a todos tierna y minuciosamente, hasta

El 27 de diciembre de 1831 embarcó en la nave Beagle para un apasionante viaje de cinco años, durante el cual visitó territorios casi inexplorados, como la Patagonia argentina, las inhabitadas islas Galápagos, donde intuyó estar frente a la «primera aparición de nuevos seres sobre la Tierra», Tahití, Nueva Zelanda, Australia y, entre muchos más, Mauricio.

el punto de que anotaba en su diario la más pequeña alegría o desasosiego que le producían mientras iba viéndolos crecer.

Darwin detestaba la vida mundana y pretextaba siempre su mala salud para eludir los compromisos sociales. Metódico hasta extremos inconcebibles, fue confeccionando una crónica de la evolución de sus ideas, que su hijo Francis publicó en 1892 bajo el título *Memorias del desarrollo de mi pensamiento y carácter*. De sí mismo pensaba que había actuado justamente al consagrar su vida a la ciencia: «No siento ningún remordimiento por haber cometido algún pecado grave, pero muchas veces he lamentado no haber hecho el bien más directamente a mis semejantes». Así mismo su proverbial modestia queda de manifiesto en estas confesiones: «Al leer algo en un libro o en un periódico me siento tan impulsado a la admiración, que únicamente tras reflexión prolongada llego a ver los puntos flacos. La facultad de seguir una larga y abstracta serie de pensamientos es, en mí, extremadamente limitada. En Matemáticas o en Metafísica hubiera fracasado.»

Sin embargo no fracasó en sus facetas de naturalista genial, de esposo considerado y de padre responsable, además de ser efectivamente superior al resto de sus contemporáneos «en observar cosas que escapan generalmente a la atención». Y precisamente por estar convencido y al mismo tiempo asombrado por este don excepcional, al principio ni siquiera se atrevió a dar a conocer sus teorías, guardadas celosamente en el cuaderno de notas que siempre llevaba encima durante sus investigaciones. Aún tenía que corroborarlas y para ello compró palomas de distintas especies que estudió y disecó, descubriendo que aunque todas las palomas domésticas proceden de la paloma silvestre europea, como consecuencia de muchos siglos de selección por parte de los criadores se habían operado notables diferencias entre la buchona, la de cola de abanico, la mensajera y la túmbler.

Por fin se atrevió a hacer pública la tremenda conclusión a la que había llegado, o sea, que «las especies no son inmutables», proposición que coincidía con las intuiciones de un zoólogo perdido en las islas Orientales: Alfred Russell Wallace. Juntos, en una noche memorable de 1858, se presentaron ante la Sociedad Linneana de Londres para dejar boquiabierta a la eximia concurrencia, y a partir de entonces hubieron de revisarse todos los aquilatados preceptos referentes a la pureza originaria del hombre. La interpretación literal de la Biblia, hasta ese momento vigente, quedaba decididamente obsoleta. La comunidad científica se rasgó las vestiduras y mientras unos pocos calificaban a Darwin de genio, eran muchos quienes lo acusaban de loco y se hacían cruces con las gigantescas consecuencias de esas peligrosas ideas. La disputa adquirió caracteres épicos cuando se enfrentaron el obispo Samuel Wilberforce y el joven biólogo Thomas Huxley en la Universidad de Oxford. El primero, en una concurrida reunión, preguntó insolentemente al científico: «¿Sostiene usted acaso que desciende de un mono por línea materna o paterna?». A lo que Huxley respondió impertérrito: «Preferiría descender de monos, tanto por línea paterna como materna, a descender de un hombre que abusa de sus brillantes dotes intelectuales para traer prejuicios religiosos a la discusión de asuntos acerca de los cuales no sabe absolutamente nada.»

Los estudiantes de Oxford prorrumpieron en ruidosos aplausos. Con la victoria intelectual de Huxley triunfaba no sólo la razón, sino también la empresa a la que había entregado su vida Darwin, el cual pudo saborear las mieles del éxito en sus últimos y apacibles años antes de fallecer a causa de un ataque cardíaco en su casa de Down, el 19 de abril de 1882.

1809	**Charles Darwin** nace el 12 de febrero en Sherewsbury (Inglaterra).
1825	Inicia estudios de medicina en la universidad de Edimburgo.
1828	Comienza en Cambridge estudios de teología.
1831	Obtiene el título de Bachiller en Artes. 27 de diciembre: parte en la fragata *Beagle* en una expedición científica.
1839	Se casa con su prima Emma Wedgwood, quien le dará diez hijos.
1858	Darwin y Alfred Russell Wallace exponen conjuntamente sus teorías sobre la evolución de las especies en la Sociedad Linneana de Londres.
1859	Publica *El origen de las especies, a través de la selección natural*.
1871	Publica *El origen del hombre y la selección con relación al sexo*.
1882	19 de abril: muere en su casa de Down, cerca de Londres. Su cadáver es enterrado en la abadía de Westminster, al lado de la tumba de Newton.

Abraham Lincoln
(1809-1865)

Abraham Lincoln, hombre de gran humanidad y patriotismo, llegó a ser uno de los presidentes más carsimáticos de los Estados Unidos de América.

Abraham Lincoln fue el primer presidente estadounidense que murió asesinado. Este hecho bastaría por sí solo para otorgar a su figura una especial significación en la historia de Estados Unidos, aun cuando se tratara de un presidente más. Pero Lincoln fue distinto a los otros. Aquel caballero alto, un tanto desgarbado, ataviado siempre con una levita negra y tocado con una larguísima chistera, poseía un carácter, una elocuencia y una capacidad política que lo llevaron a ocupar un puesto de honor entre los pocos políticos verdaderamente grandes de la era moderna. Parecía un ciudadano corriente, sus manos eran un tanto rudas y no podía decirse que fuera elegante, pero al observar los rasgos de su rostro se advertía un conjunto magnífico: el cráneo poderoso, la mirada rotunda, la afilada nariz y la boca de labios enérgicos resultaban impresionantes. Eran unas facciones que su asesino conocía bien y por eso su mano no tembló.

Fracasos y casualidades

Lincoln pertenecía a una familia de colonos establecida primero en Kentucky y luego en Indiana. Fue leñador, combatió contra los indios y se hizo abogado. Tenía veinticuatro años cuando inició su carrera política, en la que al principio destacaron más los fracasos que los éxitos. Había sido elegido diputado, pero su oposición a la guerra con México le hizo perder la popularidad y el cargo. Volvió a fracasar por dos veces en su intento de convertirse en senador y tuvo que retirarse a Springfield (Illinois), resignado a ejercer su profesión en una pobre oficina.

En el otoño de 1859, Lincoln había cumplido los cincuenta años, se sentía cansado y experimentaba cierta decepción. Había apostado sus energías y todo su entusiasmo a la política y los resultados sólo eran mediocres. Poseía una casa, 160 acres de tierra en Iowa y cierto crédito como abogado. Pero también tenía deudas y, sobre todo, muchas dudas. Algunos socios y amigos que aún creían en él estaban convencidos de que podía llegar muy alto, incluso a presidente del país, pero Lincoln, aunque la idea le sedujera, la rechazaba con su proverbial sentido de la realidad. «¿Por qué el Partido Republicano habría de considerarme a mí, cuando tiene una docena de líderes destacados?», argumentaba. Tal era la situación cuando el azar quiso que una serie de circunstancias aparentemente inconexas se entrecruzasen para acabar dando un nuevo impulso a sus ambiciones. Su hijo Robert había suspendido quince de las dieciséis asignaturas de que constaba el examen de ingreso a la Universidad de Harvard, y a la sazón se encontraba completando su preparación en una academia de New Hampshire. Lincoln se proponía visitarlo, inquieto por el rumbo que tomaban los estudios del joven y decidido a darle ánimos, cuando le ofrecieron dar una conferencia en Brooklyn. La

A pesar de que deseaba por encima de todo evitar la guerra civil y había planteado como solución la abolición gradual de la esclavitud, Lincoln terminó declarando la libertad de los esclavos en todo el país, el 1 de enero de 1863. Arriba, Lincoln lee a su gabinete el acta de emancipación.

propuesta le interesó porque deseaba seguir en contacto con el público y porque los doscientos dólares que iban a pagarle no podían venir mal a su maltrecha economía. Además, no era preciso que se desviase de su ruta hacia New Hampshire.

Los organizadores de la conferencia, al saber que Lincoln aceptaba hablar de temas políticamente comprometidos, trasladaron el lugar de la convocatoria a un recinto de la ciudad de Nueva York que podía acoger mayor número de personas. Aunque la noche del 27 de febrero se presentó tormentosa, unas dos mil personas acudieron a escucharlo. La entrada valía 25 centavos y la expectación era considerable.

Camino de la presidencia

Uno de los asistentes a la conferencia escribiría después: «El orador mantuvo enmudecido al auditorio durante casi dos horas y, al finalizar, el público estalló en un impetuoso aplauso». Al día siguiente, los periódicos de la capital publicaron su discurso íntegro y los dirigentes republicanos ape-

laron urgentemente a Lincoln para que hablara a lo largo de toda la ruta que había de seguir para llegar a la academia donde se encontraba su hijo. Durante la semana siguiente, Lincoln pronunció once discursos más en distintas ciudades, obteniendo resultados igualmente clamorosos. Si su hijo hubiera sido más aplicado, quizás Lincoln nunca hubiera llegado a presidente.

El siguiente paso consistía en ser designado candidato en la Convención Nacional Republicana, reunida en Chicago el 16 de mayo de 1860. Lincoln tenía posibilidades, sobre todo después de su triunfal serie de conferencias, pero William Seward parecía el aspirante mejor colocado. La asamblea dio comienzo, hubo largos debates y llegó el momento de las votaciones. Fue en ese instante cuando la fortuna volvió a aliarse con Abraham Lincoln: las papeletas de voto no estaban listas y la votación hubo de aplazarse hasta la mañana siguiente. Durante la noche, los partidarios de Lincoln trabajaron febrilmente para inclinar la balanza a su favor. Practicando una fulminante política de pasillos, que ya entonces era habitual, negociando apoyos y convenciendo a los dudosos, empezaron a recabar votos de las delegaciones estatales. Lincoln, que imaginaba lo que estaba ocurriendo, les hizo llegar el siguiente mensaje: «No me comprometáis a nada». Los negociadores se quedaron desconcertados; luego tomaron una rápida decisión: imaginarían que el mensaje no se había recibido. Continuaron con sus maniobras hasta el amanecer. Se iniciaron las votaciones y el nombre de Lincoln fue el que más veces apareció en aquellas papeletas que tan oportunamente se habían retrasado la noche anterior. Su nominación como candidato republicano aseguraba a Lincoln la presidencia, ya que los demócratas se encontraban divididos por la cuestión de la esclavitud y se presentaron con tres candidatos distintos. El 6 de noviembre de 1860, Lincoln fue elegido presidente. Le votaron dos de cada cinco estadounidenses con derecho a acudir a las urnas. Por primera vez alcanzaría un éxito rotundo.

La primera guerra moderna

Abraham Lincoln era un declarado antiesclavista. Su elección fue la causa desencadenante de la secesión de los estados del sur, que constituyeron la Confederación Sudista. Estos once estados alegaron que los gobiernos del norte se oponían a la institución de la esclavitud, calificándola de perversa, permitiendo el establecimiento de sociedades abolicionistas y uniéndose para llevar al alto cargo de presidente de los Estados Unidos a un hombre cuyos propósitos y opiniones eran totalmente contrarios a sus intereses. Además, la política proteccionista que propugnaba Lincoln, con objeto de que la competencia europea no debilitara la naciente industria del país, perjudicaba a los estados sudistas, cuya economía se basaba en el monocultivo del algodón y en la persistencia del latifundio y el librecambismo.

El presidente se negó a reconocer la separación y la guerra estalló inmediatamente. Iba a durar cuatro años y causaría 600.000 muertos que fueron otros tantos golpes en el espíritu patriótico de Lincoln, quien, por otra parte, siempre estuvo seguro de cumplir con su deber. Por su amplitud y duración, esta guerra sería luego considerada la primera guerra moderna, pues combatieron en ella cerca de tres millones de soldados, se emplearon materiales modernos (fusiles de repetición, ametralladoras, minas y acorazados) y se movilizaron todos los recursos de la economía. La famosa batalla de Gettysburg, en la que el general sudista Lee sufrió un completo descalabro, fue la primera de una larga serie de victorias para el Norte; al fin, el 9 de abril de 1865, Lee capituló en Appomattox ante los generales Grant y Sherman, a los que Lincoln había puesto al frente del ejército.

Un nuevo Bruto

Lincoln había sido reelegido poco antes de la conclusión del conflicto. La marcha favorable de la contienda, sus medidas de protección al desarrollo de la industria y su política conciliadora con respecto a los estados díscolos fueron los factores que le ganaron un segundo mandato. Además, era partidario del restablecimiento de la federación en igualdad de derechos para todos los estados, de inscribir en la Constitución el fin de la esclavitud y de iniciar inmediatamente la reconstrucción del país. Una mano asesina le impidió realizar sus propósitos.

Cinco días después de la rendición de Lee, John Wilkes Booth supo que un mensajero de la Casa

Mercado de esclavos en los Estados Unidos de América, según un cuadro de Taylor. La enmienda 13ª de la constitución, preconizada por Lincoln y Johnson, supuso la abolición de la esclavitud.

Blanca había llegado a la Ford's Opera House, un teatro de prestigio, anunciando que a la representación de aquella noche asistirían el presidente y su esposa Mary. Booth era un joven actor bastante estimado por el público que años antes había abrazado la causa sudista. Durante la guerra no había dejado de interpretar sus papeles favoritos, que eran los de Romeo y Bruto, este último asesino de Julio César. Al mismo tiempo, sus simpatías por los confederados se habían transformado en odio contra Lincoln, en el que veía a un tirano y al que acusaba de querer convertirse en «rey de Estados Unidos». Al enterarse de que su enemigo iría al teatro esa noche, supo que había llegado su oportunidad. Abraham y Mary Lincoln ocuparon puntualmente su palco. La obra dio comienzo después de que los presentes ovacionaran a su presidente y a la primera dama. En el pasillo, el policía encargado de su protección creyó que no eran precisas tantas precauciones y salió a tomar una cerveza en un bar situado junto al teatro. Booth llegó poco después, saludó al empleado de la entrada y se dirigió hacia el palco presidencial sin que nadie le cortase el paso. Iba elegantemente vestido, era un actor reconocido y conocía perfectamente los vericuetos de un teatro en el que había trabajado decenas de veces.

Cuando entró en el palco, el presidente se hallaba inclinado hacia adelante. Sostenía la mano de su mujer en la suya y presentaba su perfil izquierdo al ejecutor. Éste se adelantó sigilosamente empuñando una Derringer, pistola de pequeño tamaño y de un solo disparo. La acercó a la cabeza de Lincoln y disparó. Una humareda azul llenó el palco. El presidente apenas se movió: sólo su cabeza se recostó lentamente contra su pecho. Booth blandió un puñal para que nadie le detuviese y exclamó: «¡Sic semper tyrannis!», palabras puestas en boca de Bruto en el momento de apuñalar a César, que también son la divisa del estado de Virginia. Luego se precipitó hacia la barandilla, gritó de nuevo: «¡El Sur ha sido vengado!», y cayó pesadamente en el palco de butacas, rompiéndose una pierna. Sin embargo, logró levantarse y huyó cojeando. Mary lanzó un chillido y sobrevino una extraordinaria agitación. Lincoln murió al día siguiente poco después de las siete de la mañana, la hora a la que habitualmente empezaba a trabajar.

La elección en 1861 del abolicionista Abraham Lincoln como presidente desencadenó la separación de la Unión de los estados esclavistas del Sur. En la ilustración, firma del final de la guerra de Secesión norteamericana (9 de junio de 1865).

1809	**Abraham Lincoln** nace cerca de Hodgenville (Kentucky), Estados Unidos.
1816	La familia Lincoln se traslada a Indiana.
1826	Abraham Lincoln se establece en Illinois.
1832	Se enrola como voluntario en las campañas contra los indios.
1836	Se licencia en Derecho.
1846	Es elegido diputado.
1849	Al no resultar elegido senador, se retira a Springfield.
1856	Se integra en el Partido Republicano.
1858	Pierde en las elecciones al Senado.
1860	Es nombrado candidato republicano para las elecciones presidenciales. 6 de noviembre: es elegido presidente.
1861	Estalla la Guerra de Secesión.
1863	Proclama la emancipación de los esclavos en los Estados Confederados.
1864	Lincoln es reelegido presidente.
1865	9 de abril: el general Lee se rinde a las fuerzas de la Unión. 14 de abril: John Wilkes Booth le dispara durante una representación teatral. 15 de abril: muere a consecuencia del atentado.

Karl Marx
(1818-1883)

Karl Marx logró descubrir «las leyes de la historia humana», a la que consideró la historia de la lucha de clases, y revolucionar su curso.

A mediados de abril de 1876, en Hamburgo, un hombre pequeño pero robusto, de larga cabellera y frondosa barba, entra en el despacho del conocido editor Otto Meissner. Lleva bajo el brazo un grueso manuscrito que aprieta fuertemente contra su raída levita, como si se tratara de un ariete y fuese a derribar con él unas enormes puertas invisibles. No se trata de un libro más; se titula *El Capital* y va a revolucionar el mundo. El ardiente brillo de resolución que se percibe en los ojos del hombre inquieta y admira a Meissner. El recién llegado se presenta como Karl Marx, judío alemán de Tréveris, y emprende un monólogo entusiasta a través del cual desgrana ante el asombrado editor los conceptos fundamentales de su obra. Por fin, tras más de media hora de disertación, Marx comenta con sombrío humor: «Dudo que nadie haya escrito nunca tanto sobre el dinero teniendo tan poco». Cuando salga de la oficina, el que es conocido por sus fieles amigos como *el Moro* debido a su tez insólitamente morena, habrá dado un paso de gigante para conmover esas puertas invisibles que tanto detesta, o al menos para hacerlas visibles, y por tanto vulnerables, a los ojos de la mayoría.

Los primeros años

En la época del nacimiento de Marx, Tréveris era una pequeña y hermosa ciudad que se miraba en las verdes aguas del Mosela y en sus monumentos de la época romana, testigos de un esplendoroso pasado. Allí los Marx vivían como hebreos significados; la madre de Karl era una holandesa descendiente de rabinos, y su padre, llamado Hirschel, un culto abogado de origen judío que muy pronto orientaría a su hijo por la senda de la filosofía. Hirschel Marx es consejero de justicia y se verá obligado por la monarquía prusiana que gobierna Renania a renegar de su religión y abrazar el protestantismo para conservar su cargo. En su celo o en su miedo, llegará incluso a transformar su nombre en Heinrich, que suena más cristiano. Así podrá conservar sus ingresos y proporcionar al niño una infancia sin sobresaltos.

Destinado a ejercer una profesión liberal, Karl estudia en el liceo de su ciudad y consigue su diploma a los diecisiete años tras unos exámenes brillantes en todas las materias salvo en religión, asignatura de la que no quiere oír ni hablar. Luego ingresa en la Universidad de Bonn para seguir la carrera de Derecho, pero sus inquietudes le llevan a profundizar en los temas de filosofía, economía e historia que su padre le había propuesto como distracción erudita. Éste comprende que su hijo no es un estudiante del montón, pero se inquieta porque el muchacho pasa los días encerrado en su habitación, devorando aparentemente sin orden ni concierto gruesos volúmenes a la luz de una lamparilla. Por aquel entonces, el joven Marx ha intuido ya

El infatigable Karl Marx (arriba, posando con una de sus hijas) fue un hombre de carácter alegre, que soportó con estoicismo las muchas penurias sufridas, y que sintió un profundo cariño por su esposa Jenny, a la que acompañó hasta el final, y por sus hijos.

Zeitung, del que pronto se convierte en redactor jefe, y se dispone a fundar la revista franco-alemana *Deutsch-französische Jahrbücher*, de la que va a ser director con un sueldo fijo. La existencia de estos ingresos regulares lo anima a casarse con Jenny tras siete años de noviazgo. El barón Von Westphalen también ha fallecido y nadie puede oponerse ya al matrimonio, que se consuma en 1843, cuando Jenny tiene veinticinco años y Karl veintinueve.

Esperanzados por la nueva publicación, los jóvenes esposos se trasladan a París; Marx sabe que en Alemania ha agotado sus posibilidades y ambiciona para sus propuestas sociales un más amplio escenario europeo. Pero de la nueva revista sólo aparecerá un número, y de los tan ansiados como necesarios ingresos, Marx percibirá sólo un anticipo... ¡en ejemplares de la publicación! Karl se ve obligado a recurrir a sus amigos de Colonia, que le prestarán el dinero necesario para cubrir los gastos ocasionados por el nacimiento de su primera hija, que se llamará Jenny, como la madre.

Un revolucionario profesional

En París, Marx ha entablado amistad con alguien que será muy importante para él a lo largo de su vida. Se trata del economista Friedrich Engels, quien por otros caminos ha llegado a las mismas conclusiones que Marx en los temas de economía política. La amistad de Marx y Engels contendrá una serie de rasgos excepcionales. Además de la mutua simpatía surgida de la afinidad de sus caracteres, es una comunidad de ideales lo que los moverá a hermanarse para luchar, hombro con hombro, tanto en la palestra política como en la vida cotidiana, y a emprender juntos una reflexión teórica que originará obras tan fundamentales para el pensamiento marxista como el *Manifiesto comunista*. Además, Engels es hijo de un rico industrial de Manchester y podrá sostener económicamente a Marx en los peores momentos.

Los artículos publicados por Marx son causa de su expulsión de Francia, acusado de agitador. En Bruselas, adonde se trasladará con su esposa y su hija, ingresa en la Liga de los Comunistas, cuya famosa contraseña era «Proletarios de todos los países, uníos», renuncia a la ciudadanía pru-

cuál ha de ser su destino, que más tarde resumirá en una frase frecuentemente repetida: «Trabajar para la humanidad.»

Pero a Karl no sólo le interesan los libros. A los dieciocho años se enamora de Jenny von Westphalen, hija de un barón amigo de la familia que ejerce como consejero secreto del gobierno. Es una muchacha sensible e inteligente, considerada la más bella de Tréveris, que corresponde a Karl con la misma pasión que éste le profesa. Pero ni los Marx ni el barón aceptan el noviazgo. Mientras el joven prosiga sus estudios universitarios en Berlín y Jena, no tendrá otro consuelo amoroso que enviar a su musa una serie de cuadernos repletos de poesías, única evasión sentimental que se permitirá durante toda su vida.

En 1841, tres años después de la muerte de su padre, Karl presenta su tesis y finaliza sus estudios. El análisis de los problemas sociales se ha convertido en el eje de sus preocupaciones espirituales. Escribe artículos en el *Rheinische*

Los movimientos revolucionarios que se iniciaron en Francia en 1830, extendiéndose después por toda Europa, están presentes en el pensamiento del fundador del marxismo, ya que todos tienen en común sus ansias de emancipación y el protagonismo del pueblo. La revolución de 1848 se produce cuando Marx y su familia vivían en Bruselas, de donde fueron expulsados por orden de Leopoldo de Bélgica. Arriba, un testimonio de la revolución de julio de 1830.

siana y se convierte en un apátrida y un revolucionario profesional. A partir de este momento, su esfuerzo teórico y su acción política estarán asociados y serán complementarios durante toda su vida.

La febril actividad de estos años es brevemente interrumpida por una nueva expulsión. Alarmado ante los acontecimientos revolucionarios producidos en Francia, el rey Leopoldo de Bélgica ordena en la primavera de 1848 que los soldados despejen las calles y que la policía arreste a cuantos extranjeros resulten sospechosos.

Marx es detenido y maltratado. Su esposa, la dulcísima y abnegada Jenny, es encerrada toda una noche en una celda de prostitutas. Al día siguiente se levanta el arresto pero se confirma la expulsión del agitador alemán y de sus familiares. Marx recala en Colonia, donde se le garantiza una relativa libertad de movimientos, y se empeña en la publicación de un gran diario del que será director y que se llamará *Neue Rheinische Zeitung*.

Marx, que a la sazón cuenta treinta años, es ya la cabeza visible de un vasto movimiento popular. También es consecuente con sus teorías en el plano familiar. Apasionado enemigo de las tesis de Malthus, según el cual la población humana iba a crecer con mayor rapidez que los medios de subsistencia, es igualmente apasionado amante de su esposa y su descendencia aumenta sin cesar: Laura, su segunda hija, ha nacido en 1845, y Edgar, su primer niño, poco más de un año después. Hijos que son otros tantos lazos que unen estrechamente a los esposos en medio de las tribulaciones.

Ante el éxito alcanzado por el nuevo diario, las autoridades renanas no tardarán en prohibirlo. El dinero conseguido no es suficiente para pagar a los empleados y los suministradores, y Marx vuelve a quedarse sin un céntimo tras empeñar todo cuanto hay en su casa de valor. Sólo queda la cubertería que Jenny ha aportado como dote, que finalmente también es empeñada por doscientos florines, indispensables para comer, donde sea posible, el duro pan del exilio.

Enfermedad y miseria

Tras una penosa peregrinación por Alemania y Francia, la familia se establece en Londres. Allí, en el número 28 de Deanstreet, residirán los Marx durante seis largos años. La calle se haya enclavada en el Soho, por aquel entonces el barrio más miserable y sórdido de la gran urbe inglesa; su piso consta de dos habitaciones. Hacinados y pobres de solemnidad, los esposos tendrán el coraje de traer al mundo una nueva niña, Franziska. El único dinero que Marx puede ganar publicando sus artículos en revistas especializadas y políticamente inocuas es inmediatamente destinado a cubrir las necesidades de sus hijos. Además, la madre cae enferma y es preciso apelar a una caridad disfrazada de solidaridad militante entre los escasos amigos londinenses. La única evasión de Marx consiste en refugiarse en las salas de lectura del Museo Británico, entregado a la redacción de su obra magna: *El Capital*.

Por fin, Marx es requerido para publicar algunos de sus artículos en el *New York Tribune* y las privaciones a las que la familia ha estado sometida se suavizan un poco. Pero no tanto como para que, en febrero de 1852, Marx no se vea obligado a permanecer encerrado en su casa toda una semana al haber tenido que empeñar su único traje. La penuria no crece, pero sí la enfermedad, que trae consigo el espectro de la muerte. Cuando aún no ha cumplido un año, Franziska fallece víctima de una bronquitis. El pequeño ataúd es adquirido mediante un préstamo.

En septiembre de ese mismo año, la esposa y la hija mayor caen enfermas. Pero en casa no hay ni un solo penique para el médico o para medicinas. La familia se alimenta de pan y patatas, y Marx no tiene con qué adquirir el diario que le mantenga informado de los sucesos internacionales, ni puede comprar papel para escribir o un sello para enviar sus artículos. Afortunadamente posee un carácter alegre capaz de sobreponerse a las penalidades más extremas. Sigue pidiendo prestado, continúa trabajando en sus textos y aún tiene tiempo de cuidar a Jenny y de pasear con sus hijos los domingos por Hyde Park.

En enero de 1855 nacerá otra niña, Eleanor. Pero poco después fallecerá el único varón de la casa, Edgar, que sólo cuenta nueve años. Es un golpe del que Marx nunca se repondrá. Meses después, en una carta dirigida a su amigo Engels, escribirá: «He sufrido muchos contratiempos, pero sólo ahora sé lo que es una auténtica desgracia».

Una herencia inesperada

Las penurias de los Marx se prolongarán, con algunos altibajos, hasta 1864. Karl y Jenny han estado a punto de dejarlo todo, buscar acomodo para sus hijas mayores y retirarse a un asilo de menesterosos. Una vez más, Engels, que se ha convertido en propietario de la fábrica paterna, los ha salvado de la dramática situación enviándoles cien libras esterlinas. Pero será una herencia inesperada lo que permitirá a la familia vivir en adelante con cierto desahogo en un nuevo domicilio. Un amigo expatriado como ellos, Wilhelm Wolff, nombra a Karl principal heredero de sus bienes. En agradecimiento, Marx le dedicará el primer volumen de *El Capital*.

Entretanto, las hijas han crecido. Jenny cuenta ya veinte años y, como su padre, tiene los cabellos negros, los ojos vivaces y una piel oscura que la distingue entre las pálidas damas londinenses. Laura, en cambio, es idéntica a su madre: cabellos castaños y ojos profundamente azules, siempre risueños. En los años siguientes, ambas contraen matrimonio, y la primogénita tendrá un hijo que llenará de dulzura los últimos años de su abuelo. La tranquilidad financiera y material tiene un resultado inmediato: en 1867 aparece *El Capital*, la obra en la que Marx ha puesto todo su empeño durante dieciocho años de trabajo intelectual y de privaciones humillantes. Sus conceptos fundamentales, originalísimos para la época y bastante abstractos, no despertaron al principio la atención que Marx esperaba. Sería preciso aguardar muchos años para que esta obra cumbre de la economía política, piedra angular del pensamiento marxista, fuera reconocida en su verdadera magnitud.

El manifiesto comunista, *publicado en 1848, ha sido uno de los frutos de la colaboración de Marx y Engels (arriba,* *en un óleo de E. Shapiro) con mayor repercusión en la toma de conciencia como clase por parte del proletariado.*

Al tiempo que publicaba el primer tomo de su obra y preparaba los siguientes, Marx intervino personalmente en el desarrollo y orientación de la Asociación Internacional de los Trabajadores, más conocida como Primera Internacional, pero también hubo de asistir a sus luchas internas y a su ocaso tras la Comuna de París de 1871. Como consecuencia, Marx optó por retirarse paulatinamente de la escena política, consagrándose por entero a escribir encerrado en su cuarto de trabajo. Allí pasea de un lado a otro al tiempo que reflexiona, llegando hasta el punto de marcar sobre la alfombra un pequeño surco con sus pisadas. Aún es un hombre robusto, pero las secuelas de tantos años de privaciones han aflorado en forma de una enfermedad crónica de hígado y de frecuentes y dolorosas jaquecas. Trabaja hasta muy tarde, pero se levanta temprano. Come rápidamente y sin apetito, fuma sin parar y, como el cigarrillo se le apaga constantemente mientras escribe o medita, consume una cantidad ingente de cerillas. Burlonamente comenta que *El Capital* ni siquiera le

ha reportado el dinero suficiente para pagar el tabaco consumido mientras lo escribía. En 1878, Jenny enferma de una dolencia incurable que le hace padecer terribles dolores durante más de tres años. Karl, también enfermo, le hará compañía constantemente. Cuando se produzca el desenlace fatal, Marx quedará sumido en un profundo abatimiento. Un año y tres meses después, el 14 de marzo de 1883, el hombre que cambió con sus obras y con sus actos el curso de la Historia moría sin dolor sentado en la butaca de su estudio y quizás viendo desfilar ante sus ojos toda una vida de lucha y sacrificio.

Ante su tumba, en el pequeño cementerio londinense de Highgate y ante una nutrida concurrencia de familiares y amigos, Engels pronunció las siguientes palabras: «Así como Darwin ha descubierto las leyes de la naturaleza, Marx ha descubierto las leyes de la Historia humana, ocultas hasta ahora bajo el velo de las ideologías, comprendiendo las necesidades imperiosas de los hombres y proponiendo soluciones revolucionarias para satisfacerlas plenamente.»

Tras la derrota francesa en la guerra franco-pru-siana, el 18 de marzo de 1871, el pueblo de París se alzó en armas contra el gobierno de Thiers; con el apoyo de la guardia nacional (arriba), se orga-nizó y formó un gobierno *insurreccional, la Comuna, que fue aplastado por las tropas de Versalles el 27 de mayo. En su opúsculo La guerra civil en Francia, Marx con-virtió a la Comuna de París en un símbolo de la lucha del proletariado.*

1818	5 de mayo: **Karl Marx** nace en Tréveris (Alemania) en el seno de una familia judía.
1835	Se inscribe en la Universidad de Bonn.
1841	15 de abril: obtiene su licenciatura en Derecho en la Universidad de Berlín.
1843	Contrae matrimonio con Jenny von Westphalen.
1844	El matrimonio se traslada a París. Conoce a Friedrich Engels.
1845	El gobierno francés decreta su expulsión.
1848	Aparece el *Manifiesto Comunista*. Es expulsado de Bélgica. La familia Marx se instala en Londres.
1864	La inesperada herencia que le deja su amigo Wilhelm Wolff le permite salir de su angustiosa situación económica.
1867	Publica el primer libro de *El Capital*.
1881	El 2 de diciembre fallece su esposa Jenny.
1883	14 de marzo: muere en su casa de Londres.

Friedrich Nietzsche
(1844-1900)

La filosofía de Nietzsche constituyó un torbellino que venía a barrer todos los mitos edulcorados y las mentiras piadosas, e incluso a anunciar la muerte de Dios. A su paso por el mundo resonaron estas palabras con atronador mesianismo: «Conozco mi suerte. Alguna vez irá unido a mi nombre el recuerdo de algo gigantesco, de una crisis como jamás hubo en la Tierra, de la más profunda colisión de conciencia, de una decisión tomada mediante un conjuro, contra todo lo que hasta este momento se había creído, exigido, santificado... Yo no soy un hombre, soy dinamita...». Friedrich Nietzsche denunció la tergiversación y el encubrimiento de la realidad a manos del pensamiento abstracto, con la firme voluntad de restituir a la vida humana la majestad extraviada en los bosques de las elucubraciones metafísicas. Su estilo admirable, espléndido, brilla en las exposiciones breves y en los aforismos rotundos; el conjunto de su pensamiento será por ello disperso, ramificado, pero infinitamente sugestivo. Nietzsche más que nadie fue consciente de esa grandeza que ponía en apuros a sus lectores: «Se me ha dicho que no es posible dejar de la mano un libro mío, que yo perturbo aun el reposo nocturno. No existe en absoluto una especie más orgullosa y a la vez más refinada de libros; acá y allá alcanzan lo más alto que se puede alcanzar en la Tierra: el cinismo. Una de sus célebres sentencias, vertida en *Más allá del bien y del mal*, reza así: «El cinismo es la única forma bajo la cual las almas bajas rozan lo que se llama sinceridad.»

Retrato de Friedrich Nietzsche. El filósofo, que se autodefinió como el profeta del Superhombre, fue denominado Anticristo por sus detractores.

El hijo del pastor

Friedrich nació en la casa parroquial de Röcken, junto a Lützen, en Sajonia, Alemania, el 15 de octubre de 1844, hijo de un pastor luterano. De familia muy religiosa, uno de sus abuelos había escrito muchos años atrás un opúsculo titulado *Sobre la duración del cristianismo, garantizada para siempre, como consuelo a la efervescencia actual*. Tuvo dos hermanos: Elisabeth, que vería la luz en 1846, y un varón, malogrado poco después de nacer y de la muerte prematura del padre. Si durante sus primeros pasos había vivido cobijado por un ambiente de piedad y misticismo, las desgracias sucesivas hicieron que Nietzsche se hallara inmerso desde los cinco años, tras su traslado a Naumburg, en un universo exclusivamente femenino. Por otra parte, el pastor había dejado como herencia genética a Friedrich y a Elisabeth una gran propensión a padecer terribles migrañas y una aguda miopía. La precaria salud del muchacho no haría sino empeorar en el futuro hasta que, en sus últimos años, Nietzsche sucumbió a la locura. Pero su lamentable cuadro clínico —que incluye jaquecas, reumatismo, un brote de meningitis y una infección sifilítica— no le impidió desenvolverse siempre con un aparentemente inexplicable derroche de vitalidad y con un asombroso vigor intelectual. Desde muy joven estudió piano y escribía poemas que mostraba orgulloso a sus parientes; a los catorce años ingresó con una beca en la prestigiosa institución Pforta, fundada por frailes cisterciences y bernardinos, donde habían cursado estudios los filósofos Fichte y Schlegel, así como el gran poeta Novalis, autor de los célebres *Himnos a la Noche*. Allí recibió una excelente formación clásica, pero no contento con esta disciplina, fundó con sus amigos Gustav Krug y Wilhelm Pinder un grupo musical lamado *Germania*, cuyos componentes se comprometían a someter a la crítica de los demás una composición musical, artística o literaria.

En 1866 las precoces intuiciones del muchacho, que cinco años antes ya había redactado un ensayo sobre religión sintiendo su fe disminuida, hallaron un providencial revulsivo en la lectura del sombrío trabajo de Schopenhauer *El mundo como voluntad y como representación*. En esa obra pesimista, nihilista, escéptica, que todo lo negaba y que despedía «un amargo perfume cadavérico», Schopenhauer reflejaba, según escribió Nietzsche más tarde, el mundo como en un espejo, y también su propia alma, llena de horror: «en ella yo veía enfermedad y curación, destierro y refugio, infierno y cielo.»

El profesor apolíneo

El 9 de octubre de 1867 ingresa en un regimiento de caballería para realizar su servicio militar. En el curso del mismo sufre un aparatoso accidente: se cae del caballo y se rompe una costilla, por lo que es dado de baja, y, para entretenerse durante su convalecencia, escribe un ensayo sobre un poema de Simónides: *La lamentación de Dánae*. Al año siguiente comienza su admiración por Wagner tras asistir a la representación de *Los maestros cantores de Nuremberg*, y los dos grandes hombres son presentados en Leipzig, el 8 de noviembre, quedando Nietzsche cautivado por el músico e iniciándose así una amistad que se resolverá con el correr del tiempo en una áspera ruptura.

Poco después de concluido el servicio militar el 15 de octubre de 1868, su maestro Wilhelm Ritschl lo propone para la cátedra de Filología griega de la Universidad de Basilea, cuando sólo cuenta veinticuatro años y aún no posee el título de doctor. No obstante, el 13 de febrero de 1869 obtiene el nombramiento y dos meses después cambia su ciudadanía alemana por la suiza, condición impuesta para ser aceptado.

Comienza para él una de sus épocas más felices y se vuelve un asiduo visitante de la casa de Wagner en Triebsche, a orillas del lago Cuatro Cantones, cerca de Basilea. La amistad entre las dos familias se estrecha hasta el punto que, cuando los Wagner deben salir de viaje, es Elisabeth Nietzsche quien se ocupa del cuidado de los hijos del matrimonio. Pero inmediatamente se desata la guerra franco-prusiana y Friedrich obtiene permiso de la universidad para servir en las ambulancias del ejército alemán. En el curso de estas actividades contrae la disentería y la difteria, y para restablecerse pasa una temporada con su madre en Naumburg. A su regreso a la universidad mantiene amistosas relaciones con otro notable profesor de la misma, Jacob Burckhardt, el autor de la magna obra *La cultura del Renacimiento en Italia*, y sueña con la organización de «claustros laicos», una suerte de seminarios para filósofos jóvenes, aunque abandona pronto la idea por ser del todo irrealizable. Igualmente fracasa en la pretensión de que su amigo Erwin Rohde gane una cátedra en la Universidad de Basilea y su rechazo le mortifica enormemente, lamentando haberle hecho concebir falsas esperanzas. Continúa así mismo su rosario de enfermedades: neuralgias, insomnios, trastornos de la vista, dolores de estómago y, para remate, contrae la ictericia. Y sin embargo, ese mismo año de 1871, el 31 de diciembre, aparece su primer gran ensayo: *El nacimiento de la tragedia en el espíritu de la música*. Esta obra fascinante, que obtuvo una repercusión muy escasa entonces salvo entre sus amigos y simpatizantes, plantea una fructífera y hoy famosa distinción entre lo *apolíneo* y lo *dionisíaco*, designando el primer término al orden y la armonía y el segundo la embriaguez y la vida rebosante. Nietzsche comienza a convencerse de que el mundo se justifica como obra de arte, pero sobre todo ha advertido que cualquier actividad intelectual se desenvuelve sólo y exclusivamente en el lenguaje, por lo que la lógica es, según él, menos decisiva que el estilo. Como estilista, pues, de la filosofía, arremete contra Sócrates y su pretensión de verdad ideal y señala que el pensar es siempre, se quiera o no, una actividad literaria o poética, más o menos afortunada. De ese modo, Nietzsche entroniza la Estética en el meollo central de la Epistemología, o dicho de otro modo, descubre que la belleza, la fealdad, la torpeza, la delicadeza, etc., no constituyen accidentes casi desechables del modo de conocimiento, sino que son el conocimiento mismo, pues no es posible separar el pensamiento del modo como se piensa. Así, la vida, *mater et magistra,* en su desbordamiento dionisíaco, con su ausencia de lindes discernibles, embriagadora e imprevisible, cobra carta de naturaleza en la gran filosofía alemana del siglo XIX. Si hasta entonces la búsqueda de la armonía apolínea había marcado la tradición filosófica, encareciendo el diálogo, la serenidad o el equilibrio, con el intempestivo Nietzsche la moral se volverá del revés: es noble lo que desata las pasiones de la vida, la voluntad de poder, el instinto; y plebeyo, propio de esclavos, que se encastilla en la debilidad, la renuncia y el remordimiento.

Un episodio dionisíaco

En opinión tardorromántica aunque muy matizada de Thomas Mann, el genio de Nietzsche procede de su enfermedad, y en su ensayo sobre el filósofo relata un escabroso episodio que debió constituir un decisivo trauma en la formación de su ulterior temperamento y que después se hizo célebre al inspirarse en él Luchino Visconti para una escena de su película *Muerte en Venecia.* Cuando Nietzsche contaba sólo veintiún años hizo una excursión solitaria a Colonia, donde contrató los servicios de un guía para visitar la ciudad. Al caer la tarde, pidió a su cicerone que le recomendase un restaurante para cenar, pero éste le encaminó, sin advertírselo, a un burdel. Adolescente puro y erudito, Friedrich se halló con toda su timidez a cuestas delante de un plantel de mujeres apenas vestidas con gasas y lentejuelas que lo miraron con expectación y sorna. Ruborizado y perplejo, al joven no se le ocurrió mejor cosa que cruzar con el poco aplomo del que supo hacer acopio el amplio salón para refugiarse, según sus propias palabras, «en el único ser dotado de alma de aquella reunión»: un piano. Después de interpretar unos cuantos acordes se serenó y logró huir. No obstante, un año después volvió a aquel lupanar, acaso como autocastigo y esta vez, sin ser víctima de ningún ardid, y en los contactos mantenidos con esas mujeres «sin alma», contrajo la sífilis, la terrible

Arriba, boceto de Nicola Benois para el tercer acto del El ocaso de los dioses, *de Wagner con quien Nietzsche mantuvo una turbulenta amistad.*

enfermedad, incurable entonces, que desataría su furiosa locura y lo llevaría a la muerte.

El asesino de Dios

A causa de sus pertinaces y endémicos sufrimientos, en la temprana fecha de 1875 solicitará la baja por enfermedad, y cuatro años después, el 2 de mayo de 1879, la jubilación, abandonando de ese modo, el mismo año que publica *El viajero y su sombra,* la cátedra de Basilea, y comenzando su incesante periplo por Europa. Para entonces ha escrito *Humano, demasiado humano. Un libro para espíritus libres* (primera parte), ensayo dedicado a la memoria de Voltaire que fue criticado sañudamente, e inmediatamente después concibe *Aurora. Reflexiones sobre los prejuicios morales* (1881), sobre el que escribió: «Con este libro comienza mi campaña contra la moral... La humanidad no marcha por el camino recto porque ha sido gobernada por los fracasados, por los astutos vengativos, los llamados «santos», esos calumniadores del mundo y violadores del hombre...»
En 1882 conocerá a la joven rusa de veinte años Lou Andreas Salomé, con quien vivirá el úni-

co episodio sentimental de su existencia, pues muchos años atrás, precisamente el 11 de abril de 1876 había sido rechazado en su insólita oferta de matrimonio por Mathilde Trampedach, a la que había visto por primera vez tan sólo cinco días antes. Durante los ocho meses que mantienen relaciones, Friedrich se enamora perdidamente de Lou, pero tampoco ella consentirá en casarse con un genio enfermo.

En 1883, el año de la muerte de Wagner con quien ya había roto, escribe y publica *Así habló Zaratustra. Un libro para todos y para ninguno,* cuya cuarta y última parte no aparecerá hasta 1891. Sobre este libro piensa: «Que hoy no se me oiga, que hoy no se sepa tomar nada de mí, me parece incluso justo. Cuando en una ocasión el doctor Heinrich von Stein se quejó de no entender una palabra de mi Zaratustra, le dije que me parecía natural: haber comprendido seis frases de ese libro, es decir, haberlas vivido, eleva a los mortales a un nivel muy superior al que los hombres *modernos* podrían alcanzar.»

En los últimos años de la década de los ochenta da a la imprenta los frutos de su febril actividad: *Más allá del bien y del mal, preludio de una filosofía del futuro; La genealogía de la moral; El caso Wagner, un problema para amantes de la música; Ditirambos de Dionisio; Crepúsculo de los ídolos o cómo filosofar a martillazos; El Anticristo, maldición contra el cristianismo; Ecce Homo...* En este último libro, casi autobiográfico, Nietzsche aparece como Cristo sacrificado a su ideal, y de hecho, ya por entonces, el filósofo que ha provocado tantos escándalos, va ganando cierto reconocimiento entre unos pocos discípulos, aunque la gloria acabaría por llegarle tarde.

El 3 de enero de 1889 sufre un colapso en la plaza Carlos Alberto de Turín; sus amigos reciben cartas en las que se declara un asesino y firma como *El crucificado;* lo hallan en su casa aporreando un piano con los codos y cantando a voz en grito. Se lo traslada por fin a una clínica psiquiátrica de Basilea donde se le diagnostica parálisis progresiva, pero su madre se hace cargo de él y lo lleva a Jena. Once años después, el 25 de agosto de 1900, una de las conciencias más lúcidas de Europa, tras un calvario de inagotables dolores, con la mente sumida en las tinieblas durante más de una década, moría en Weimar el profeta del Superhombre, el asesino de Dios, el enemigo de la compasión, el pobre Friedrich Nietzsche.

1844	Nace **Friedrich Nietzsche** en la casa parroquial de Röcken.
1864	Ingresa en la universidad de Bonn para estudiar Teología y Filología.
1867	Servicio militar en un regimiento de caballería.
1868	8 de noviembre: conoce a Richard Wagner.
1869	Renuncia a la ciudadanía alemana y se hace suizo.
1871	Aparece publicado su libro *El nacimiento de la tragedia.*
1873	*Consideraciones intempestivas: David Strauss, el confesor y el escritor.*
1878	Primera parte de *Humano, demasiado humano. Un libro para espíritus libres.* Rompe definitivamente con Richard Wagner.
1880	Segunda parte de *Humano, demasiado humano.*
1881	*Aurora. Reflexiones sobre los prejuicios morales.*
1882	Conoce a Lou Andreas Salomé. Publica *La Gaya Ciencia.*
1883	Muere Wagner. Publica *Así habló Zaratustra.*
1887	*La genealogía de la moral.*
1889	Cae en un estado de demencia.
1900	25 de agosto: muere víctima de una apoplejía.

Thomas Alva Edison
(1847-1931)

Considerado por su maestro como un niño de pocas luces, Thomas Alva Edison demostró que era el más genial inventor de la era moderna.

El maestro de Port Huron, ciudad del estado norteamericano de Michigan, había echado de la escuela al hijo de Nancy Elliot. Aseguraba que aquel niño tenía una inteligencia tan obtusa que era inútil tratar de enseñarle nada. La madre montó en cólera, fue a ver al maestro y le espetó bien alto que no sabía lo que se decía. Y para demostrarlo se dispuso a dar clases a su hijo ella misma. El muchacho se llamaba Thomas Alva Edison y llegaría a ser el más genial inventor de la era moderna.

Pragmatismo e inventiva

En efecto, fue su madre quien consiguió despertar la inteligencia de Thomas, que era alérgico a la monotonía de la escuela. El milagro se produjo tras la lectura de un libro que ella le proporcionó titulado *Escuela de Filosofía Natural*, de Richard Green Parker; tal fue su fascinación que quiso realizar por sí mismo todos los experimentos y comprobar todas las teorías que contenía. Ayudado por su madre, instaló en el sótano de su casa un pequeño laboratorio convencido de que su verdadera vocación era transformar en realidad las más audaces hipótesis y conjeturas: iba a ser inventor.

Pero a los doce años, Edison se percató además de que podía explotar no sólo su capacidad creadora sino también su agudo sentido práctico. Así que, sin olvidar su pasión por los experimentos, consideró que estaba en su mano ganar dinero contante y sonante materializando alguna de sus buenas ocurrencias. Su primera iniciativa fue vender periódicos y chucherías en el tren que hacía el trayecto de Port Huron a Detroit. Había estallado la Guerra de Secesión y los viajeros estaban ávidos de noticias. Edison convenció a los telegrafistas de la línea férrea para que expusieran en los tablones de anuncios de las estaciones breves titulares sobre el desarrollo de la contienda, sin olvidar añadir al pie que los detalles completos aparecían en los periódicos; esos periódicos los vendía el propio Edison en el tren y no hay que decir que se los quitaban de las manos. Al mismo tiempo, compraba sin cesar revistas científicas, libros y aparatos, y llegó a convertir el vagón de equipajes del convoy en un nuevo laboratorio. Aprendió a telegrafiar y, tras conseguir a bajo precio y de segunda mano una prensa de imprimir, comenzó a publicar un periódico por su cuenta, el *Weekly Herald*. Una noche, mientras se encontraba trabajando en sus experimentos, un poco de fósforo derramado provocó un incendio en el vagón. El conductor del tren y el revisor consiguieron apagar el fuego y seguidamente arrojaron por las ventanas los útiles de imprimir, las botellas y los mil cacharros que abarrotaban el furgón. Todo el laboratorio y hasta el propio inventor fueron a parar a la vía. Así terminó el primer negocio de Thomas Alva Edison.

En 1879 Edison (arriba, ilustración en su laboratorio de Lewelleyn Park) inció sus investigaciones sobre la luz eléctrica. Se había propuesto demostrar que la luz era más rentable que la de gas y lo consiguió después de hallar en el filamento de bambú carbonizado la resistencia que más tiempo mantenía el encendido de la bombilla. Su fama creció tan rápido como la misma luz.

Un compromiso

En los años siguientes, Edison peregrinó por diversas ciudades desempeñando labores de telegrafista en varias compañías y dedicando su tiempo libre a investigar. En Boston construyó un aparato para registrar automáticamente los votos y lo ofreció al Congreso. Los políticos consideraron que el invento era tan perfecto que no cabía otra posibilidad que rechazarlo.

— Mire usted —le explicó un parlamentario—, es estupendo que los diputados no tengan que votar de viva voz a medida que los llama el presidente de la cámara, sino que se limiten a apretar un botón para que su voto quede reflejado unos segundos después en un marcador, pero todo el mundo sabe que la política requiere, precisamente, tiempo, retrasos, y hasta un poco de confusión, de modo que su invento no será adquirido. Lo siento.

Ese mismo día, Edison tomó dos decisiones. En primer lugar, se juró que jamás inventaría nada que no fuera, además de novedoso, práctico y rentable. En segundo lugar, abandonó su carrera de telegrafista e hizo publicar en un periódico la siguiente nota: «Thomas Alva Edison ha dimitido de su puesto en la oficina de la Western Union y dedicará todo su tiempo a realizar inventos». No era una bravata sino un firme propósito; además, al hacerlo público Edison contraía un compromiso con la sociedad de su tiempo, un compromiso que iba a cumplir con creces a lo largo de su vida.

Acto seguido formó una sociedad y se puso a trabajar. Perfeccionó el telégrafo automático, inventó un aparato para transmitir las oscilaciones de los valores bursátiles, colaboró en la construcción de la primera máquina de escribir y dio aplicación práctica al teléfono mediante la adopción del micrófono de carbón. Su nombre empezó a ser conocido, sus inventos ya le reportaban beneficios y Edison pudo comprar maquinaria y contratar obreros. Para él no contaban las horas. Era muy exigente con su personal y le gustaba que trabajase a destajo, con lo que los resultados eran frecuentemente positivos. Tenía veintinueve años cuando compró un extenso terreno en la aldea de Menlo Park, cerca de Nueva York, e hizo construir allí un nuevo taller y una residencia para su familia. Edison se había casado a finales de 1871 con Mary Stilwell; la nota más destacada de la boda fue el trabajo que le costó al padrino hacer que el novio se pusiera unos guantes blancos para la ceremonia. Ahora debía sostener un hogar y se dedicó, con más ahínco si cabe, a trabajos productivos.

La máquina parlante

Su principal virtud era sin duda su extraordinaria capacidad de trabajo. «El secreto consiste en trabajar de firme —solía decir—; el genio es un diez por ciento de inspiración y un noventa por ciento de transpiración.» Cualquier detalle en el curso de sus investigaciones le hacía vislumbrar la posibilidad de un nuevo hallazgo. Recién instalado en Menlo Park, se hallaba sin embargo totalmente concentrado en un nuevo aparato para grabar vibraciones sonoras. La idea ya era

A lo largo de su vida Edison obtuvo más de 2.000 patentes, casi todas ellas sobre dispositivos relacionados con las comunicaciones y la aplicación de la electricidad. Entre estos últimos inventos, el del acumulador alcalino le llevó a acariciar la idea de montar una fábrica de coches eléctricos (arriba, Edison durante un viaje de pruebas).

antigua e incluso se había logrado registrar sonidos en un cilindro de cera, pero nadie había logrado reproducirlos. Edison pretendía hacerlo colocando papel de estaño sobre una especie de diafragma telefónico especial, grabando las vibraciones con un rubí cortado a bisel y empleando para reproducirlas un rubí con punta roma. El aparato debía constar de un rodillo al que mediante una manivela se imprimiría un movimiento de rotación y otro de traslación. En el rodillo se apoyaría el diafragma, prolongado por un pabellón metálico que recogiese y am-

plificase el sonido. Edison trabajó día y noche en el proyecto y al fin, en agosto de 1877, entregó a uno de sus técnicos un extraño boceto, diciéndole que construyese aquel artilugio sin pérdida de tiempo. Cuando estuvo terminado, el operario le preguntó para qué servía tan extraño objeto. «Esta máquina tiene que hablar», replicó muy serio Edison. Los trabajadores se amontonaron alrededor del invento. Se cruzaron apuestas. Había una mayoría de escépticos. Al fin, Edison conectó la máquina. Todos pudieron escuchar una canción que había en-

A Edison le cupo la satisfacción de ver cómo sus inventos seguían evolucionando y eran perfeccionados. Así, su bombilla de filamento de bambú carbonizado (en la fotografía en la mano del ya anciano Edison) dio paso a la bombilla de filamento de tungsteno (la que cuelga del techo).

satisfactorias, experimentaba con nuevos materiales, los combinaba de modo diferente y seguía intentándolo.

—¿No es decepcionante —le dijo uno de sus colaboradores después de repetidos reveses— que al cabo de tantos esfuerzos no se haya conseguido nada?

—¿Nada? —replicó sorprendido Edison—. Hemos obtenido muy buenos resultados. Ya conocemos mil procedimientos que no sirven; nos hallamos, por tanto, más cerca de encontrar el que sirve.

Hágase la luz

En abril de 1879, Edison abordó las investigaciones sobre la luz eléctrica. La competencia era muy enconada y varios laboratorios habían patentado ya sus lámparas. El problema consistía en encontrar un material capaz de mantener una bombilla encendida largo tiempo. Después de probar diversos elementos con resultados negativos, Edison encontró por fin el filamento de bambú carbonizado. Inmediatamente adquirió grandes cantidades de bambú y, haciendo gala de su pragmatismo, instaló un taller para fabricar él mismo las bombillas. Luego, para demostrar que el alumbrado eléctrico era más económico que el de gas, empezó a vender sus lámparas a cuarenta centavos, aunque a él fabricarlas le costase más de un dólar; su objetivo era hacer que aumentase la demanda para poder producirlas en grandes cantidades y rebajar los costes por unidad. En poco tiempo consiguió que cada bombilla le costase treinta y siete centavos: el negocio empezó a marchar como la seda.

Su fama se propagó por el mundo a medida que la luz eléctrica se imponía. Edison, que tras la muerte de su primera esposa había vuelto a casarse, visitó Europa y fue recibido en olor de multitudes. De regreso en los Estados Unidos creó diversas empresas y continuó trabajando con el mismo ardor de siempre. Todos sus inventos eran patentados y explotados de inmediato, y no tardaban en producir beneficios sustanciosos. Entretanto, el trabajo parecía mantenerlo en forma. Su única preocupación en materia de salud consistía en no ganar peso. Era irregular en sus comidas, se acostaba tarde y se

tonado uno de los empleados minutos antes. El sonido resultante era aún peor que la voz del improvisado cantor, pero la prueba había sido un éxito. Edison acababa de culminar uno de sus grandes inventos: el fonógrafo.

Pero no todo eran triunfos. Muchas de las investigaciones iniciadas por Edison terminaron en sonoros fracasos. Cuando las pruebas no eran

Entre la infinidad de invenciones debidas a la genialidad del inventor estadounidense Thomas Alva Edison, destaca un sistema de cinematógrafo sonoro (en la imagen), basado en la proyección de las imagenes acompañadas por un registro sonoro sincronizado y reproducido mediante un fonógrafo, inventado también por él en 1877.

levantaba temprano, nunca hizo deporte de ninguna clase y a menudo mascaba tabaco. Pero lo más sorprendente de su carácter era su invulnerabilidad ante el desaliento. Ningún contratiempo era capaz de desanimarlo, como demuestra la siguiente anécdota, referida por su hijo Charles en el invierno de 1914: «Una noche se originó un incendio en el laboratorio. En aquellos días, las cosas no marchaban demasiado bien, y mi padre, acostumbrado a repartir dividendos cada semana, pasaba por una difícil situación económica. Cuadrillas de bomberos acudieron desde ocho poblaciones cercanas, pero el fuego era tan intenso y la presión del agua tan débil, que el chorro de las mangueras no producía efecto alguno. Al no ver por allí a mi pa-

dre empecé a preocuparme. ¿Le habría sucedido algo malo? La pérdida del laboratorio, ¿no abatiría por completo su ánimo? Tenía sesenta y siete años y no estaba ciertamente en edad de volver a empezar. De pronto vi que se asomaba al patio y venía corriendo hacia mí.
—¿Dónde está tu madre? —me dijo a gritos—. ¡Corre a buscarla! ¡Dile que avise a los amigos! ¡Un incendio como éste sólo se ve una vez en la vida!
A las cinco y media de la mañana, cuando escasamente se había dominado el fuego, mi padre reunió al personal de la empresa.
—Reconstruiremos todo esto —dijo.
Acto seguido encargó a uno de los empleados que contratase el alquiler de toda la maquinaria

de los alrededores. Mandó a otro que consiguiese de los funcionarios del ferrocarril una grúa de salvamento. En seguida, como quien repara en un detalle sin importancia, preguntó:

—¿Sabe alguno de ustedes dónde podríamos conseguir dinero?

Y luego dijo:

—A todo desastre se le puede sacar partido. Acabamos de deshacernos de un montón de cosas viejas. Lo que edifiquemos ahora será mucho mejor.

Luego se quitó la chaqueta, la enrolló a guisa de almohada, se acostó encima de una mesa y se quedó dormido.»

El genio se extingue

En los años veinte, sus conciudadanos le señalaron en las encuestas como el hombre más grande de Estados Unidos. Su cerebro fue valorado en más de quince mil millones de dólares. Incluso el Congreso se ocupó de su fama, calculándose que Edison había añadido un promedio de treinta millones de dólares al año a la riqueza nacional por un periodo de medio siglo. Nunca antes se había tasado con tal exactitud algo tan intangible como el genio.

Su popularidad llegó a ser inmensa. En 1927 fue nombrado miembro de la National Academy of Sciences y al año siguiente el presidente Coolidge le hizo entrega de una medalla de oro que para él había hecho grabar el Congreso. «He vivido mi vida —dijo al recibirla—. He realizado mi obra. Si hay un más allá, estoy dispuesto a conocerlo.»

Tenía ochenta y cuatro años cuando un ataque de uremia abatió sus últimas energías. Un gran número de informadores de prensa montó guardia a la puerta de su casa en espera de noticias. De hora en hora recibían partes acerca de su estado. «La lámpara alumbra todavía», les decían. Su postración era absoluta. Caía frecuentemente en estado de coma. El 18 de octubre de 1931, a las tres y media de la madrugada, el mensaje fue: «La lámpara se ha extinguido».

1847	**Thomas Alva Edison** nace en Milan (Ohio), Estados Unidos de América.
1854	Se traslada con su familia a Port Huron (Michigan).
1861	Vende periódicos en el ferrocarril.
1863-1869	Trabaja como telegrafista en diversas empresas.
1871	Contrae matrimonio con Mary Stilwell.
1876	Traslada su laboratorio y su casa a Menlo Park (Nueva Jersey).
1877	Edison inventa el fonógrafo.
1879	Invención de la bombilla de incandescencia.
1880	Aborda la instalación de alumbrado eléctrico en un sector de la ciudad de Nueva York.
1882	Se inaugura el alumbrado eléctrico en Nueva York.
1885	Tras la muerte de su primera esposa, contrae segundas nupcias con Mina Miller.
1886	Edison viaja por Europa.
1887	Se traslada a West Orange (Nueva Jersey).
1927	Es nombrado miembro de la National Academy of Sciences.
1928	Recibe la Medalla de Oro del Congreso estadounidense.
1931	18 de octubre: muere en West Orange.

Sigmund Freud
(1856-1939)

Sigmund Freud, el padre del psicoanálisis, puso al descubierto los íntimos secretos escondidos en la conciencia del hombre.

Freud, uno de los hombres que más han escandalizado a las cabezas bienpensantes occidentales, uno de los padres de la cultura moderna, escribió un curioso libro titulado *El chiste y su relación con lo inconsciente*, donde analiza con circunspección y gravedad algunas humoradas que estaban en boca de todos por aquella época. Una de ellas es ésta, que puede aplicarse hoy sarcásticamente a su propia biografía: «Éste es un hombre que tiene un gran porvenir detrás de él». Y otra, la siguiente, en la que los ridiculizados protagonistas son de su propia y escarnecida raza. Dos judíos se encuentran cerca de un establecimiento de baños: «¿Has tomado un baño? —pregunta uno de ellos —. ¿Cómo? —responde el otro— ¿falta alguno?»

También lanzó Freud, como es sabido, la fecunda conjetura de que la mente podría ser mejor comprendida si diferenciásemos entre el *yo*, o la imagen externa que presentamos a los demás, el *superyó*, o la autoridad interiorizada, y el *ello*, o el instinto. La explicación de estas tres instancias es por supuesto mucho más compleja que esta deliberada simplificación, y de hecho es tan compleja que incluso ha suscitado algunas cuchufletas, como la famosa greguería de Ramón Gómez de la Serna: «Frente al *yo* y al *superyó* está el *qué se yo.*»

Caricaturizados y combatidos por sus contemporáneos cuando se atrevieron a exponer sus avanzadas teorías sexuales, Freud y sus seguidores han sido luego objeto de chanza en numerosas películas de Hollywood, donde son asiduos los psicoanalistas estirados y cómicos. Pero con todo ello no han hecho sino aquilatarse y difundirse las hipótesis revolucionarias de este obsceno detective de la intimidad que cambió, acaso como ningún otro pensador en la Historia, la imagen que el hombre tenía de sí mismo.

El niño incestuoso

El médico vienés Semmelweiss fue degradado en 1848, acusado de simpatizar con la revolución burguesa. En realidad, se le postergaba por haber advertido que la fiebre puerperal que mataba a las parturientas era causada por las propias manos, no asépticas, de los médicos que asistían el parto; y todo ello muchos años antes de que esta afirmación insolidaria y antigremial fuera autorizada por los trabajos de Louis Pasteur. Pocos años después, el futuro médico Sigmund Freud nació en una villa católica austríaca, Freiberg, en 1856, cuando se decía que el único medicamento del Hospital General de Viena era el aguardiente. Vino al mundo en el seno de una familia judía formada por el matrimonio en segundas nupcias de su padre Jakob, un hombre maduro que ya tenía un hijo casado, con su madre, la joven Amalie Nathanson. Freud, hijo de una época pletórica de entusiasmo y de promesas, escribió una vez sobre el comportamiento de los hebreos en aquella época: «Todo escolar judío llevaba una cartera de ministro en su portafolios». Y es

En este diván Freud hacía reclinar a sus pacientes para que se relajaran y le contaran sus recuerdos, fantasías y sueños, vías de acceso al incosciente donde residen las causas de los conflictos neuróticos.

que ese tiempo en que un esteta llamado Theodor Herzl fundaba el sionismo, el viejo imperio de cartón piedra austrohúngaro iba camino de su desaparición, sentenciada finalmente con su derrota en la Primera Guerra Mundial; pero, mientras, se vivía a ritmo de vals, con frívola despreocupación y como en un «alegre apocalipsis», según lo describió luego Hermann Broch. Los vieneses, pueblo siempre optimista y zumbón, no creían en aquello de «la situación es seria, pero no desesperada», sino que afirmaban ingeniosamente que la situación era desesperada, pero no seria. El pensamiento freudiano posterior no sería ajeno a esa atmósfera ilusoria e irracional, o como también escribió Broch, se erigió «contra esa atmósfera» que el propio Freud había caracterizado en una carta fechada en 1896 como «depresiva».

Sus padres le habían puesto por nombre Sigismund, pero él lo abrevió y lo convirtió en Sigmund. La razón fue que por Sigismund era conocido un personaje cómico, muy popular por aquel entonces, que caricaturizaba ridículamente al judío rural. Aunque interpretando maliciosamente al Freud niño según las teorías que más tarde introduciría el Freud médico podría afirmarse que quiso matar un poco a su autoritario padre llevado por su deseo de poseer por entero a su bella y afectuosa madre, lo cierto, por supuesto, es que no lo hizo y, quizás para sublimar su frustada libido, aquel niño sensible y siempre curioso cursó brillantemente sus estudios en el Gymnasium Sperl, graduándose *suma cum lade.*

El joven mago

En 1873 ingresó en la antisemita Universidad de Medicina de Viena para cursar una carrera que tardó ocho años en concluir, pero que le sirvió para que a los veintinueve años le fuera concedida una beca que le permitiría ampliar sus conocimientos de neuropatología asistiendo a las clases magistrales del gran Charcot en la clínica la Salpêtrière de París.

Jean Martin Charcot, indiscutible padre de la neurología contemporánea, se ocupaba de dos temas trascendentales e inéditos que comienzan con la letra *h,* el histerismo y la hipnosis, y éstos fueron los puntos de partida del joven Freud; aunque también un admirado otorrinolaringólogo metido a dramaturgo, Arthur Schnitzler, compatriota suyo, le dio la idea de la hipnosis como terapia eficiente para atender los trastornos psíquicos. Freud se atrevió más tarde a suponer que el desbocado comportamiento denominado clínicamente «histeria», de la raíz griega que significa útero, enfermedad tipificada como femenina desde antiguo por irrefutable testimonio de la etimología, era probablemente una enfermedad que afectaba así mismo al hombre, y la describió como debida a reminiscencias dolorosas, traumas casi olvidados, pero inopinadamente emergentes, que provocan bloqueos emocionales y crisis de ansiedad.

El sexo entronizado

Cabe creer incautamente que Freud sacó a la luz asuntos escabrosos, pérfidos, referidos a nuestros órganos predilectos e históricamente invisibles, que jamás antes se habían mentado, pero esto no es cierto. Sólo es verdad que con Freud el territorio de la psicología deja de ser un aburrido compromiso para pasar a constituir una fiesta inexcusable en la que estamos deseosos de participar, un discurso en el que toda persona está involucrada, una tentación que el hombre no ha dejado de reconocer jamás en sí y que sólo durante el puritano siglo XIX se imaginó que era una afrenta a la moralidad.

Acusado injustamente de pansexualista y, según se dice, desertor del lecho conyugal desde los cuarenta años, Freud supuso, es cierto, que la neurosis podía tener su origen en la represión sexual de los enfermos, pero no que la generalizada insatisfacción sexual supusiera inequívocamente —aunque vaya usted a saber— la enfermedad generalizada. Desgraciadamente, esta sutil distinción no fue suficientemente aclarada y divulgada para la tranquilidad de las generaciones venideras, y quien más y quien menos, freudianamente, no sabe por dónde le da el aire desde que ha oído campanas sobre la libido, el lapsus, la sublimación, la transferencia, el superyó y cosas por el estilo.

Sólo remotamente tiene la culpa de todo esto un hombre barbado, severo y bondadoso, que pasó su juventud sometido a estrecheces económicas y que escribió que deseaba «comprender algunos enigmas del universo y contribuir en algo a su solución», el cual, a su regreso a Viena, tras la experiencia con Charcot, se casó con la también judía Martha Bernays y comenzó a tratar la histeria de sus pacientes por medio de la hipnosis en colaboración con Josef Breuer. Este colega le abandonó cuando el psiquiatra vienés pretendió que existía una sexualidad infantil, hipótesis lanzada cuando Freud tenía ya seis hijos pequeños y que cosechó toda suerte de sarcasmos entre la comunidad científica.

Poco después, en 1903, fundó la Asociación de la Mesa Redonda con un grupo de discípulos entre los que se contaba uno de sus grandes continuadores heterodoxos, Alfred Adler, comenzó a impartir conferencias los sábados y poco a poco fue estableciendo las bases de lo que se llamó el psicoanálisis, que al principio era sólo un método para el tratamiento clínico de la neurosis, porque faltaba por definir el concepto de «libido», un impulso vital que incluye la sexualidad pero que no se reduce a ella y que gobierna las aspiraciones del individuo, y uno de sus motores fundamentales, el «principio del placer»,

Cómic aparecido en La interpretación de los sueños, *de Sigmund Freud, quien ha aportado numerosos datos al estudio del psiquismo humano.*

reprimido con los años y las experiencias por el «principio de la realidad».

En 1910 se fundó la Asociación Internacional de Psicoanálisis, pero pronto esta institución produciría cismas y disensiones, la primera la de Adler, en 1911, para quien el complejo de inferioridad era la causa más señalada de la neurosis, y luego la de Jung, en 1912, quien opinaba que la enfermedad tiene su origen en una suerte de subconsciente colectivo, un conglomerado de mitos, instintos y sentimientos arcaicos del que participa en mayor medida todo individuo. No obstante, las teorías freudianas fueron alcanzando paulatinamente gran predicamento, hasta el punto que en 1930 la Sociedad Médica de Viena, su encarnizada enemiga durante tantos años, lo nombró miembro de honor, y la ciudad de Viena, esa capital «depresiva» que no había querido abandonar en toda su vida, le otorgó la dignidad de ciudadano honorario. Ahora bien, instalado en la cumbre de la fama, en 1933, los nazis quemaron públicamente sus obras y en 1938 se anexionaron Austria. Freud, que contaba 82 años y padecía un cáncer en la mandíbula en estado muy avanzado, debería de haber huido, pero permaneció en su vieja casa de la calle Bergasse número 19. La respuesta de la Gestapo fue confiscar sus bienes, destruir sus libros y apoderarse de la editorial que regentaba su hijo. Cuando quiso escapar, los nazis exigieron un rescate de 250.000 schillings, dinero que fue pagado por una paciente y admiradora suya llamada Marie Bonaparte. Así mismo debió intervenir personalmente el presidente de los Estados Unidos, Roosevelt, llamando al embajador alemán, y por fin Freud pudo abandonar Austria, rumbo a Londres, en junio de 1938.

Sin embargo, los días del insobornable escrutador del inconsciente, del nuevo José bíblico capaz de interpretar los sueños, estaban contados. Un año después de establecer su residencia en Inglaterra, ese cáncer que arrastraba desde hacía dieciséis años y del que se había operado

En 1910, Freud fundó con un grupo de discípulos la Asociación Internacional de Psicoanálisis, de la que se separaron Alfred Adler, primero, y Carl Jung (en la foto, a su izquierda), más tarde.

treinta y tres veces, acabó con su vida. El día 23 de septiembre de 1939, presa de atroces dolores, logró que el doctor Schur recordara su promesa de ayudarle «a dejar decentemente la vida» y, tras serle administrada una fuerte dosis de morfina, falleció en la madrugada siguiente.

1856	6 de mayo: **Sigmund Freud** nace en Freiberg, Austria.
1881	Se gradúa en Medicina en la Universidad de Viena.
1885	Acude a los cursos de Charcot en la Salpêtrière de París y aprende las técnicas hipnóticas.
1886	Contrae matrimonio con Martha Bernays.
1900	*La interpretación de los sueños.*
1905	*Tres ensayos sobre la teoría de la sexualidad.*
1913	*Tótem y tabú.*
1920	Es nombrado profesor de la universidad de Viena y publica *Más allá del principio del placer*. Muere su hija Sofía.
1921	*Psicología de las masas y análisis del yo.*
1923	*El Yo y el Ello.*
1927	*El porvenir de una ilusión.*
1929	*El malestar en la cultura.*
1938	Se exilia en Londres tras la invasión alemana de Austria.
1939	*Moisés y el monoteísmo*. 23 de septiembre: fallece en Londres víctima del cáncer.

Marie Curie
(1867-1934)

L os estudiantes de la Universidad parisiense de la Sorbona, al cruzarse en los pasillos con aquella joven polaca que se ha matriculado en otoño de 1891 en la Facultad de Física, se preguntan: «¿Quién es esa muchacha de aspecto tímido y expresión obstinada que viste tan pobremente?». Todos la miran extrañados, con una mezcla de conmiseración y desdén. Algunos saben que se llama Manya Sklodowska y la denominan «la extranjera de apellido imposible»; otros prefieren llamarla simplemente «la estudiante silenciosa». Manya se sienta siempre en primera fila, no tiene amigos y sólo se interesa por los libros. También llama la atención su hermosa cabellera de color rubio ceniza, que sin embargo suele llevar recogida y semioculta. Nadie sospecha que esa joven esquiva y austera va a convertirse un día, bajo el nombre de madame Curie, en una mujer ilustre y una gloria nacional de Francia.

Manya Sklodowska, Marie Curie, descubridora del polonio y del radio, obtuvo en 1903 el premio Nobel de Física, compartido con su esposo.

Una polaca en París

Manya Sklodowska había nacido en Varsovia. Era la menor de cinco hermanos en una típica familia polaca de clase media. Su madre dirigía un pensionado y su padre enseñaba matemáticas en un colegio. Al cumplir dieciséis años, Manya terminó sus estudios secundarios y se propuso estudiar Física. Sabía hablar perfectamente polaco, ruso, alemán y francés. Su sueño era ir a París e ingresar en la Sorbona, donde su hermana Bronia cursaba la carrera de Medicina. En las universidades polacas les estaba prohibido el acceso a las mujeres, así que Manya empezó a aprender Ciencias Naturales, Anatomía y Sociología fuera de las aulas con algunos profesores honorarios y se colocó como institutriz en espera de tiempos mejores.

Sin embargo, su padre se jubiló en 1885 y los ingresos familiares disminuyeron drásticamente. Para ayudar a Bronia, Manya empezó a economizar al máximo y a enviarle sus escasos estipendios. Cuando la hermana mayor, ya licenciada, contraiga matrimonio con un joven colega polaco, invitará a la pequeña a reunirse con ella, dispuesta a compensar sus sacrificios y a lograr que Manya estudie en la ciudad más culta y liberal de Europa.

Una vez en París, Manya se instaló durante un tiempo en casa de su hermana y su cuñado. Luego, para estar más cerca de la universidad, decidió trasladarse a una minúscula buhardilla del Barrio Latino, donde vivía completamente sola de la escasa pensión que le enviaba su padre. Su obsesión era estudiar. Para ahorrar carbón apenas encendía la estufa y pasaba horas y horas haciendo números y ecuaciones con los dedos entumecidos y los hombros temblando de frío. A veces, para entrar en calor, se paseaba por su sórdida estancia con una manta raída sobre los hombros y un libro en las manos. Llegó a pasar semanas enteras sin tomar otro alimen-

El 26 de julio de 1895 Manya Sklodowska se convirtió en madame Curie al casarse con Pierre Curie, formando una extraordinaria pareja científica. Arriba, Curie en su laboratorio.

to que té con pan y mantequilla. Esta dieta terrible no tardó en provocarle anemia: tenía desvanecimientos y debía tumbarse en su jergón, donde en ocasiones perdía el conocimiento. Al volver en sí, regresaba a sus libros dispuesta a dejar todo lo que obstaculizara su trabajo.

Los esposos Curie

En junio de 1893, la «estudiante silenciosa» obtuvo con el número uno de su promoción la licenciatura de Física. Tiene veintiséis años, su pasión es más que nunca la ciencia y no piensa en el amor ni en el matrimonio, pues sabe que si quiere alcanzar sus objetivos debe mantener una férrea independencia personal. Sin embargo, en la primavera de 1894 conoce a Pierre Curie e inmediatamente se siente atraída por él. Pierre es un profesor de Física y Química al que ya se le aprecia como tal en Francia y en el extranjero. A Manya le conmueve su clara mirada, su carácter reflexivo y una sonrisa jovial que inspira confianza. A Pierre le gustan de Manya su entusiasmo, su temple, sus éxitos universitarios, sus ojos tristes y su cabello rubio. Además, le asombra poder hablar con una joven tan encantadora en el lenguaje de la técnica y de las fórmulas más complicadas. La boda se celebra el 26 de julio de 1895 y la señorita Manya Sklodowska se convierte en Marie Curie, esposa del ilustre profesor Pierre Curie.

El matrimonio se estableció en un minúsculo apartamento abarrotado de libros. Marie preparaba también su licenciatura en Matemáticas y en 1896 obtuvo el primer puesto en el concurso para profesores de facultad. Al año siguiente nació su hija Irène y, apenas restablecida, se dispuso a preparar su tesis doctoral. El tema escogido era tan apasionante como difícil: las radiaciones de naturaleza desconocida emitidas por el uranio, recientemente observadas por el físico francés Antoine-Henri Becquerel. Con ayuda de su marido, experto en mineralogía, Marie abordó el estudio del fenómeno. Primero descubrió que los compuestos de otro elemento, el torio, también emitían rayos como los del uranio. Además, en ambos casos la radiactividad era mucho más fuerte de lo que podía atribuirse a la cantidad de torio y uranio contenida en los productos examinados. ¿De dónde provenía esa radiación anormal? ¿Había una sustancia mucho más radiactiva que el uranio y el torio? Marie había trabajado con todos los elementos químicos conocidos, por lo que esa sustancia había de ser... ¡un elemento nuevo! Para sorpresa de los esposos Curie, las arduas investigaciones los llevaron al descubrimiento no de uno sino dos nuevos elementos: el polonio, bautizado así en honor de la patria de Marie, y el radio, que parecía desprender unos invisibles rayos.

Los químicos del mundo entero tuvieron que rendirse a la evidencia cuando, en 1902, Marie y Pierre consiguieron aislar el radio y obtener su peso atómico. El matrimonio había descubierto dos nuevos elementos químicos que hacían misteriosamente radiactivos los compuestos que los contenían y que podían prestar inestimables servicios a las generaciones futuras. En 1903, madame Curie expuso su tesis doctoral, ese mismo año, se le concedió el premio Nobel de Física, compartido con su marido y el físico Becquerel.

La trágica muerte del sabio distraído

Marie no pudo asistir a la solemne recepción de Estocolmo. Entre 1898 y 1902 había trabajado en condiciones infrahumanas, soportando el polvo, las salpicaduras de los ácidos y los gases que atormentaban sus ojos y su garganta. Además, el efecto de las radiaciones, tan poderosas como para dañar las células vivas, le provocó en las manos unas dolorosas llagas incurables. Por otra parte, se acercaba el final de su segundo embarazo y Marie estaba completamente agotada. El 6 de diciembre de 1904 nació otra hija, Eva.

En cuanto se encontró un poco repuesta, Marie volvió a la rutina del laboratorio. Para ambos esposos, su único deseo era continuar trabajando y enseñando. Procuraban eludir los banquetes, fiestas y otros agasajos que se organizaban en su honor por doquier. En julio de 1905, Pierre ingresó en la Academia de Ciencias. Poco antes, la Sorbona había creado para él una cátedra de Física. Todo parecía dispuesto para acometer nuevas y prometedoras investigaciones cuando ocurrió la tragedia.

Hacia las dos y media de la tarde del jueves 19 de abril de 1906, Pierre se despidió de los profesores con quienes había almorzado. Bajo la lluvia, se dispuso a atravesar la calle Dauphine pasando por detrás de un coche de caballos. Iba, como siempre, ensimismado en sus pensamientos. En medio de la calzada, un pesado carro tirado por un caballo que avanzaba a gran velocidad se interpuso en su camino. Sorprendido, trató de asirse al arnés del bruto, que se encabritó; los pies del sabio resbalaron sobre el pavimento húmedo y el enorme carro, que pesaba más de seis toneladas, le pasó por encima.

Marie permaneció como petrificada durante varios días. Cuando comprendió el significado de lo ocurrido, creyó que no tenía sentido seguir luchando. Sin embargo, su pasión por la ciencia acabó siendo más fuerte que el sufrimiento por

Los esposos Pierre y Marie Curie, fotografiados frente a su casa parisina, tuvieron en sus arduas investigaciones compartidas un motivo más de felicidad conyugal.

la muerte de Pierre. Sobreponiéndose al dolor, se convenció de que debía continuar el trabajo que ambos habían iniciado y que aquél era el mejor modo de honrar su memoria.

Una celebridad no corrompida

En 1906 le fue otorgada la cátedra que había desempeñado su esposo en la Sorbona. Era la primera vez que se concedía a una mujer. Ella, que había sido «la estudiante silenciosa», conmovió a estudiantes y profesores iniciando su curso con la misma frase que había pronunciado Pierre Curie al terminar el suyo. Sin embargo, a pesar de reconocérsele el derecho a reemplazar a su esposo en la Academia de Ciencias en función de su labor científica, no fue admitida en ella por el problema burocrático que originaba el hecho de tratarse de una mujer.

La fama de madame Curie se extendió por doquier. Recibía diplomas y honores de academias y universidades de todo el mundo. En 1911, volvió a concedérsele el premio Nobel, esta vez de Química, y poco después, la Sorbona y el Instituto Pasteur fundaron conjuntamente el Instituto Curie de Radio, iniciando las investigaciones para el tratamiento del cáncer.

Al estallar la Primera Guerra Mundial, en 1914, Marie inició un recorrido por todos los hospitales de campaña para ofrecer a los cirujanos su colaboración. Gracias a los rayos X, que ella conocía perfectamente, podían descubrirse las balas y los fragmentos de metralla ocultos en los cuerpos de los heridos. Su ayuda inestimable durante la contienda hizo que se la empezase a llamar «Suprema Bienhechora de la Humanidad», pero ella rechazaba estas manifestaciones, que consideraba inmerecidas: seguía siendo tan modesta y discreta como cuando sólo era una joven estudiante polaca en la Sorbona. Einstein, que la conoció una vez terminada la guerra y mantuvo con ella una fructífera relación científica, afirmaría: «Madame Curie es, de todos los personajes célebres, el único al que la gloria no ha corrompido».

Marie sabía que los glóbulos rojos de su sangre estaban dañados. Durante treinta y cinco años había estado manejando el radio, exponiéndose, sobre todo en los primeros años de sus investigaciones, a sus radiaciones. No dio importancia a una ligera fiebre que la molestaba con frecuencia, pero en mayo de 1934, víctima de un ataque de gripe, se vio obligada a guardar cama. Ya no volvió a levantarse. El veredicto de los médicos fue unánime: era víctima de una anemia perniciosa, motivada por una alteración de la médula ósea resultante de las radiaciones invisibles cuyos peligros había preferido ignorar. El 4 de julio de ese mismo año, madame Curie dejó de existir. Dos días después, sin discursos ni desfiles, fue enterrada en la tumba inmediata a la de su marido. Sólo los parientes, los amigos y los colaboradores de su obra científica acudieron al sepelio.

1867	7 de noviembre: nace Manya Sklodowska, **Marie Curie**, en Varsovia (Polonia).
1891	Viaja a París y se matricula en la Sorbona.
1893	Se licencia en Ciencias Físicas.
1894	Conoce a Pierre Curie.
1895	26 de julio: al casarse, Manya Sklodowska se convierte en Marie Curie.
1899	Se licencia en Matemáticas.
1902	Consigue aislar el radio y obtener su peso atómico.
1903	Marie Curie lee su tesis doctoral, en la que expone sus descubrimientos y su teoría de la radiactividad. Recibe el premio Nobel de Física junto a su marido y Antoine-Henri Becquerel.
1906	19 de abril: muere Pierre Curie. Marie se hace cargo de la cátedra de su esposo en la Sorbona.
1911	Se le otorga el premio Nobel de Química.
1914	Se funda el Instituto Curie de Radio en París. Estalla la Primera Guerra Mundial y Marie Curie colabora con los médicos destacados en el frente.
1934	4 de julio: muere en París, víctima de los efectos acumulados de las radiaciones.

Rubén Darío
(1867-1916)

El nicaragüense Rubén Darío, uno de los grandes poetas hispanoamericanos de todos los tiempos, revolucionó con su poesía el ritmo del verso castellano.

Precoz versificador infantil, Félix Rubén García Sarmiento, que tomó su apellido Darío del apodo con que se conocía a su padre, no recordaba cuándo empezó a componer poemas. En su ambiente y en su tiempo, las elegías a los difuntos, los epitalamios a los recién casados o las odas a los generales victoriosos formaban parte de los usos y costumbres colectivos, cumplían con inveterada oportunidad una función social para la que jamás había dejado de existir demanda. Por entonces se recitaban versos como se erigían monumentos al dramaturgo ilustre, se brindaba a la salud del neonato o se ofrecían banquetes a los diplomáticos extranjeros.

Pasadas las décadas, erosionadas ya las audacias estilísticas por la implacable acción del tiempo, la obra sonora de ese poeta inspirado no es sólo pasto de pacientes eruditos y concienzudos catedráticos, sino que aún es capaz de arrancar la sonrisa cómplice del lector contemporáneo por su pintoresca ironía:

> *«[...] Se ven extrañas flores de la flora gloriosa de los cuentos azules, y entre las ramas encantadas, los papemores, cuyo canto extasiara de amor a los bulbules.*
> *(Papemor: ave rara; bulbules: ruiseñores.)»*

Con una dichosa facilidad para el ritmo y la rima creció Rubén Darío en medio de turbulentas desavenencias familiares, tutelado por solícitos parientes y dibujando con palabras en su fuero interno sueños exóticos, memorables heroísmos y tempestades sublimes. Pero ya en su época toda esa parafernalia de prestigiosos tópicos románticos comenzaba a desgastarse y se ofrecía a la imaginación de los poetas como las armas inútiles que se conservan en una panoplia de terciopelo ajado. Rubén Darío estaba llamado a revolucionar rítmicamente el verso castellano, pero también a poblar el mundo literario de nuevas fantasías, de ilusorios cisnes, de inevitables celajes, de canguros y tigres de bengala conviviendo en el mismo paisaje imposible.

Las bellaquerías detrás de la puerta

Casi por azar nació Rubén en una pequeña ciudad nicaragüense llamada Metapa, pero al mes de su alumbramiento pasó a residir a León, donde su madre, Rosa Sarmiento, y su padre, Manuel García, habían fundado un matrimonio teóricamente de conveniencias pero próspero sólo en disgustos. Para hacer más llevadera la mutua incomprensión, el incansable Manuel se entregaba inmoderadamente a las farras y ahogaba sus penas en los lupanares, mientras la pobre Rosa huía de vez en cuando de su cónyuge para refugiarse en casa de alguno de sus parientes. No tardaría ésta en dar a luz una segunda hija, Cándida Rosa, que se malogró enseguida, ni en enamorarse de un tal

Rubén Darío fue un viajero infatigable que visitó numerosos países como diplomático y como corresponsal del diario argentino La Nación. Tierras solares, *arriba portada de una de sus primeras ediciones, es uno de sus libros de viajes más conocidos.*

Juan Benito Soriano, con el que se fue a vivir arrastrando a su primogénito a «una casa primitiva, pobre y sin ladrillos, en pleno campo», situada en la localidad hondureña de San Marcos de Colón.

No obstante, el pequeño Rubén volvió pronto a León y pasó a residir con los tíos de su madre, Bernarda Sarmiento y su marido, el coronel Félix Ramírez, los cuales habían perdido recientemente una niña y lo acogieron como sus verdaderos padres. Muy de tarde en tarde vio Rubén a Rosa Sarmiento, a quien desconocía, y poco más o menos a Manuel, por quien siempre sintió desapego, hasta el punto de que el incipiente poeta firmaba sus primeros trabajos escolares como Félix Rubén Ramírez.

Durante su primeros años estudió con los jesuitas, a los que dedicó algún poema cargado de invectivas, aludiendo a sus «sotanas carcomidas» y motejándolos de «endriagos»; pero en esa etapa de juventud no sólo cultivó la ironía: tan temprana como su poesía influida por Bécquer y por Victor Hugo fue su vocación de eterno enamorado. Según propia confesión en la *Autobiografía*, una maestra de las primeras letras le impuso un severo castigo cuando lo sorprendió «en compañía de una precoz chicuela, iniciando indoctos e imposibles Dafnis y Cloe, y según el verso de Góngora, las bellaquerías detrás de la puerta».

Antes de cumplir quince años, cuando los designios de su corazón se orientaron irresistiblemente hacia la esbelta muchacha de ojos verdes llamada Rosario Emelina Murillo, en el catálogo de sus pasiones había anotado a una «lejana prima, rubia, bastante bella», tal vez Isabel Swan, y a la trapecista Hortensia Buislay. Ninguna de ellas, sin embargo, le procuraría tantos quebraderos de cabeza como Rosario; y como manifestara enseguida a la musa de su mediocre novela sentimental *Emelina* sus deseos de contraer inmediato matrimonio, sus amigos y parientes conspiraron para que abandonara la ciudad y terminara de crecer sin incurrir en irreflexivas precipitaciones.

En agosto de 1882 se encontraba en El Salvador, y allí fue recibido por el presidente Zaldívar, sobre el cual anota halagado en su *Autobiografía*: «El presidente fue gentilísimo y me habló de mis versos y me ofreció su protección; mas cuando me preguntó qué es lo que yo deseaba, contesté con estas exactas e inolvidables palabras que hicieron sonreír al varón de poder: "Quiero tener una buena posición social".»

Unos zapatos problemáticos

En este elocuente episodio, Rubén expresa sin tapujos sus ambiciones burguesas, que aún vería más dolorosamente frustradas y por cuya causa habría de sufrir todavía más insidiosamente en su ulterior etapa chilena. En Chile conoció también al presidente suicida Balmaceda y trabó amistad con su hijo, Pedro Balmaceda Toro, así como con el aristocrático círculo de allegados de éste; sin embargo, para poder vestir decentemente, se alimentaba en secreto de «arenques y cerveza», y a sus opulentos contertulios no se les ocultaba su mísera condición. Por ejemplo, cuando llegó a Santiago, un personaje envuelto en pieles fue el encargado de recibirlo, y éste no sintió el más mínimo empacho en mirarlo desdeñoso de arriba abajo. «En aquella mirada —escribe Rubén humillado— abarcaba mi pobre cuerpo de muchacho flaco, mi cabellera larga, mis ojeras, mi jacquito de Nicaragua, unos pantaloncitos estrechos que yo creía elegantísimos, mis problemáticos zapatos...». Publica en Chile, a partir de octubre de 1886, *Abrojos*, poemas que dan cuenta de su triste estado de poeta pobre e incomprendido, y ni siquiera un fugaz amor vivido con una tal Domitila consigue enjugar su dolor.

Para un concurso literario convocado por el millonario Federico Varela escribe *Otoñales*, que obtiene un modestísimo octavo lugar entre los cuarenta y siete originales presentados, y *Canto épico a las glorias de Chile*, por el que se le otorga el primer premio, compartido con Pedro Nolasco Préndez, y que le reporta la módica suma de trescientos pesos. Pero es en 1888 cuando la auténtica valía de Rubén Darío se da a conocer con la publicación de *Azul*, libro encomiado desde España por el a la sazón prestigioso novelista Juan Valera, cuya importancia como puente entre las culturas española e hispanoamericana ha sido brillantemente estudiada por María Beneyto. Las cartas de Juan Valera sirvieron de prólogo a la nueva reedición ampliada de 1890, pero para entonces ya se había convertido en obsesiva la voluntad del poeta de escapar de aquellos estrechos ambientes intelectuales, donde no hallaba ni el suficiente reconocimiento como artista ni la anhelada prosperidad económica, para conocer por fin su legendario París. «¡Cuántas veces —escribirá mucho después— me despertaron ansias desconocidas y misteriosos ensueños de fragatas y bergantines que se iban con las velas desplegadas por el golfo azul hasta la fabulosa Europa!»

Monumento a Rubén Darío en el Parque Central de Managua (Nicaragua), con el teatro homónimo al fondo. Rubén Darío nació en Nicaragua y, tras residir en numerosos países en calidad de embajador y viajero, murió en su país natal.

Lleno de rosas y de cisnes vagos

El 21 de junio de 1890 Rubén contrajo matrimonio con una mujer con la que compartía afi-

ciones literarias, Rafaela Contreras, pero sólo al año siguiente, el 12 de enero, pudo completarse la ceremonia religiosa, interrumpida por una asonada militar. Más tarde, con motivo de la celebración del cuarto Centenario del

A la izquierda, portada de la obra Prosas profanas, *una de las obras más destacadas de la poética de Rubén Darío, publicada en 1896. En el centro, fotografía del eminente poeta y diplomático nicaragüense*

Rubén Darío. En 1890 publicó, en Guatemala, la segunda edición, corregida y aumentada, de su libro Azul *(a la derecha), cuyos versos son manifestación de la nueva poesía en lo formal y expresión de una distinta sensibilidad.*

Descubrimiento de América, vio cumplidos sus deseos de conocer el Viejo Mundo al ser enviado como embajador a España.

El poeta desembarcó en La Coruña el 1 de agosto de 1892 precedido de una celebridad que le permitirá establecer inmediatas relaciones con las principales figuras de la política y la literatura españolas, mas, desdichadamente, su felicidad se ve ensombrecida por la súbita muerte de su esposa, acaecida el 23 de enero de 1893, lo que no hace sino avivar su tendencia, ya de siempre un tanto desaforada, a trasegar formidables dosis de alcohol.

Precisamente en estado de embriaguez fue poco después obligado a casarse con aquella angélica muchacha que había sido objeto de su adoración adolescente, Rosario Emelina Murillo, quien le hizo víctima de uno de los más truculentos episodios de su vida. Al parecer, el hermano de Rosario, un hombre sin escrúpulos, pergeñó el avieso plan, sabedor de que la muchacha estaba embarazada. En complicidad con la joven, sorprendió a los amantes en honesto comercio amoroso, esgrimió una pistola, amenazó con matar a Rubén si no contraía inmediata-

mente matrimonio, saturó de whisky al cuitado, hizo llamar a un cura y fiscalizó la ceremonia religiosa el mismo día 8 de marzo de 1893.

Naturalmente, el embaucado hubo de resignarse ante los hechos, pero no consintió en convivir con el engaño: habría de pasarse buena parte de su vida perseguido por su pérfida y abandonada esposa. Lo cierto es que Rubén concertó mejor apaño en Madrid con una mujer de baja condición, Francisca Sánchez, la criada analfabeta de la casa del poeta Villaespesa, en la que encontró refugio y dulzura y a quien dedicó versos como éstos:

«*Ser cuidadosa del dolor supiste
y elevarte al amor sin comprender*».

Con ella viajará a París al comenzar el siglo, tras haber ejercido de cónsul de Colombia en Buenos Aires y haber residido allí desde 1893 a 1898, así como tras haber adoptado Madrid como su segunda residencia desde que llegara, ese último año, a la capital española enviado por el periódico *La Nación*. Se inicia entonces para él una etapa de viajes entusiastas —Italia, Inglaterra,

Arriba, fotografía de tres de los mayores escritores hispanoamericanos de la época: Alcides Arguedas, Rubén Darío y Leopoldo Lugones. Tras la *publicación de Azul, Ruben Darío fue saludado como el fundador del modernismo, y Lugones, entre otros, le reconoció como cabeza del movimiento.*

Bélgica, Barcelona, Mallorca...— y es acaso entonces cuando escribe sus libros más valiosos: *Cantos de vida y esperanza* (1905), *El canto errante* (1907), *El poema de otoño* (1910), *El oro de Mallorca* (1913). Estos últimos poemarios están llenos de chistes, o al menos hoy resuenan como trivialidades deliberadas, como bromas maliciosas. ¿Cómo interpretar si no estos versos que delatan una audacia caprichosa, un ánimo exultante y una coquetería irreverente?

«Las mallorquinas usan una modesta falda,
pañuelo en la cabeza y la trenza a la espalda.
Esto, las que yo he visto, al pasar, por supuesto.
Y las que no la lleven no se enojen por esto.»

Y ¿cómo creer en la conciencia política que se le ha atribuido a este malabarista de las palabras cuando, en el gracioso poemilla titulado *Agencia*, se toma a chirigota los temas más graves del momento, como son las violentas luchas sociales que por entonces estallan en el seno de la sociedad española?

«En la iglesia el diablo se esconde.
Ha parido una monja. (¿En dónde?)
Barcelona ya no está bona
sino cuando la bomba sona...»

Hora crepuscular y de retiro

No obstante, por las fechas en que Rubén Darío escribe con tanto desparpajo ha debido viajar a Mallorca para restaurar su deteriorada salud, que ni los solícitos cuidados de su buena Francisca logran sacar a flote.

Por otra parte, el muchacho que quería alcanzar una «buena posición social», no obtuvo nunca más que el dinero y la respetabilidad suficientes como para vivir con frugalidad y modestia, y de ello da fe un elocuente episodio de 1908, relacionado con el extravagante escritor español Alejandro Sawa, quien muchos años antes le había servido en París de guía para conocer al perpetuamente ebrio Verlaine.

Sawa, un pobre bohemio, viejo, ciego y enfermo, que había consagrado su orgullosa vida a la literatura, le reclamó a Rubén la escasa suma de cuatrocientas pesetas para ver por fin publicada la que hoy es considerada su obra más valiosa, *Iluminaciones en la sombra*, pero éste, al parecer, no estaba en disposición de facilitarle este dinero y se hizo el desentendido, de modo que Sawa, en su correspondencia, acabó por pasar de los ruegos a la justa indignación, reclamándole el pago de servicios prestados. Según declara ahora, él habría sido el autor —o *negro*, en argot editorial— de algunos artículos remitidos en 1905 a *La Nación* y firmados por Rubén Darío.

En cualquier caso, será al fin el poeta nicaragüense quien, a petición de la viuda de Alejandro Sawa, prologará enternecido el extraño libro póstumo de ese «gran bohemio» que «hablaba en libro» y «era gallardamente teatral», citando las propias palabras de Rubén.

Y es que al final de su vida, el autor de *Azul* no estaba en disposición de favorecer a sus amigos más que con su pluma, cuyos frutos ni aun en muchos casos le alcanzaban para pagar sus deudas, pero ganó, eso sí, el reconocimiento de la mayoría de los escritores contemporáneos en lengua española y la obligada gratitud de todos cuantos, después que él, han intentado escribir un alejandrino en este idioma.

En 1916, al poco de regresar a su Nicaragua natal, Rubén Darío falleció, y la noticia llenó de tristeza a la comunidad intelectual hispanoparlante. Un poeta español que había aprendido de su voz el «modernismo» de su estilo, Manuel Machado, escribió para él este *Epitafio*:

«Como cuando viajabas, hermano, estás ausente,
y llena está de ti la soledad que espera
tu retorno... ¿Vendrás? En tanto, Primavera
va a revestir los campos, a desatar la fuente.
En el día, en la noche... Hoy, ayer...
En la vaga tarde, en la aurora perla, resuenan tus canciones.
Y eres en nuestras mentes, y en nuestros corazones,
rumor que no se extingue, lumbre que no se apaga.
Y en Madrid, en París, en Roma, en la Argentina
te aguardan... Donde quiera tu cítara divina
vibró, su son pervive, sereno, dulce, fuerte...
Solamente en Managua hay un rincón sombrío
donde escribió la mano que ha matado a la Muerte:
"Pasa, viajero, aquí no está Rubén Darío".»

1867	18 de enero: **Rubén Darío** nace en Metapa, Nicaragua.
1887	Publica *Emelina*. Escribe *Abrojos, Otoñales, Canto épico a las glorias de Chile*.
1888	*Azul*. Muere su padre.
1891	Boda religiosa con Rafaela Contreras. Nace su hijo Rubén.
1892	Viaja a España, enviado por el gobierno de Nicaragua, con motivo del 4º Centenario del Descubrimiento de América.
1893	Muere Rafaela Contreras. Contrae matrimonio con Rosario Emelina Murillo.
1896	*Los raros. Prosas profanas*.
1898	Viaja a Madrid como corresponsal de *La Nación*.
1900	*La Nación* le envía a París. Su amante Francisca Sánchez lo acompaña.
1905	*Cantos de vida y esperanza*.
1913	Desde París viaja a Valldemosa, en Mallorca: *El oro de Mallorca*.
1916	Muere en León, Nicaragua.

Mohandas Gandhi
(1869-1948)

Con el carisma y el poder espiritual de un profeta, Gandhi propuso un ideario basado en la «fuerza de la verdad» y en el ejercicio de la no violencia.

Ha demostrado que se puede reunir un poderoso séquito humano, no sólo mediante el juego astuto de las habituales maniobras y trampas políticas, sino también con el ejemplo convincente de una vida moralmente superior.

Quizás las generaciones venideras duden alguna vez de que un hombre semejante fuese una realidad de carne y hueso en este mundo». Fue el padre de la teoría de la relatividad, el físico Albert Einstein, quien expresó la admiración que le producía la figura de Gandhi con estas acertadas palabras.

Ciertamente, si bien Gandhi no fue el fundador de ninguna religión, el ascendiente que ejerció sobre sus contemporáneos tuvo un carácter moral y casi religioso, una dimensión espiritual que sólo encontramos en los antiguos profetas, a los cuales igualó en carisma y poder de convocatoria. En este sentido, el papel de Gandhi en la historia del siglo XX no sólo se circunscribe a su influencia en el proceso de independencia de la India o a su testimonio como pacifista, sino que su ascetismo y su idealismo práctico marcaron un hito en un mundo caracterizado por la crisis de los valores del espíritu.

Aunque fue sólo un hombre deseoso de perfeccionarse a sí mismo y a sus semejantes, Mohandas Gandhi acabó siendo venerado y secundado como un santo, y un fanático lo convirtió en mártir al disparar sobre su cuerpo escuálido, semidesnudo e inerme.

Casado a los trece años

El origen de ese ideal de perfeccionamiento que Gandhi persiguió durante toda su vida se encuentra, sin duda, en las creencias de sus padres, pertenecientes a la secta visnuita y a la vez respetuosos de los principios del jainismo. Para los adoradores de Visnú, el dios benevolente y místico del hinduismo, la fuerza espiritual de un hombre depende de su ascetismo, de la pureza de su corazón y de su capacidad para perdonar las injurias y autodisciplinarse; en cuanto al jainismo, doctrina fundada por Vardhamana Mahavira, se asienta en cinco preceptos fundamentales: no hacer daño a ningún ser vivo, decir siempre la verdad, no apropiarse de nada ajeno, permanecer despegado de los bienes materiales y ser casto. Este ideario debió de calar muy hondo en la conciencia del niño Mohandas Karamchand, el benjamín de la familia Gandhi, nacido en Porbandar, en la región india de Gujarat, el 2 de octubre de 1869. Karamchand Gandhi, su padre, era un abogado de cierto renombre casado cuatro veces; su última esposa, Pulitbai, fue la madre de Mohandas.

La infancia y la primera adolescencia de Mohandas transcurrieron caracterizadas por tres hechos: la veneración que sentía hacia sus padres, la mediocridad con que sacó adelante sus estudios y lo apocado de su carácter. Contaba trece años cuando, según los usos y tradiciones del país, se llevó a cabo la ceremonia de su matrimonio, concertado seis años antes, con Kasturbai

Makanji, que tenía su misma edad. Con el paso del tiempo, Kasturbai se transformó en una mujer sencilla, tenaz y reservada, quien, siempre en la sombra, nunca dejaría de ser el más firme apoyo para su marido en los momentos difíciles.

En 1887 Gandhi aprobó en Ahmadabad, capital de Gujarat, el examen que le abría la puerta de los estudios superiores y de la universidad. Se había convertido en un alumno aplicado y sus preferencias se inclinaban hacia la Medicina, pero era preciso contar con la opinión de sus familiares. Todos le dieron a entender que un visnuita como él no podía ejercer una profesión en la que se practicaba la disección y se infligía dolor a seres vivos, aunque fuera para sanarlos. Puesto que el padre de Gandhi acababa de morir, lo mejor era honrar su memoria siguiendo sus huellas; debía estudiar abogacía, y la forma más rápida y eficaz de hacerlo era ir a Inglaterra.

Un abogado demasiado tímido

En Londres, Gandhi se propuso metamorfosearse en un verdadero *gentleman* inglés. Encargó varios trajes, adquirió un costoso sombrero de copa, aprendió a hacerse el nudo de la corbata y, para que no sólo su aspecto y su indumentaria fuesen adecuados, quiso refinar también su comportamiento tomando clases de baile y de dicción. Pero lo más importante de la época pasada en la metrópoli no fue este empeño más o menos ridículo, ni siquiera su paso por la universidad, sino el descubrimiento de dos libros que con el tiempo llegarían a ser la base de sus concepciones religiosas y de sus metas espirituales: el Bhagavadgita y la Biblia.

Gandhi leyó el Bhagavadgita por primera vez a los veinte años, experimentando cierto sentimiento de vergüenza por hacerlo tardíamente y en el extranjero. Este libro, que es para el hindú lo que el Antiguo Testamento para los judíos o el Corán para los musulmanes, forma parte del monumental poema épico titulado *Mahabharata* y contiene un diálogo teológico-filosófico entre el dios Krisna y el héroe Arjuna. En él, Gandhi encontró formulados muchos de los problemas morales que le preocupaban, y se impregnó del espíritu de lucha que emanaba de sus páginas.

Del mismo modo le fascinaron ciertos pasajes bíblicos del Nuevo Testamento, en especial unas frases del Sermón de la Montaña que guardaría siempre en su memoria: «Pero yo os digo: amad a vuestros enemigos, haced bien a los que os aborrecen; a quien te hiere en una mejilla, preséntale también la otra, y a quien te quitare la capa, ofrécele la túnica».

El 10 de junio de 1891 Gandhi conseguía el título de abogado y dos días después se embarcaba para su patria. De regreso en la India se dispuso a ejercer su profesión y lo intentó en Bombay y Rajkot, pero su desconocimiento del derecho hindú y su proverbial timidez, que le impedía hablar en público durante los juicios, determinaron el fracaso de la empresa. Sin embargo, descubrió que poseía una capacidad poco común para redactar por escrito todo tipo de solicitudes y dictámenes referentes a cuestiones legales, así que cuando la firma Daba Abdulla & Co. pidió un consultor jurídico para su delegación en África del Sur, Gandhi se presentó sin dudarlo un momento.

Resistencia pasiva y no violencia

En África del Sur, las tensiones entre colonos ingleses y holandeses (bóers) estaban a punto de desembocar en una guerra civil. En medio de este clima, Gandhi fue testigo de la discriminación racial que pesaba sobre sus compatriotas y, al tiempo que se ganaba la vida practicando la abogacía, comenzó a desarrollar una intensa actividad pública tendente a defender los intereses de la comunidad india. Esto le llevó a fundar en 1894 el partido Natal Indian Congress y a convertirse en el principal dirigente político de los inmigrados hindúes. Cuando cinco años más tarde estalló la guerra entre bóers e ingleses, Gandhi se comprometió con éstos y organizó un cuerpo de ambulancias atendido por voluntarios hindúes. Por aquel entonces todavía consideraba al Imperio Británico como una institución providencial y protectora, y por consiguiente se puso a su disposición con total lealtad y entrega. Esta actitud se manifestaba en su atuendo y en su modo de vida: vestía a la moda europea, residía en un distrito elegante de Durban y tenía unos ingresos profesionales de cinco mil libras anuales.

Del mismo modo que en Londres había descubierto el Bhagavadgita y la Biblia, a lo largo de su estancia en África del Sur Gandhi leyó una serie de textos que lo conmovieron profundamente y lo ayudaron a perfilar los métodos más importantes de su lucha posterior. Fueron influencias tales como la valoración del trabajo manual propugnada por el crítico de arte, escritor y reformador social inglés John Ruskin; la idea de la desobediencia civil defendida por Henry David Thoreau, pensador estadounidense que rechazaba la dependencia del individuo de cualquier institución, o el pacifismo anarquizante del escritor ruso León Tolstoi, hacia el que Gandhi profesó siempre una gran admiración, las que le impulsaron a reflexionar sobre una nueva visión de las doctrinas y el modo de vida propuestos por el hinduismo. El resultado fue un corpus de pensamiento que fundía las ideas de estos reformistas occidentales con algunos principios del misticismo hinduista y visnuita, un mensaje a la vez social y religioso basado en dos pilares fundamentales: la *satyagraha* o «fuerza de la verdad», base de la resistencia pasiva, entendida ésta no en sentido negativo sino como despliegue del impulso espiritual de quien sitúa la búsqueda de la verdad por encima de cualquier otra circunstancia; y la *ahimsa* o no violencia, que impide responder al mal con el mal y constituye el medio más adecuado para encauzar la *satyagraha*.

Gandhi concibió esta síntesis de principios en torno a 1906 e inmediatamente empezó a ponerlos en práctica contra la legislación discriminatoria de África del Sur: cuando un decreto exigió la inscripción obligatoria de todos los asiáticos en un registro especial, para lo que era preciso tomar a cada uno las huellas dactilares de los diez dedos, el joven abogado Mohandas llamó a la resistencia pasiva. No tardaría en ser encarcelado junto con ciento cincuenta compañeros de su movimiento de resistencia: daba comienzo su lucha y también su interminable peregrinar por las cárceles del Imperio Británico.

Experiencias en comunidad

La realización plena de su ideario requería también una práctica colectiva. Por ello, en 1910 abandonó su actividad como abogado, hizo un voto solemne de renuncia a toda propiedad privada y creó una comunidad autosuficiente en

Mohandas Karamchand Gandhi proyectó su influencia espiritual sobre millones de compatriotas y hombres del mundo entero, al encauzar el movimiento de liberación de la India con la sola fuerza de su pacifismo militante.

una granja cercana a Durban a la que llamó Granja Tolstói. Todos los miembros aportaban su trabajo para lograr la independencia económica y se comprometían a reducir al mínimo las exigencias de alimentación y vestuario, practicando a rajatabla el riguroso principio de que todo cuanto uno no puede realizar con sus propias manos es superfluo. Al igual que el trabajo diario en los campos, también era obligatoria la participación en los actos religiosos que respondían a las creencias particulares de cada uno de los integrantes de la comunidad.

Al estallar la Primera Guerra Mundial, Gandhi regresó a la India dispuesto a poner en práctica sus ideas en su propio país y luchar sin descanso para encontrar modos de actuación que hicieran posible un cambio de costumbres en sus compatriotas. Precedido por su bien ganada fama de dirigente, las masas le tributaron un caluroso recibimiento y el poeta Rabindranath Tagore le aplicó por primera vez el calificativo de *Mahatma* (Alma grande). Se había convertido en un *karmayogi*, un hombre que busca sin

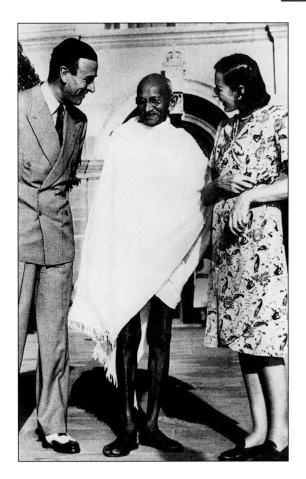

Mahatma Gandhi, protagonista de la independencia india, por la vía de la paz y la resistencia pasiva, entre Lord Mountbatten, último virrey británico en la India, y la esposa de éste.

de que Inglaterra favorecía la prosperidad mundial se había deslizado al polo opuesto al encontrarse de nuevo ante la miseria y la opresión política que sufría su pueblo. El *Mahatma* estaba convencido de que era preciso rechazar la civilización material de Occidente para volver a las costumbres tradiciones, de las cuales la más simbólica era la propia indumentaria.

Un luchador incansable venerado por su pueblo

Tras la Primera Guerra Mundial, los británicos reafirmaron su propósito de mantener el dominio sobre la India y Gandhi, aunque no era exactamente un político, decidió hacer suyas las aspiraciones de los nacionalistas, aglutinados en el Partido del Congreso, y lanzó su primera campaña de desobediencia civil en 1919, en respuesta a una disposición británica que perpetuaba el estado de excepción establecido durante la guerra. Se trataba de una combinación de *satyagraha* y *ahimsa* manifestada en una actitud de no cooperación en la vida pública, de negativa a pagar los impuestos y de boicot a los productos británicos, sin recurrir a la violencia.

A esta primera acción siguieron otras muchas. Gracias a la fuerza de atracción que le proporcionaban su desdén por los bienes materiales, su espíritu de sacrificio y el empuje de su sentimiento religioso, Gandhi despertó a las masas populares y empezó a ser venerado por millones de hombres y mujeres en toda la India. Después de una de sus campañas de desobediencia, en 1922 fue juzgado y condenado a seis años de cárcel, pero por razones de salud salió en libertad y pasó a ocupar la presidencia del Partido del Congreso, la organización política que dirigía la lucha contra los británicos.

Tras la famosa «marcha de la sal», en la que Gandhi fue seguido por la multitud hasta el mar para allí coger con sus manos un puñado de sal y de este modo romper simbólicamente el monopolio colonial sobre una de las principales riquezas de la India, el *Mahatma* empezó a ser reconocido como interlocutor válido por la metrópoli. A pesar de que esta acción le supuso una nueva estancia en la cárcel, Gandhi obtuvo permiso para participar en 1931 en la segunda *Round Table Conference* (Conferencia en Mesa Redonda) so-

descanso la autorrealización actuando de modo absolutamente desinteresado y sirviendo de guía a quienes lo rodean, y el 20 de mayo de 1915 fundó en Ahmadabad el Sabarmati-Ashram una comunidad similar a la de la Granja Tolstói, desde la cual irradió su influencia por todo el país. Su modo de vida y su vestimenta pasaron a ser estrictamente hindúes y sus necesidades se redujeron a lo imprescindible.

Bajo la dirección y el ejemplo de Gandhi comenzó para la India un período de transformación sin precedentes. En sus palabras y escritos, el *Mahatma* comenzó a fustigar el imperialismo británico, al que consideraba ya como un sistema satánico. Su antigua opinión

Los seguidores de Gandhi toman agua del mar para la manufactua de sal. La famosa «marcha de la sal» *fue una iniciativa de Ghandi para protestar contra el monopolio de producción de sal detentado por los británicos.*

bre la independencia de la India, celebrada en Londres en 1931. Pero la reunión fue un fracaso y Gandhi fue detenido de nuevo a su regreso. A partir de ese momento comenzó una serie de durísimos ayunos para protestar por el tratamiento político que se infligía a los intocables o parias, el grupo de los sin casta considerados impuros por la comunidad hindú. Esta nueva lucha fue coronada por el éxito al firmarse el pacto de Yeravda entre intocables e hindúes el 26 de septiembre de 1932; los parias no volverían a ser discriminados en las cuestiones electorales, aunque todavía hoy siguen siendo marginados en la vida cotidiana por las castas superiores.

2.338 días de cárcel

Al dar comienzo la Segunda Guerra Mundial en 1939, muchos pensaron que Gran Bretaña reconocería a la India como nación libre e independiente. Por el contrario, las autoridades in-

glesas decidieron incluir al país en los preparativos bélicos sin consultar previamente con los líderes nacionalistas, lo que obligó al Partido del Congreso a radicalizar su actitud. Gandhi, que en septiembre de ese año había dirigido una conmovedora carta a Hitler pidiéndole que siguiera los senderos de la paz, se sumó a las protestas y encabezó una campaña final de desobediencia, llamando al boicot de las actividades preparatorios de la guerra y exigiendo la completa independencia de su país.

En agosto de 1942 fue encarcelado con su esposa Kasturbai y otros dirigentes del Partido del Congreso, y se dispuso a realizar un ayuno que duró veintiún días. Kasturbai murió en prisión en 1943 y él fue puesto en libertad al año siguiente; el *Mahatma* no volvería nunca más a una celda británica, pero había pasado en ellas, durante toda su vida, un total de 2.338 días.

Al concluir la contienda, Gandhi se opuso tenazmente al proyecto inglés de dividir el subcontinente en dos Estados, India y Pakistán, que acogiesen por separado a las comunidades hindú y musulmana, pero no pudo evitar que estallasen violentos disturbios y enfrentamientos entre ambos grupos religiosos. Por ello, cuando el primer ministro inglés Clement Attlee anunció la división de las Indias Británicas en dos países, Gandhi experimentó una de las decepciones más tristes de su vida, pues siempre había luchado por una India unida que acogiese en su seno a todas las confesiones y sectas.

El 30 de enero de 1948 Ghandi se encontraba en Nueva Delhi. Durante todo el día había conversado con el jefe del primer gobierno de la India independiente, su amigo Jawaharlal Nehru, y con su segundo de a bordo, Vallabhbhai Patel. A pesar de las diferencias políticas y religiosas que les separaban del *Mahatma*, ambos lo consideraban el guía espiritual y la verdadera encarnación del pueblo indio. Tras cenar un plato de verduras cocidas y un puding de frutas con jengibre, limón y acíbar, Gandhi se dirigió a orar al jardín de la Birla House, donde se hallaba alojado, apoyándose en dos de sus seguidores. En el pequeño jardín había congregadas unas quinientas personas, y entre ellas se encontraba Hathuram Godse, un fanático afiliado a un grupo radical que proclamaba la superioridad del hinduismo y que consideraba al *Mahatma* un traidor por haber apoyado la integración de los musulmanes. Mientras las gentes abrían paso a Gandhi, Godse salió a su encuentro y desde muy cerca le disparó tres tiros a quemarropa. La sonrisa de Gandhi se transformó en un gesto de dolor, pero antes de morir aún tuvo tiempo de invocar a Rama (Dios) y bendecir a su asesino. Poco después, Nehru resumía la consternación de todo el país con estas palabras: «La luz que iluminaba nuestras vidas se ha extinguido.»

1869	2 de octubre: **Mohandas Gandhi** nace en Porbandar (India).
1882	Se casa con Kasturbai Makanji.
1888	Comienza sus estudios de Derecho en Londres.
1891	Regresa a la India. Ejerce como abogado en Bombay y Rajkot.
1893	Viaja a África del Sur. Se convierte en dirigente político de los inmigrantes hindúes.
1910	Crea una comunidad llamada Granja Tolstói.
1914	Comienza la Primera Guerra Mundial. Gandhi regresa a la India.
1915	Funda una nueva comunidad en Ahmadabad.
1919	Comienza su lucha contra la dominación británica.
1930	«Marcha de la sal» contra el monopolio colonial de las materias primas.
1931	Gandhi llega a Londres para participar en la segunda *Round Table Conference* sobre la independencia de su país.
1932	Desde la cárcel, lucha por la integración política de los intocables, grupo sin casta en la comunidad hindú.
1939	Estalla la Segunda Guerra Mundial. Gandhi escribe a Hitler. Se opone a la intervención de la India en la guerra.
1942	Exige la completa independencia de la India. Es encarcelado junto a su esposa, que morirá en prisión.
1944	Es liberado por motivos de salud.
1947	15 de agosto: se proclama la independencia de Pakistán y la India.
1948	30 de enero: muere en Nueva Delhi asesinado por un hindú fanático.

Lenin
(1870-1924)

Lenin fue acaso el mayor revolucionario del siglo XX; sus ideas y acciones transformaron las estructuras sociales de Rusia y conmocionaron el mundo entero.

A ctor de cine, director de periódicos, revolucionario y fenomenal estadista, Vladimir Ilich Ulianov, *Lenin*, tiene un puesto imperecedero entre los grandes de la Historia. Acaso ningún otro hombre en el siglo XX fue capaz de alterar tan profundamente la vida de su pueblo e influir en el pensamiento de tantos otros revolucionarios de todo el mundo.

¿Qué hacer?

Nacido en el seno de una familia modesta, Lenin se preguntó qué hacer con un pueblo inmenso, sumido en la pobreza y brutalmente reducido a un estado de servidumbre por los popes de la Iglesia ortodoxa y los terratenientes. Lenin sintió nacer su interior el odio hacia la tiranía zarista el día en que presenció la ejecución de su hermano, convicto de haber participado en una conjura contra el zar Alejandro III. A los veintiún años fue expulsado de la Universidad de Kazán, por lo que hubo de concluir sus estudios de Derecho en San Petersburgo. Allí entró en contacto con los círculos marxistas y se abocó a la concienzuda lectura de la obra de Plejánov, a quien conocería en Suiza en 1895. Dos años más tarde el futuro líder revolucionario cayó en una celada del régimen zarista y fue deportado y confinado en Siberia. Exiliado en Suiza, Lenin fundó, en 1900, *Iskra* (La Chispa), periódico en el que exponía sus ideas radicales contra el régimen del zar con la esperanza de que el pueblo ruso, harto de tan-

ta opresión, hiciera estallar la ansiada revolución social.

En 1903, cuarenta y tres delegados de organizaciones revolucionarias rusas, entre ellos Lenin, se reunieron en Bruselas, pero viéndose vigilados por los espías del zar, se trasladaron a Londres, donde diseñaron una estrategia que afectaría profundamente a los partidos políticos. Lenin propuso la organización de un sistema jerárquico rígido, que irritó a un razonable e interesado grupo, que a partir de ese momento se denominaría «menchevique», hombres de la minoría, por oposición a «bolchevique», hombres de la mayoría. A pesar de estas denominaciones, la asamblea votando a mano alzada se opuso a la propuesta de Lenin.

La evitable revolución burguesa

Los burgueses rusos no sólo no habían alcanzado a principios del siglo XX las prebendas y garantías que los acomodaticios gobiernos de Europa habían otorgado a sus burguesías nacionales, sino que la nobleza rococó de San Petersburgo se permitía reprimir sin contemplaciones cualquier conato de protesta. A pesar de ello, Lenin propuso en su opúsculo *Un paso adelante, dos pasos atrás*, un revolución proletaria sin pasar por la revolución burguesa, para acelerar el curso de la Historia de un modo harto voluntarista y, por supuesto, indigerible para la débil burguesía rusa. Pero la praxis revolu-

Los marineros del crucero Aurora *anclado en Petrogrado desembarcaron para participar en la Revolución de Octubre que puso fin al régimen de Kerenski en 1917 y llevó a los comunistas de Lenin al poder.*

cionaria le mostró la verdadera magnitud de las dificultades y la insurrección de Moscú de 1905 fracasó estrepitosamente, ganándose la crítica de los moderados mencheviques y la furiosa represión zarista. Ese mismo año la guerra contra Japón emprendida por Nicolás II, presuntamente breve y oportuna, se saldó con una clamorosa derrota que originó una cadena de alzamientos. Éstos culminaron el domingo 9 de enero con el asalto al Palacio de Invierno de San Petersburgo, en el que centenares de personas murieron víctimas de las balas zaristas. Al así llamado Domingo Sangriento siguió la sublevación del acorazado Potemkin y una huelga general que incluyó hasta los artistas del ballet. A este mayúsculo caos siguieron las promesas de Nicolás II de otorgar libertad de asociación y derecho a voto a los mayores de veinticinco años, además de condonar las deudas a los campesinos y abolir la censura. Nada de esto fue cumplido y Lenin comprendió que sólo las armas podrían garantizar la consecución de un cambio político radical.

Los bolcheviques en el poder

El 9 de abril de 1917, a las tres cuarenta y cinco de la tarde, Lenin partió en el tren de Zurich rumbo a Rusia, después de diez años de exilio, dando un rodeo por Alemania, Suecia y Finlandia. Por esas fechas Rusia y Alemania mantenían un enfrentamiento bélico que, en poco más de un año, se había cobrado cuatro millones de soldados rusos. No obstante lo insostenible de la situación, a la que hubo que añadir uno de los inviernos más crudos de Rusia, con temperaturas de hasta cuarenta grados bajo cero, Nicolás II no quiso ceder. Fue así como, cuando el 8 de marzo de 1917 el zar abandonó Petrogrado (San Petersburgo) para visitar el frente y arengar a sus desmoralizadas tropas, la ciudad se rebeló. El ejército y la policía se negaron a sofocar el alzamiento y el pueblo asaltó panaderías, incendió edificios públicos y sacó de las cárceles a los presos. Ante estos hechos e incapaz de controlar la situación, Nicolás II se vio obligado a abdicar el 17 de marzo. El nuevo gobierno, presidido por el liberal Kerenski, decretó que no habría más zares y prometió introducir reformas para mejorar la situación de los obreros y los campesinos; pero Lenin quería «todo el poder para los soviets», y el enfrentamiento entre los partidarios de Kerenski y los comunistas de Lenin desembocó en la guerra civil.

Los primeros choques pusieron en evidencia la debilidad militar de los bolcheviques, cuyo líder, Lenin, era escasamente conocido y sospechoso de complicidad con Alemania, de acuerdo con el infundio difundido por sus enemigos políticos. El cuartel de los comunistas fue descubierto, asaltado y destruido y la sede del diario *Pravda* incendiada. Tras decretarse la orden de captura contra Lenin, éste hubo de huir y, disfrazado de fogonero, cruzó la frontera con Finlandia. Pocos meses más tarde regresó, y el 7 y 8 de noviembre los soldados y marineros revolucionarios depusieron al gobierno de Kerenski y anunciaron que el poder del estado había pasado a manos de los soviets, en los que los bolcheviques habían asumido la dirección política La primera medida de Lenin fue intentar establecer la paz con Alemania en la ciudad polaca de Brest. Pero Trotski, encargado de negociar el acuerdo, renunció a firmar un tratado en condiciones tan humillantes como las que proponían los germanos. Pese a ello, el 3 de marzo de 1918, Lenin accedió a firmarlo, cediendo una cuarta parte del territorio del imperio de los zares, que incluía sesenta y dos millones de habi-

Los soviets, forma de organización espontánea de las masas revolucionarias, fueron el camino a través del cual los bolcheviques alcanzaron el poder. La dirección de Lenin marcó de forma profunda los primeros años de la nueva Rusia, tanto a nivel político como económico. Arriba, Lenin presidiendo un soviet.

tantes y casi la mitad de las instalaciones industriales. Con esta medida Lenin cumplía su promesa de lograr una paz inmediata, pero fueron muchos los que consideraron que las condiciones eran inadmisibles y que el precio que se había pagado era demasiado alto.

Siguió una nueva oleada de protestas que amenazaron al precario estatuto del dirigente comunista, acusado, una vez más, desde la izquierda y desde la derecha, de traidor y de haber vendido Rusia a los alemanes. La guerra civil se recrudeció y las potencias aliadas, contrarias a la política de Lenin, apoyaron abiertamente con dinero, armas y tropas a la oposición. Hubo momentos en que tres ejércitos convergían sobre Moscú, y el propio Lenin fue víctima de un atentado del que salió herido en el pecho. Parecía con-

denado a la derrota cuando intervino Trotski con el Ejército Rojo, reclutado entre los campesinos que veían en Lenin su última esperanza. Aprovechándose de la mala coordinación del enemigo, Trotski lo neutralizó obligándolo a renunciar a sus propósitos en 1920.

La ciudad contra el campo

Finalizada la guerra civil, Lenin procuró llevar a la práctica sus ideas revolucionarias, uno de cuyos fundamentos residía en trasladar la gestión de la propiedad a los trabajadores, de acuerdo con las teorías expuestas por Karl Marx en *El Capital*. Al respecto, Marx consideraba que esta posibilidad era factible en una sociedad industrializada y en la medida en que todos los países europeos hicieran su revolución. Obviamente, ninguna de estas premisas concurrían en el caso ruso. Rusia era un país exhausto después de tres años de guerra y con una población mayoritariamente campesina. Sin embargo, Lenin se propuso llevar a cabo los cambios revolucionarios asumiendo el control y la dirección de toda la mano de obra, la totalidad de la producción industrial, incautando sin compensación los excedentes de grano y alimentos de los campesinos y prohibiendo el comercio privado.

La resistencia que provocó entre los campesinos la implantación de estas medidas económicas del llamado «comunismo de guerra» fue atenuada con la represión y con la Nueva Política Económica de 1921, de acuerdo con la cual se dejaban de lado algunos purismos de la teoría marxista. Al año siguiente, la primera fase del proyecto leninista se había satisfecho plenamente y los bolcheviques eran dueños absolutos de la situación, en un grado jamás alcanzado por los zares. Pero Lenin pudo disfrutar muy poco de su sueño y el 21 de enero de 1924 murió, dejando un testamento en el que recomendaba expresamente apartar del poder a Stalin.

Principal ideólogo de la Revolución Soviética, Lenin desarrolló, a partir del marxismo, una doctrina propia que enlazaba con la tradición revolucionaria rusa. Arriba, Lenin leyendo el diario Pravda.

1870	Hijo de un inspector de escuelas, nace en Simbirsk, actual Ulianov, Vladimir Ilich Ulianov, llamado **Lenin.**
1887	Su hermano es ejecutado por participar en un complot contra Alejandro III.
1891	Lenin es expulsado de la Universidad de Kazán.
1894	Redacta el panfleto *Quiénes son los amigos del pueblo.*
1895	Se encuentra por primera vez con su mentor Plejánov.
1897	Es desterrado a Siberia.
1900	Funda el periódico *Iskra* (La chispa).
1902	Publica *¿Qué hacer?*
1905	Insurrección armada de los soviets.
1907	Abandona Rusia.
1917	Abril: regresa a su patria para encabezar la revolución.
1918	30 de agosto: sufre un atentado por parte del socialista Fanny Roid-Caplan.
1920	Publica *El izquierdismo, enfermedad infantil del comunismo.*
1921	Sublevación de los marinos de Kronstadt.
1924	24 de enero: muere en Gorki (act. Nizhnii Novgorod), cerca de Moscú.

Rasputín
(1872-1916)

Grigori Yefímovich, Rasputín, hombre enigmático, mezcla de santón y libertino, de quien se decía estaba «señalado por Dios».

Qué o quién fue Rasputín? ¿Un ambicioso embaucador sin escrúpulos? ¿Un típico *mujik* (campesino ruso) ignorante y fanático? ¿Un místico? ¿Un bufón intrigante de la corte del zar Nicolás II? ¿Un seductor lujurioso? Posiblemente, Rasputín fue a un tiempo todo esto, y cuanto se ha dicho de él, malo o menos malo, está apoyado en pruebas y testimonios. Pero, además, la leyenda le ha conferido un halo de misterio tal, que hoy resulta difícil separar en su vida el mito de la realidad.

Señalado por Dios

Grigori Yefímovich Novoik, llamado Rasputín, nació en la aldea siberiana de Pokrovskoie, en el distrito de Tumen, hacia el año 1872. Hijo de un cochero borrachín dado al latrocinio y a la lujuria, ya en su infancia se ganó el mote de *«raspútnik»*, que significa pillete y también perdido, extraviado, con el que se haría célebre. En su adolescencia sorprendía por su gran estatura, por su extraordinaria fuerza física y por su comportamiento salvaje y sensual. Acaso por el brillo que despedían sus ojos, se decía que había nacido con el don de hipnotizar y que era casi imposible no ceder ante sus deseos. Su poder de seducción se puso de manifiesto cuando, con el aparente objeto de edificar un templo, empezó a mendigar y los campesinos le entregaban cuanto tenían de valor después de mirarlo a los ojos. Hubo incluso quienes, creyéndolo un santo, abandonaron sus campos y sus familias para seguirlo. Grigori Yefímovich encontró en la secta de los *klistis* o flagelantes el entorno ideal para sus peculiares inclinaciones místicas. Convertido al poco tiempo en un cabecilla de esta curiosa cofradía que sostenía que era preciso pecar para poder después arrepentirse y alcanzar así la salvación, Rasputín lograba fascinar a los aldeanos con misas orgiásticas que acababan invariablemente con flagelaciones masivas. «Pecando conmigo, vuestra salvación es más segura, puesto que yo encarno al Espíritu Santo», decía abriendo los brazos y mirando hacia las alturas. Por toda Siberia comenzó a correrse la voz: Rasputín era un hombre excepcional, «un señalado por Dios».

Camino de San Petersburgo

Tenía treinta y un años cuando decidió abandonar Siberia y dirigirse a San Petersburgo, la dorada capital de los zares, dejando tras de sí una esposa, cuatro hijos reconocidos y una huella imborrable en la memoria de las gentes simples del pueblo. Durante su largo y accidentado camino a la capital no se abstuvo de ejercer su magisterio, y en su ejercicio sedujo mujeres, exorcizó monjas y encandiló monjes, uno de los cuales le entregó una carta para el famoso padre Juan de Kronstadt, del convento de San Alejandro Nevski, que sería la llave que le abriría las puertas de la capital.

Convertido en un verdadero *stáretz*, monje y guía espiritual de almas descarriadas, Grigori Yefímovich se presentó ante el venerable padre Juan cubierto de harapos y precedido de su fama de santón y exorcista. El anciano sacerdote creyó ver en aquel joven siberiano «un resplandor de Dios» y en los días siguientes lo presentó a las damas más influyentes de la buena sociedad de San Petersburgo. A pesar de su falta de aseo y de su «olor a macho cabrío», todas quedaron encandiladas y una de ellas, la señora Virubova, escribió: «Tiene el don de las imágenes y un profundo sentido del misterio...Es sucesivamente familiar, bromista, violento, alegre, absurdo y poético, y todo ello sin pose alguna. Por el contrario, tiene una despreocupación inaudita, un cinismo que aturde y una mirada que quema como el fuego...»

A la sombra del zar

La sorprendente conducta de Rasputín cautivó a la frívola sociedad de San Petersburgo y fue el mismísimo archimandrita Teófanes, rector de la Academia de Teología de la capital y confesor de la zarina Alejandra Fiodorovna, quien lo presentó a la familia imperial con una carta en la que no regateaba su admiración: «He aquí a Grigori Yefímovich, que es un hombre sencillo. Vuestras Majestades sacarán provecho escuchándolo, puesto que la tierra rusa habla por su boca. Conozco todo lo que se le reprocha. Conozco sus pecados; son innumerables...Pero posee tal fuerza de contrición y una fe tan ingenua en la misericordia celeste que incluso garantizo su salvación eterna. Después de cada arrepentimiento queda puro como un niño al que acaban de bautizar...» Inmediatamente, Rasputín se ganó la confianza de los soberanos, con quienes departía en familia haciendo gala de unos entrañables modales.

Pero esta relación con la familia real no libró a Rasputín del escándalo. Habiéndose presentado como curandero milagroso y especializado en tratar a señoras más o menos neuróticas, sus intimidades con las esposas de altos funcionarios fueron la comidilla de los salones. Su consulta permanecía abierta día y noche y siempre se hacía acompañar por un galeno llamado Badmaiev,

quien sistemáticamente recetaba a las incautas damas narcóticos, afrodisíacos y estupefacientes, cuyos efectos eran aprovechados por el propio Rasputín, el cual, para más inri, proclamaba que el contacto con su cuerpo tenía efectos curativos y purificadores. Los prelados del Santo Sínodo, hartos de su desvergonzada conducta, recurrieron a la Duma (Parlamento) para intentar librarse de aquel *mujik* intruso. Aprovechando que los zares se hallaban en Polonia, los enemigos de Rasputín lo obligaron a abandonar la corte, lo que hizo tras preferir terribles maldiciones contra aquellos que osaban oponérsele. Sin embargo, el destierro duró muy poco. Meses más tarde, el hemofílico zarevich Alexis sufrió una fuerte hemorragia nasal. Todos creyeron que moriría, pero la zarina llamó a Rasputín y éste se puso a rezar junto al lecho del enfermo. Al cabo de un momento se incorporó y declaró: «Agradeced al Señor que me ha prometido, por esta vez, la vida de vuestro hijo». Al día siguiente, el niño manifestó una notable mejoría, con lo que la dependencia de la familia imperial respecto al curandero llegó a ser absoluta. Rasputín había logrado convencer al zar de todas las Rusias de que la suerte de la dinastía Romanov estaba ligada a la suya, y en una ocasión llegó a afirmar: «El zar sabe que la vida de su hijo depende de mis plegarias y que yo puedo, si así me place, aplastarlo a él y a los suyos... La zarina hace cuanto quiero y no ignora que si cesase de obedecerme la vida del zarevich peligraría.»

Eliminar a la bestia

El estallido de la Primera Guerra Mundial en 1914 iba a suponer para Rasputín la oportunidad de alcanzar la cumbre de su poder, ya que cuando en septiembre de 1915 el zar Nicolás II se ausentó de San Petesburgo para ponerse personalmente al mando de sus tropas en el frente, dejó a la zarina Alejandra a cargo de los asuntos internos de Rusia y nombró a Rasputín su consejero personal: el amenazado imperio de los zares caía así virtualmente en manos de un autócrata semianalfabeto. Sin embargo, al mismo tiempo crecía entre el clero, la aristocracia y las castas militares el malestar ante el bochornoso espectáculo de este poder omnímodo y ca-

Rasputín encontró en las sectas el entorno ideal para sus inclinaciones místicas y logró fascinar a las masas populares, víctimas de la incultura, la pobreza y la superstición, con misas, procesiones, etc., que acababan con flagelaciones masivas. Arriba, procesión religiosa en la provincia de Kursk.

prichoso que desacreditaba al Estado y a la misma Iglesia. El primer ataque frontal contra Rasputín consistió en acusarlo de espiar en favor de los alemanes y de conspirar contra el imperio, pero el intento fracasó por falta de pruebas. El segundo ataque se produjo cuando Rasputín pretendió ser consagrado sacerdote. La Iglesia Ortodoxa, indignada por la desfachatez, lo acusó de fornicador, llamándolo «bestia maloliente». La respuesta de Rasputín fue inmediata: hizo arrestar a todos aquellos que lo habían insultado y los sustituyó por algunos de sus fieles seguidores, a los que sabía a la vez intimidar y recompensar.

«¿Qué se puede hacer cuando todos los ministros y cuantos rodean a Su Majestad Imperial son criaturas de Rasputín? La única posibilidad de salvación sería matar a ese miserable, pero en toda Rusia no se encuentra un solo hombre que tenga el valor de hacerlo. Si no fuera tan viejo, yo mismo me encargaría de ello...» Estas palabras de Rodzianco, presidente de la Duma, pronunciadas ante el pleno del parlamento a principios de 1916, supusieron una condena a muerte para el taumaturgo siberiano. Los diputados rompieron en aplausos y a partir de ese momento la consigna fue «hay que eliminar a ese canalla».

Un cadáver recalcitrante

El príncipe Félix Yusupov, el gran duque Dimitri Pavlovich y el diputado Purishkévich decidieron el plan para asesinar a Rasputín y librar a Rusia de su maléfica influencia. Los conspiradores convinieron en que la acción se llevaría a cabo en la noche del 29 al 30 de diciembre de 1916, en la mansión que Yusupov tenía en Petrogrado, y que la muerte del monje debía ser rápida y limpia. Sabedor de la inclinación de Rasputín por la buena cocina y los buenos vinos de la nobleza, Yusupov invitó al monje a su mansión. Contra lo habitual, Rasputín acudió aseado y luciendo una suntuosa blusa de seda bordada y un pantalón de terciopelo negro. Al entrar, lo primero que vio el *stáretz* fue una mesa servida con exquisitos vinos y licores y deliciosos bizcochos, pasteles y golosinas, que, media hora antes, los cómplices de Yusupov, que esperaban ansiosos en el piso superior, habían espolvoreado con cianuro potásico.

Durante mucho rato los dos hombres dialogaron animadamente, mientras Rasputín, jactándose de su amistad con los zares, saboreaba diversos pastelillos y vinos. Pero, a pesar de que el tiempo transcurría, para asombro de Yusupov, el monje no mostraba ningún signo de envenenamiento. Apenas si evidenció un síntoma de ahogo después de beber una copa de madeira, pero se recobró enseguida e incluso tomó una guitarra y rogó a su anfitrión que cantara alguna alegre romanza. Las más fantásticas leyendas sobre el misterioso monje parecían hacerse realidad.

A las dos y media de la mañana Rasputín se quedó amodorrado y Yusupov corrió adonde se hallaban sus cómplices y juntos decidieron que el príncipe lo matara con su revólver. Al regresar al salón, Yusupov encontró a Rasputín admirando un crucifijo de marfil. Le apuntó al corazón y disparó. Los otros bajaron y comprobaron que la bala había dado en el blanco: Rasputín estaba muerto. Sin embargo, Yusupov sufrió una inesperada y horrible impresión: cuando se acercó a Rasputín, éste abrió los ojos al tiempo que se incorporaba y lo maldecía con voz de ultratumba. Las enormes manos del monje se aferraron al cuello de Yusupov. Al oír sus gritos ahogados, los demás conjurados acudieron y Purishkévich volvió a disparar sobre el terrible Rasputín, quien no obstante aún pudo ganar la puerta y desaparecer en la oscuridad.

Poco después lo encontraron tambaleándose en una esquina. Vomitaba sangre y todavía tuvo tiempo de proferir terribles blasfemias al verlos llegar. Volvieron a oirse las descargas. Rasputín se mantuvo en pie durante unos momentos interminables. Luego rodó sobre la nieve y expiró con sus diabólicos ojos abiertos taladrando la noche. Yusupov y sus compañeros ataron entonces el cuerpo ya sin vida de Rasputín y lo arrojaron por un agujero abierto en la helada superficie del río Neva.

1872	Nace Grigori Yefímovich Novoik, **Rasputín**, en Pokrovskoie (Siberia).
1892	Ingresa en la secta de los *klistis* o flagelantes.
1903	Viaja a San Petersburgo.
1904	Es protegido por el duque Nicolaievich y la gran duquesa Militsa.
1907	El patriarca Teófanes lo presenta al zar Nicolás II y a la zarina Alejandra Fiodorovna.
1912	A finales de año, es expulsado de la capital por la Duma.
1913	Es llamado por la zarina para que se ocupe del zarevich, enfermo de hemofilia.
1914	Al estallar la Primera Guerra Mundial, su influencia se extiende a los asuntos políticos.
1915	Publica el relato de sus andanzas por los Santos Lugares. Es acusado de espiar para Alemania.
1916	Rodzianko, presidente de la Duma, pide su cabeza ante los diputados. Una conspiración para asesinarle encabezada por el príncipe Yusupov se pone en marcha. En la noche del 29 al 30 de diciembre, Rasputín es envenenado y muerto a tiros.

Winston Churchill
(1874-1965)

A lo largo de su brillante carrera, sir Winston Leonard Spencer Churchill fue sucesivamente el hombre más popular y el más criticado de Inglaterra, y a veces ambas cosas al mismo tiempo. Considerado el último de los grandes estadistas, siempre será recordado por su rara habilidad para predecir los acontecimientos futuros, lo que en ocasiones se convirtió en una pesada carga para sus compatriotas. Durante años, Churchill fue algo así como la voz de la conciencia de su país, una voz que sacudía los espíritus y les insuflaba grandes dosis de energía y valor. Su genio polifacético, además de llevarlo a conquistar la inmortalidad en el mundo de la política, lo hizo destacar como historiador, biógrafo, orador, corresponsal de guerra y bebedor de coñac, y en un plano más modesto como pintor, albañil, novelista, aviador, jugador de polo, soldado y propietario de caballerías.

Winston Churchill, el más notable político británico del siglo XX, supo mantener la moral de su pueblo en las más difíciles circunstancias.

Un espíritu indomable y despierto

Winston Churchill nació el 30 de noviembre de 1874 en el palacio de Blenheim, por aquel entonces propiedad de su abuelo, séptimo duque de Marlborough. Su padre era lord Randolph Churchill y su madre una joven norteamericana de deslumbrante belleza llamada Jennie Jerome. No hay duda de que en sus primeros años conoció la felicidad, pues en su autobiografía evoca con ternura los días pasados bajo la sombra protectora de su madre, que además de hermosa era culta, inteligente y sensible. Quizás por ello, al ser internado por su padre en un costoso colegio de Ascot, el niño reaccionó con rebeldía; estar lejos del hogar le resultaba insoportable, y Winston expresó su protesta oponiéndose a todo lo que fuese estudiar. Frecuentemente fue castigado y sus notas se contaron siempre entre las peores. Cuando en 1888 ingresó en la famosa escuela de Harrow, el futuro primer ministro fue incluido en la clase de los alumnos más retrasados. Uno de sus maestros diría de él: «No era un muchacho fácil de manejar. Cierto que su inteligencia era brillante, pero sólo estudiaba cuando quería y con los profesores que merecían su aprobación.» Churchill fracasó dos veces consecutivas en los exámenes de ingreso en la Academia Militar de Sandhurst. Sin embargo, una vez entró en la institución se operó en él un cambio radical. Su proverbial testarudez, su resolución y su espíritu indomable no lo abandonaron, pero la costumbre de disentir caprichosamente de todo comenzó a desaparecer. Trabajaba con empeño, era aplicado y serio en las clases y muy pronto se destacó entre los alumnos de su nivel. Poco después se incorporó al Cuarto de Húsares, regimiento de caballería reputado como uno de los mejores del ejército. Combatió en Cuba, la India y el Sudán, y en los campos de batalla aprendió sobre el arte de la guerra todo cuanto no había encontrado en los libros, especialmente cuestiones prácticas de estrategia que más tarde le servirían para hacer frente a los enemigos de Inglaterra.

Del periodismo a la política

No obstante, la vida militar no tardó en cansarlo. Renunció a ella para dedicarse a la política y se afilió al Partido Conservador en 1898, presentándose a las elecciones un año después. Al no obtener el acta de diputado por escaso margen, Churchill se trasladó a África del Sur como corresponsal del *Morning Post* en la guerra de los bóers. Allí fue hecho prisionero y trasladado a Pretoria, pero consiguió escapar y regresó a Londres convertido en un héroe popular: por primera vez, su nombre saltó a las portadas de los periódicos, pues había recorrido en su huida más de cuatrocientos kilómetros, afrontando un sinfín de peligros con extraordinaria sangre fría. No es de extrañar, pues, que consiguiese un escaño en las elecciones celebradas con el cambio de siglo y que, recién cumplidos los veintiséis años, pudiese iniciar una fulgurante carrera política.

En el Parlamento, sus discursos y su buen humor pronto se hicieron famosos. Pero su espíritu independiente, reacio a someterse a disciplinas partidarias, le granjeó importantes enemigos en la cámara, incluso entre sus propios correligionarios. Así pues, no es de extrañar que cambiara varias veces de partido y que sus intervenciones, a la vez esperadas y temidas por todos, suscitaran siempre tremendas polémicas. Tras ser designado subsecretario de Colonias y ministro de Comercio en un gobierno liberal, Churchill previó con extraordinaria exactitud los acontecimientos que desencadenaron la Primera Guerra Mundial y el curso que siguió la contienda en su primera etapa. Sus profecías, consideradas disparatadas por los militares, se convirtieron en realidad y sorprendieron a todos por la clarividencia con que habían sido formuladas. Churchill fue nombrado lord del Almirantazgo y se embarcó inmediatamente en una profunda reorganización del ejército de su país. Primero se propuso hacer de la armada británica la primera del mundo, cambiando el carbón por petróleo como combustible de la flota y ordenando la instalación en todas las unidades de cañones de gran calibre. Luego puso en marcha la creación de un arma aérea y, por último, decidido a contrarrestar el temible poderío alemán, impulsó la construcción de los primeros «acorazados terrestres», consiguiendo que el tanque empezase a ser considerado imprescindible como instrumento bélico.

Entre dos guerras

Finalizada la contienda, Churchill sufrió las consecuencias de la reacción de la posguerra y durante un tiempo fue relegado a un papel secundario dentro de la escena política. En 1924 se reconcilió con los conservadores y un año después fue puesto al frente del ministerio de Hacienda en el gobierno de Stanley Baldwin. Era una época de decadencia económica, inquietud, descontento laboral y aparatosas huelgas, y el conservadurismo obstinado de que hacía gala no contentó ni siquiera a sus propios colegas. En una palabra, todo el mundo estaba cansado de él y su popularidad descendió a cotas inimaginables años antes. Entre 1929 y 1939, Churchill se apartó voluntariamente de la política y se dedicó principalmente a escribir y a cultivar su afición por la pintura bajo el seudónimo de Charles Morin. «Si este hombre fuese pintor de oficio —dijo en una ocasión Picasso—, podría ganarse muy bien la vida.»

Churchill siguió perteneciendo al Parlamento, pero durante esos años careció prácticamente de influencia. Las cosas cambiaron cuando, al observar la creciente amenaza que Hitler constituía, proclamó la necesidad urgente de que Inglaterra se rearmase y emprendió una lucha solitaria contra el fascismo emergente. En reiteradas ocasiones, tanto en la cámara como en sus artículos periodísticos, denunció vigorosamente el peligro nazi ante una nación que, una vez más, parecía aquejada de una ceguera que podía acabar en tragedia. Tras la firma en 1938 del Acuerdo de Munich, en el que Gran Bretaña y Francia cedieron ante el poderío alemán, la gente se dio cuenta nuevamente de que Churchill había tenido razón desde el principio. Hubo una docena de ocasiones en las que hubiera sido posible detener a Hitler sin derramamiento de sangre, según afirmarían después los expertos. En cada una de ellas, Churchill abogó ardorosamente por la acción. El 1 de septiembre de 1939, el ejército nazi entró con centelleante precisión en Polonia; dos días después, Francia e Inglaterra declararon la guerra a Alemania y, por

Histórica fotografía de febrero de 1945, durante la Conferencia de Yalta, en la que aparecen Stalin, Roosevelt y Churchill, éste con su sempiterno habano en la mano. En la ocasión los aliados establecieron la división del mundo en bloques, y al año siguiente Churchill acuñó la expresión «el telón de acero».

la noche, Churchill fue llamado a desempeñar su antiguo cargo en el Almirantazgo. Todas las unidades de la flota recibieron por radio el mismo mensaje: «Winston ha vuelto con nosotros.»

Sangre, sudor y lágrimas

Los mismos diputados que una semana antes lo combatían con saña, lo aclamaron puestos en pie cuando hizo su entrada en el Parlamento. Pero aquella era una hora amarga para la historia del Reino. La nación estaba mal preparada para la guerra, tanto material como psicológicamente. Por eso, cuando fue nombrado primer ministro el 10 de mayo de 1940, Churchill pronunció una conmovedora arenga en la que afirmó no poder ofrecer más que «sangre, sudor y lágrimas» a sus conciudadanos. El pueblo británico aceptó el reto y convirtió tan terrible frase en un verdadero lema popular durante seis años; su contribución a la victoria iba a ser decisiva. Churchill consiguió mantener la moral en el interior y en el exterior mediante sus discursos, ejerciendo una influencia casi hipnótica en todos los británicos. Formó un gobierno de concentración nacional, que le aseguró la colaboración de sus adversarios políticos, y creó el ministerio de Defensa para una mejor dirección del esfuerzo bélico. Cuando la Unión Soviética firmó un pacto de no agresión con Alemania, y mientras los Estados Unidos seguían proclamando su inamovible neutralidad, Churchill convocó una reunión de su gabinete y con excelente humor dijo: «Bien, señores, estamos solos. Por mi parte, encuentro la situación en extremo estimulante.»

Por supuesto, Churchill hizo todo lo posible para que ambas potencias entrasen en la guerra, lo que consiguió en breve tiempo. Durante interminables jornadas, dirigió las operaciones trabajando entre dieciséis y dieciocho horas diarias, transmitiendo a todos su vigor y contagiándoles su energía y optimismo. Por fin, el día de la victoria aliada, se dirigió de nuevo al Parlamento y al entrar fue objeto de la más tumultuosa ovación que registra la historia de la asamblea. Los diputados olvidaron todas las formalidades rituales y se subieron a los escaños, gritando y sacudiendo periódicos. Churchill permaneció en pie a la cabecera del banco ministerial, mientras las lágrimas rodaban por sus mejillas y sus manos se aferraban temblorosas a su sombrero. A pesar de la enorme popularidad alcanzada durante la guerra, dos meses después el voto de los ingleses lo depuso de su cargo. Churchill continuó en el Parlamento y se erigió en jefe de la oposición.

En un discurso pronunciado en marzo de 1946 popularizó el término «telón de acero» y algunos meses después hizo un llamamiento para impulsar la creación de los Estados Unidos de Europa.

Tras el triunfo de los conservadores en 1951 volvió a ser primer ministro, y dos años después fue galardonado con el Premio Nobel de Literatura por sus *Memorias sobre la Segunda Guerra Mundial*. Alegando razones de edad, presentó la dimisión en abril de 1955, después de ser nombrado Caballero de la Jarretera por la reina Isabel II y de rechazar un título nobiliario a fin de permanecer como diputado en la Cámara de los Comunes. Reelegido en 1959, ya no se presentó a las elecciones de 1964. No obstante, su figura siguió pesando sobre la vida política y sus consejos continuaron orientando a quienes rigieron después de él los destinos del Reino Unido. El pueblo había visto en Churchill la personificación de lo más noble de su historia y de las más hermosas cualidades de su raza, por eso no cesó de aclamarlo como su héroe hasta su muerte, acaecida el 24 de enero de 1965.

1874	30 de noviembre: nace **Winston Churchill** en el palacio de Blenheim.
1888-1893	Estudios en la escuela de Harrow y en la Academia Militar de Sandhurst.
1895	Se incorpora al Cuarto Regimiento de Húsares, con el que combatirá en Cuba, la India y Sudán.
1898	Se afilia al Partido Conservador.
1899	Viaja a África del Sur como corresponsal del *Morning Post*. Es hecho prisionero, pero consigue escapar y regresa a Londres convertido en héroe.
1900	Es elegido diputado por Oldham.
1904	Abandona las filas conservadoras y se une a los liberales.
1910	Desempeña el cargo de ministro de Comercio.
1914	Es nombrado lord del Almirantazgo. Acomete la modernización del ejército británico al estallar la Primera Guerra Mundial.
1924	Se reconcilia con los conservadores. Es elegido ministro de Hacienda.
1939	El ejército nazi invade Polonia. Churchill es nombrado de nuevo lord del Almirantazgo.
1940	10 de mayo: el rey Jorge lo nombra primer ministro.
1941	Firma con el presidente Roosevelt la Carta del Atlántico.
1945	Participa en las conferencias de Yalta y Potsdam. Pierde las elecciones ante los laboristas.
1951	Gana las elecciones y vuelve a ocupar el cargo de primer ministro.
1953	Recibe el Premio Nobel de Literatura.
1965	24 de enero: muere en Londres.

Emiliano Zapata
(1879-1919)

Emiliano Zapata, un líder que con su coraje y valor supo elevar a los humillados campesinos a la condición de luchadores por la divisa de «Tierra y libertad».

El problema de la propiedad de la tierra afectaba a todo el México de principios de siglo, pero era particularmente agudo en el estado de Morelos, situado al sur de la capital de la república. Los hacendados de la zona, apoyados por el general Porfirio Díaz, que ocupaba el poder desde la década de 1870, habían ampliado sus posesiones ocupando las tierras comunales y desalojando a los pequeños propietarios para establecer plantaciones de caña de azúcar. Los campesinos, que no conocían otra forma de ganarse la vida que la de trabajar las tierras de sus antepasados, recurrieron a todas las instancias posibles para conservar su medio de vida, pero todo parecía en vano. En 1910, el anuncio de que el general Porfirio Díaz deseaba prolongar su mandato, asegurándose por séptima vez la reelección como presidente, provocó el estallido de las tensiones sociales hasta entonces reprimidas y el inicio de la Revolución Mexicana. En Morelos, la revolución adquirió características propias, muy determinadas precisamente por la cuestión agraria y por la personalidad y la actividad del máximo dirigente revolucionario de este estado: Emiliano Zapata.

La forja de un líder

En 1909, el estado de Morelos proclamó una nueva ley de bienes raíces que consagraba por completo el predominio de los hacendados sobre los pueblos y las comunidades campesinas. En Anenecuilco, por ejemplo, los cuatro ancianos que componían el consejo regente de la aldea no se sintieron con fuerzas para enfrentarse al reto y el 12 de septiembre de 1909 convocaron a una asamblea de vecinos para elegir nuevos representantes. Ya no se necesitaba la sabiduría de la edad, sino la fuerza y la resolución de la juventud. La asamblea fue convocada de forma clandestina, para que no se enteraran los capataces de las haciendas, y a ella asistieron entre 75 y 80 hombres que representaban a los 400 habitantes de la aldea. Para ocupar el cargo de presidente del consejo se presentaron cuatro candidatos y en la votación Emiliano Zapata fue elegido por amplia mayoría.

Emiliano Zapata vivía en una sólida casa de adobe y tierra, y no en una humilde choza, pese a lo cual era considerado por todos los habitantes de Anenecuilco como uno de los suyos. Nunca lo habían llamado don Emiliano, sino que era simplemente «el Miliano», un hombre que bebía menos que la mayoría y que, aun cuando lo hacía, parecía más dueño de sí mismo que los demás. Era el mejor domador de caballos de la región, y los hacendados se disputaban sus servicios. Los días de fiesta se engalanaba y paseaba por el pueblo con magníficas monturas, espléndidas sillas, buenas botas y relucientes espuelas. Había nacido en Anenecuilco, claro está, y era el noveno de los diez hijos que tuvieron Gabriel Zapata y Cleofás Salazar, de los que

El proceso revolucionario mexicano impulsa la realización de numerosos murales. Arriba, Emiliano Zapata dirige a los revolucionarios bajo el lema «Tierra y libertad».

sólo sobrevivieron cuatro. En cuanto a la fecha de su nacimiento, no existe acuerdo. La más aceptada es la del 8 de agosto de 1879, pero sus biógrafos señalan otras varias: alrededor de 1877, 1873, alrededor de 1879 y 1883.

Quedó huérfano hacia los trece años y tanto él como su hermano mayor Eufemio heredaron un poco de tierra y unas cuantas cabezas de ganado con lo que debían mantenerse y mantener a sus dos hermanas, María de Jesús y María de la Luz. Eufemio vendió su parte de la herencia y fue revendedor, buhonero comerciante y varias cosas más. En cambio, Emiliano permaneció en Anenecuilco, donde, además de trabajar sus tierras, era aparcero de una pequeña parte del terreno de una hacienda vecina. En las épocas en que el trabajo en el campo disminuía, se dedicaba a conducir recuas de mulas y comerciaba con los animales que eran su gran pasión: los caballos. Cuando tenía alrededor de diecisiete años, tuvo su primer enfrentamiento con las autoridades, lo que le obligó a abandonar el estado de

Morelos y a vivir durante algunos meses escondido en el rancho de unos amigos de su familia. El nuevo concejo de Anenecuilco, con su presidente Zapata al frente, recurrió al procedimiento habitual de tratar con abogados de la capital para defender sus derechos y hacer valer sus títulos de propiedad. La mayor parte de las personas con las que se entrevistaron eran destacados opositores al régimen del general Porfirio Díaz, lo que a buen seguro influyó en que Emiliano Zapata fuera reclutado en el ejército el 11 de febrero de 1910. Sin embargo, sólo permaneció en filas durante un mes y medio, pues Ignacio de la Torre y Mier, yerno del presidente Díaz y «dueño de la mejor hacienda del estado y tal vez de la República», según una crónica de la época, conocía su habilidad con los caballos y logró que le dieran la licencia a cambio de trabajar como caballerizo mayor en sus establos de la Ciudad de México. Zapata pasó poco tiempo en la capital, donde, según sus propias palabras, los caballos vivían en establos que avergonzaban las casas de cualquier trabajador de Morelos. Cuando llegó a Anenecuilco, sus paisanos se encontraban en un callejón sin salida. Era la época de la siembra y gran parte de sus tierras estaba en disputa con la hacienda del Hospital, que apoyada por las autoridades no permitía sembrar en la zona en litigio. La hacienda podía esperar, porque tenía otras tierras y su cultivo era la caña de azúcar. Pero los campesinos luchaban por su subsistencia, pues lo que deseaban plantar era su poco de maíz, de fríjoles... El administrador de la hacienda quiso dar una lección ejemplar y arrendó las tierras en disputa a los agricultores de Villa de Ayala, la cabecera del distrito a la que pertenecía Anenecuilco. Zapata decidió actuar: armó a unos ochenta hombres del pueblo y empezó a repartir lotes entre las familias de su aldea después de obligar a que se retiraran los de Ayala y la guardia de su hacienda. El ejemplo cundió, otros pueblos, entre ellos Villa de Ayala, acudieron a él para recuperar sus tierras y, en el invierno de 1909-1910, Emiliano Zapata, convertido en presidente del comité de defensa de Villa de Ayala, era la autoridad efectiva de una amplia zona, gracias a que había reunido una potencia de fuego suficiente para imponer sus decisiones y también a que el gobierno tenía preocupaciones mayores que atender.

De la caída de Díaz al Plan de Ayala

El general Díaz, que había dejado entender que se retiraría de la política después de gobernar dictatorialmente durante más de treinta años, anunció a principios de 1910 que se presentaba a una nueva reelección. También presentó su candidatura a la presidencia de la república Francisco Ignacio Madero, un terrateniente del norte del país. Pero Madero fue apresado al iniciar su campaña electoral y tuvo que refugiarse en Estados Unidos. Desde allí lanzó un llamamiento a la rebelión contra Díaz, consiguió aglutinar el descontento contra el dictador e inició la lucha armada. En Morelos, sin embargo, el comité de defensa, que tan buenos resultados obtenía en la recuperación de la tierra, siguió actuando en solitario. Zapata, antes de unirse a la rebelión, quería poner en claro si los maderistas deseaban resolver el problema agrario y, en caso de ser así, quería tener en su poder nombramientos formales que evitaran las acusaciones de bandidismo. Otras partidas de Morelos se lanzaron a la guerrilla, pero Zapata esperó a que no quedara ninguna duda sobre los dos temas que le preocupaban: la tierra y los nombramientos. Finalmente, Madero encargó la dirección de la rebelión en Morelos a Pablo Torres Burgos, quien nombró a Emiliano Zapata coronel. Ya había llegado el momento de lanzarse a la batalla. En marzo de 1911, Torres Burgos fue asesinado por los federales y Zapata fue elegido general y Jefe Supremo del Movimiento Revolucionario del Sur. A mediados de mayo, mientras maderistas y porfiristas ya negociaban en Estados Unidos y los hacendados de Morelos maniobraban políticamente para no perder sus privilegios en la nueva situación que se avecinaba, Zapata decidió reafirmar su posición de máximo dirigente maderista en su estado mediante una acción bélica de envergadura. El 19 de mayo, después de seis días de batalla, conquistó Cuautla, una base sólida para controlar Morelos y una baza política y militar de primera magnitud. A continuación, ordenó el reparto de tierras en su zona. El 25 de mayo Díaz renunció a la presidencia, que fue asumida interinamente por el porfirista Francisco León de la Barra. Madero entró en Ciudad de México el 7 de junio y al día siguiente conferenció con Zapata, quien quería garantías con respecto a la cuestión agraria.

En 1910, la situación de los campesinos era desesperada, y el levantamiento armado fue el único camino. Arriba, las «soldaderas», que acompañaban a los revolucionarios durante sus desplazamientos y combatían junto a ellos.

Madero trató de convencerlo de que desarmara a sus hombres. Zapata se levantó, apuntó con su carabina al respetado dirigente y le explicó que como iba armado podía quitarle su cadena de oro y su reloj, pero que no le sería posible hacerlo si ambos llevasen armas. Madero insistió, prometió soluciones y ofreció a Zapata el cargo de jefe de policía del estado de Morelos, cuerpo al que podría incorporar a 400 de sus hombres. Zapata aceptó licenciar sus tropas y el 13 de junio 2.500 zapatistas habían entregado las armas.

Convencido de que la situación estaba normalizada y de que podría abandonar su actividad política, el 26 de junio de 1911 Emiliano Zapata, que tenía al menos un hijo con otra mujer, contrajo matrimonio ante el presidente municipal de Villa de Ayala con Josefa Espejo, su novia desde hacía bastante tiempo. Pero la normalización no había llegado y ya nunca podría dedicarse a su vida privada.

Los hacendados impidieron su nombramiento como jefe de policía, ningún zapatista fue aceptado en ese cuerpo y sólo se le permitió conservar una escolta de cincuenta hombres armados. El acoso se incrementó y, pese a un primer intento de mediación de Madero, el ejército empezó a ocupar Morelos y a deshacer la obra de Zapata. El propio Emiliano Zapata estuvo a punto de ser capturado en la hacienda de Chinameca, pero logró escapar y días más tarde fue encontrado solo, a lomos de un burro, camino de las montañas.

La brutal intervención del ejército, que aplicó la política de «recolonización», consistente en agrupar obligatoriamente a los campesinos en campos de concentración, en quemar los lugares evacuados y en tratar como enemigo a todo el que se encontrara fuera de esas reservas, dio mayor fuerza a la guerrilla, a la que ahora se unieron también los peones de las haciendas. Los zapatistas se reagruparon y se fortalecieron, y a finales de octubre consiguieron tomar pueblos situados a menos de veinticinco kilómetros de la capital de la república.

Cuando el 6 de noviembre de 1911 Madero asumió la presidencia, Zapata concentró a sus hombres en los alrededores de Villa de Ayala a la espera de negociaciones. Sin embargo, Madero, presionado por los sectores conservadores y por el ejército, que ya preparaba un nuevo ataque contra Morelos, exigió la rendición y la entrega de las armas. Zapata respondió con la publicación del Plan de Ayala, firmado el 15 de noviembre, un plan agrarista que sería su bandera irrenunciable y que años más tarde se convirtió en la base de la reforma agraria mexicana.

Oficialistas y agraristas frente a frente

Se rompieron las hostilidades entre los revolucionarios oficiales y los agraristas. Madero nombró jefe militar de Morelos al general Juvencio Robles, una de cuyas primeras medidas consistió en tomar como rehenes a la suegra, la hermana y dos cuñadas de Zapata. A continuación, aplicó nuevamente y de forma más dura la política de recolonización. La guerrilla creció, pero el gobierno dominaba las ciudades y, tras la

sustitución de Robles por el general Felipe Ángeles, trató de poner en práctica una política reformista que restara apoyo social a Zapata, cuya familia fue liberada. Sin embargo, las rebeliones contra Madero y su asesinato en febrero de 1913 por órdenes de Victoriano Huerta, reavivaron el movimiento revolucionario en todo México.

Huerta necesitaba golpear espectacularmente a sus enemigos, por lo que encargó de nuevo a Robles la lucha contra los zapatistas. La recolonización, las levas forzosas y las deportaciones de campesinos volvieron a radicalizar la lucha. Zapata se impuso en Morelos, mientras Venustiano Carranza, que como gobernador constitucional de Coahuila pretendía encarnar la legalidad frente a Huerta, agrupaba fuerzas y Pancho Villa ganaba terreno en el norte del país.

Antes de establecer un frente común contra Huerta, Zapata, a cuyas filas se habían incorporado intelectuales procedentes de la semiácrata Casa del Obrero Mundial, exigió a sus posibles aliados la aceptación del Plan de Ayala; en caso contrario, seguiría su lucha agrarista en solitario. Carranza no incluyó en su programa las reivindicaciones obreras y campesinas y, cuando en julio de 1914 Huerta se vio obligado a abandonar el país, zapatistas y villistas se opusieron a su predominio.

La Convención de Aguascalientes, convocada para concertar a las diferentes facciones, terminó con la retirada de los carrancistas y supuso un acercamiento entre Villa y Zapata, que entraron en la capital de México al frente de sus fuerzas en noviembre de 1914.

La ambición de Villa produjo la ruptura casi inmediata de su coalición con Zapata, el cual se retiró a Morelos y concentró su acción en la reconstrucción de su estado, que vivió dieciocho meses de auténtica paz y revolución agraria mientras luchaban villistas y carrancistas. En 1915, la derrota de Villa permitió que Carranza centrara sus ataques contra Zapata, que por su dedicación exclusiva a Morelos carecía de proyección nacional. En febrero de 1916, Zapata autorizó conversaciones entre representantes suyos y el general Pablo González, encargado por Carranza de la conquista de Morelos. Estas conversaciones terminaron en fracaso y González, con las mismas técnicas

Arriba, Zapatistas de José Clemente Orozco. *Pintura de enorme carga social que representa una marcha de los seguidores de Zapata, líder guerrillero, partidario de una justa repartición de la tierra, que puso en jaque a los federales porfiristas.*

empleadas por Juvencio Robles, se adentró en Morelos. En junio de 1916 tomó el cuartel general de Zapata, el cual reanudó la guerra de guerrillas y logró recuperar el control de su estado en enero de 1917. Tras esta nueva victo-ria, Zapata, que preveía la inmediata caída de Carranza, llevó a la práctica un conjunto de avanzadas medidas políticas, agrarias y socia-les, tanto para incrementar su base en Morelos como para buscar apoyos en el resto de México.

Un nombre para la leyenda

Carranza, cuyos proyectos de reforma eran mucho más moderados, no podía permitirse la supervivencia del zapatismo en Morelos y en diciembre de 1917 preparó una nueva ofensiva, que dejó de nuevo al mando de Pablo González. Pese a que en esta ocasión González no entró en Morelos a sangre y fuego, sino que trató de implantar en el estado las reformas carrancistas y de pactar con los zapatistas moderados, la guerrilla siguió activa, lo que representaba para Carranza una continua incitación a la radicalización revolucionaria. Ante la imposibilidad de terminar con el movimiento, Carranza y González planearon el asesinato de Zapata. Con el señuelo de pasarse a su bando con armas y pertrechos, el coronel Jesús Guajardo atrajo a Emiliano Zapata hasta un lugar bien conocido por el líder sureño,

la hacienda de Chinameca, de donde años atrás había escapado de otra ofensiva federal. Allí Guajardo tenía apostados a sus casi mil soldados. Zapata y diez hombres de su escolta personal acudieron a la cita. El 10 de abril de 1919, al traspasar la puerta de la hacienda, los soldados que presentaban armas dispararon a quemarropa contra Emiliano Zapata, que cayó acribillado. Su cadáver fue trasladado a Cuautla y González hizo que el entierro fuera fotografiado y filmado. Los morelenses no quisieron creer que hubiera muerto. Unos decían que era demasiado listo para caer en la trampa y que había enviado a un doble; otros encontraban a faltar una característica en el cadáver exhibido. La guerrilla zapatista desapareció poco después de la muerte de su líder, aunque varios de sus principios fueron recogidos en las primeras legislaciones revolucionarias mexicanas.

¿1879-1883?	Nace en San Miguel Anenecuilco, Morelos, **Emiliano Zapata.**
1909	Zapata inicia sus actividades revolucionarias como presidente de la Junta de defensa de las tierras de la región de Ayala.
1911	Marzo. Zapata, tras el asesinato de Torres Burgos por los federales, es elegido Jefe Supremo del Movimiento Revolucionario del Sur. 19 de mayo. Conquista Cuautla para controlar todo el estado de Morelos. de junio. Tras licenciar a sus tropas, contrae matrimonio con Josefa Espejo. Noviembre. Ruptura entre Madero, que exige la rendición y la entrega de las armas, y Zapata. Publicación del Plan de Ayala.
1913	Zapata encabeza la rebelión contra Huerta en Morelos tras el asesinato de Madero, pero reforma el Plan de Ayala y se erige en el jefe del mismo para asegurar su cumplimiento por los carrancistas.
1914	Éxito de zapatistas y villistas en la Convención de Aguascalientes, de la que se retiran los carrancistas. Entrada de los convencionalistas en la Ciudad de México en noviembre de 1914. Zapata y Villa se entrevistan en Xochimilco.
1916	Juvencio Robles toma el cuartel general de Zapata, que reanuda la guerra de guerrillas. Contraataque de Zapata y leyes revolucionarias en el estado de Morelos.
1918	Manifiesto de marzo «A los revolucionarios de la república y a los trabajadores de la república», de claro contenido magonista.
1919	10 de abril: Zapata es asesinado tras asistir a una cita en la hacienda de Chinameca, donde había sido convocado por el coronel Jesús Guajardo, bajo el señuelo de pasarse al zapatismo con armas y bagajes, necesinato instigado por Pablo González y el mismo Carranza.

Stalin
(1879-1953)

Durante treinta años, Stalin gobernó despóticamente al pueblo soviético, al cual sometió a duras condiciones de vida, pero también lo condujo a la victoria sobre los nazis.

E n octubre de 1961 los dirigentes soviéticos trasladaron el cuerpo embalsamado de Stalin del lugar de honor que ocupaba en la Plaza Roja de Moscú a la muralla del Kremlin, junto a otros difuntos ilustres, para acabar con el culto a la personalidad. El ambicioso hijo de un zapatero georgiano, durante treinta años de implacable gobierno, habrá llegado a acumular un vastísimo poder y, al final de su vida, habrá coronado su megalomanía haciéndose nombrar mariscal de la Unión Soviética y generalísimo.

El estudiante modelo

El joven Iósiv Vissariónovich Dzhugashvili, llamado Stalin, apodo que significa «acero», nació en Gori, Georgia, en el año 1879, en el seno de una familia pobre y analfabeta. Creció en un ambiente de suciedad y miseria junto a un padre alcohólico cuyas «palizas terribles e inmerecidas», según un amigo de infancia de Stalin, «hicieron al niño tan tosco y despiadado como su padre». La madre, que debía trabajar como empleada doméstica para subsistir, quería que su hijo fuese sacerdote, única posibilidad de salir de la pobreza. A los catorce años el joven Stalin ingresó, gracias a una beca, en el Seminario de Tbilisi, donde llevó una existencia rígida y aplicada a los estudios. De este centro teológico fue expulsado antes de cumplir los veinte años, pero, por entonces, ya pertenecía al grupo socialista georgiano.

En 1924, no obstante haberse labrado una pequeña reputación revolucionaria y haber representado un papel importante en la toma del poder por los bolcheviques, nadie creía que este oscuro secretario del partido fuera llamado a sustituir al carismático Lenin al frente del gobierno de la URSS. Pero el maquiavélico Stalin silenciosa y soterradamente había preparado el terreno para que ello sucediera.

El maestro del disimulo

En los años previos al estallido de la Revolución de 1917, Stalin se había movido por toda Rusia conspirando contra el régimen zarista, usando nombres y pasaportes falsos, repartiendo panfletos subversivos, organizando manifestaciones y desencadenando huelgas hasta que fue apresado y desterrado a Siberia, de donde logró huir para sumarse activamente a la lucha revolucionaria. De hecho, desde su puesto de director de *Pravda*, el periódico oficial del partido, dirigió a los bolcheviques durante los meses que precedieron a la llegada de Lenin a Petrogrado. Pero su mayor victoria le llegaría años más tarde, en 1922, cuando logró salir elegido secretario general del Partido. Esto le permitió situar a sus seguidores en los puestos claves del país y preparar su acceso al poder a la muerte de Lenin, a pesar de que éste había dispuesto expresamente en su testamento que Stalin fuera apartado de sus cargos, considerando una

El dictador en la cúspide

La modernización sin contemplaciones del campo produjo resultados espectaculares y en la década de los años treinta, cuando el mundo se debatía en una terrible depresión económica, la URSS construyó las más gigantescas fábricas de tractores y de conservas, altos hornos y refinerías petrolíferas. El segundo y tercer Plan Quinquenal fijaron altísimos objetivos de producción, ejerciendo el estado rigurosas inspecciones en las fábricas, cuyos responsables, en caso de no alcanzar las metas productivas, podían ser acusados de sabotaje y encarcelados. Las implacables exigencias estalinistas sometieron al pueblo soviético a una carrera productiva infernal de la que resultó un aumento fulminante del peso específico del gigantesco país en el escenario internacional, sin que ello comportara una mejora de las condiciones de vida de los trabajadores.

Cuando en 1934 fue asesinado Kirov, secretario general del partido, Stalin aprovechó el crimen para desatar su furia hasta límites de memorable crueldad, llevando a cabo una de las más sangrientas purgas conocidas en la historia contemporánea.

Con y contra Hitler

Mientras tanto la Alemania nazi amenazaba con extender su territorio en busca de «espacio vital» y dicha expansión debía hacerse, naturalmente, a expensas de la Unión Soviética. La estrategia que llevó a cabo Stalin para neutralizarla fue un dechado de doblez y de astucia. En 1939, en un gesto que fue tomado como una traición a Europa, Stalin firmó con Hitler un tratado de no agresión, que dejaba al líder nazi las manos libres para iniciar sus anexiones. Poco después los alemanes invadieron Polonia y Francia e Inglaterra declararon la guerra a Alemania, mientras que el impasible Stalin continuaba aumentando su producción de armamentos. En 1940, toda la Europa continental estaba en manos alemanas e Inglaterra parecía al borde de la derrota. Fue entonces cuando Hitler volvió sus ejércitos hacia el este e invadió Rusia el 22 de junio de 1941. Pero Stalin ya lo estaba esperando. Durante dos años se había preparado para esta eventualidad construyendo una poderosa maquinaria bélica. El pue-

Stalin, sometió a la Unión Soviética y al conjunto del movimiento comunista a sus decisiones arbitrarias y dictatoriales, eliminando todo vestigio de disidencia.

amenaza su control sobre la maquinaria del partido. Stalin escamoteó el documento para que no se hiciera público; en 1927, apoyándose en algunos dirigentes históricos del bolchevismo, expulsó del partido y desterró a Trostki, el creador del Ejército Rojo y delfín de Lenin, y, tras desarrollar la teoría del «socialismo en un sólo país», que supuso la identificación de la causa del comunismo con la causa de la URSS, impuso a la fuerza, en 1928, el primer Plan Quinquenal de industrialización.

Decidido a aumentar la producción, para llevar a cabo su política de colectivización de pequeñas fincas rústicas, Stalin no dudó en extender el terror entre los campesinos, practicando deportaciones masivas y numerosas ejecuciones. Los campesinos, resistieron durante un tiempo quemando sus cosechas y matando el ganado antes de que el estado se incautara de ellos, pero la fanática determinación de Stalin terminó por imponerse.

Stalin y los miembros del politburó soviético, en un cartel de Gustav Klustis, en el que se puede apreciar el clima político que imperó durante el estalinismo: la imagen de uno de los miembros del gabinete ha sido suprimida. En 1956, Jruchov denunció las purgas estalinistas y rehabilitó a los bolcheviques que habían sufrido encarcelamiento y tortura.

blo soviético, reaccionó heroicamente y, como en la guerra contra Napoleón, llevó a cabo una feroz resistencia cumpliendo la consigna de «tierra quemada» lanzada por Stalin: «El enemigo no debe encontrar una sola máquina, un solo vagón de ferrocarril, una libra de trigo ni un litro de carburante». Kiev retrasó la marcha de Hitler en seis semanas, Odesa en ocho, y los cálculos nazis de que sería una campaña triunfal empezaron a torcerse. Además, Moscú, defendida por el impertérrito Stalin, rechazó dos veces el ataque, y entretanto llegó el crudo invierno ruso.

La ciudad de Stalin

Aprovechando la inmovilización del ejército alemán y sus graves problemas logísticos, Stalin lanzó un contraataque que obligó a los alemanes a retroceder por primera vez e insufló con ello un hálito de esperanza en la victoria: el Ejército Rojo había vencido a la apisonadora nazi.

Sin embargo, en 1942 Hitler desató una tremenda ofensiva, apoyada con millares de tanques y bombarderos, sobre la región del Cáucaso, donde se localizaban las grandes reservas de petróleo ruso. La victoria nazi sólo dependía de la conquista de Stalingrado (Volgogrado), ciudad industrial erigida durante el gran crecimiento de los años treinta. La defensa de esta plaza era vital para Stalin, quien una vez más demostró su astucia y oportunismo. En agosto de 1942 se luchaba en los arrabales de la ciudad y las tropas alemanas avanzaban lenta e inexorablemente hacia el centro urbano, donde las fábricas ya sólo eran ruinas. Los habitantes de Stalingrado, fieles a la consigna staliniana de «Ni un paso atrás», continuaban resistiendo desesperadamente. La lucha en las calles prosiguió hasta que, el 19 de noviembre, el jefe soviético lanzó un gigantesco contraataque cercando al enemigo y causándole infinidad de bajas. Cuando por fin los alemanes se rindieron, en febrero de 1943, apenas les quedaban 90.000 hombres de los 330.000 que habían caído en la celada genial tendida por Stalin.

La victoria cambió el curso de la guerra. En pocos años Stalin logró expulsar a todos los alemanes del territorio ruso y, cuando los aliados invadieron Normandía, en junio de 1944, el Ejército Rojo inició su avance hacia Alemania, que se rendiría incondicionalmente en mayo de 1945. Los países del este europeo recibieron al principio a los soviéticos como libertadores, pero pronto se apercibieron de las verdaderas intenciones del dictador. Si bien Stalin no se anexionó ninguno de estos países, estableció en ellos gobiernos títeres y fundó así una potencia mundial, sólo aventajada por los Estados Unidos.

El éxito de la política de Stalin era innegable, pero el lanzamiento de las bombas atómicas sobre Hiroshima y Nagasaki significaba una ventaja bélica de los Estados Unidos inaceptable para él. Comenzó entonces el período conocido como la «guerra fría», y el pueblo ruso se vio sometido a nuevos sufrimientos. En 1949, Stalin hizo estallar la primera bomba atómica soviética. El potencial destructivo se había equilibrado. Decididamente, aquel georgiano insaciable de grandes mostachos a quien le gustaban las películas de Charlot puede que, para algunos, tuviera razón, pero nadie podrá decir de él que se dejara llevar por la piedad.

Antes de Yalta, F.D. Roosevelt, W. Churchill y Stalin ya se habían reunido en diversas ocasiones. Arriba, en Teherán, a finales de 1943.

1879	Nace Iósiv Vissariónovich Dzhugashvili, llamado **Stalin**, hijo de un zapatero, en Gori, Georgia.
1894	Ingresa en el Seminario de Tbilisi.
1905	Participa en la insurrección armada de este año y conoce a Lenin en el Congreso de Tampere.
1913	Es desterrado a Siberia el 23 de febrero.
1918	En enero elabora la *Declaración de los derechos de los pueblos de Rusia*.
1922	Es nombrado secretario general del Partido Comunista con la oposición de Trotski.
1924	Asume el poder en la URSS tras la muerte de Lenin. Publica *Acerca de los principios del leninismo*.
1928	Impulsa el Primer Plan Quinquenal para la vertiginosa industrialización del país.
1939	23 de agosto: firma un pacto de no agresión con Alemania.
1941	22 de junio: Hitler ataca la URSS. Stalin concentra en sus manos todos los poderes.
1945	1 de enero: se hace nombrar generalísimo. Tras la Segunda Guerra Mundial, en las conferencias de Yalta y de Postdam, se reparte Europa con los aliados.
1953	Fallece en Moscú.

Albert Einstein
(1879-1955)

Albert Einstein fue un científico cuyas teorías sentaron las bases del uso de la energía nuclear y revolucionaron el concepto newtoniano del Universo.

La imagen más conocida del mítico Einstein lo presenta ya anciano, aureolado por una melena leonina, con el blanco bigote muy poblado, los ojos bondadosos y profundos, un cómodo jersey excesivamente ancho, viejos zapatones que usaba siempre sin calcetines y un pantalón arrugado que sostenía a veces por medio de una corbata atada a la cintura a la manera de cinturón. Era extraordinariamente amable con todos y sus colegas reconocían que «incluso cuando discute cuestiones de física teórica irradia buen humor, afecto y bondad».

Siempre vivió con suma modestia. Durante su último período en Pricenton, siendo ya el Premio Nobel de Física de 1921, salía invariablemente todas las mañanas a las diez y media, enfundado en un añoso abrigo deforme y, en invierno, tocado por un gorro de lana de marinero, para llegar a su espacioso despacho, cuya ventana miraba a un agradable bosquecillo, y pasarse el tiempo escribiendo en una libreta que apoyaba sobre sus rodillas. En ocasiones se detenía a reflexionar mientras sus dedos jugaban con mechones de pelo. Todo su equipo de investigación se reducía a ese aislamiento amable, a ese papel y a ese lápiz, y su laboratorio no era otro que su bien amueblado cerebro.

Un estudiante mediocre

El destino de Einstein fue paradójico. Activo pacifista, vivió para ver cómo su teoría de la relatividad permitía la fabricación de la mortífera bomba atómica; enemigo de la publicidad y de la fama, fue perseguido por los expertos en publicidad para que patrocinase desde callicidas hasta modernos automóviles; gran defensor de la libertad individual, fue calificado de bolchevique por unos y de instrumento del capitalismo simbolizado por Wall Street por otros; científico independiente apenas interesado por la política práctica, llegaron a ofrecerle la presidencia de un estado, el naciente Estado de Israel.

Lo cierto es que fue un hombre tímido y humilde, pero no huraño, aunque las fotografías que lo retratan de niño muestren a las claras el aislamiento en que vivió precozmente recogido. Nació el 14 de marzo de 1879, en Ulm, Alemania, en el seno de una familia hebrea. Muy pronto pasó a Munich, donde su padre, Hermann, regentaba una pequeña empresa de electricidad. Su madre, llamada Pauline Koch, era una hábil pianista y poseía una educación esmerada.

De crío, Albert se apartaba de sus compañeros y los maestros lo juzgaban un inadaptado. En casa solía componer alguna melodía al piano que luego tarareaba por la calle. Estudiante mediocre, fracasó en los exámenes de ingreso en el Politécnico de Zurich, pese a que logró salvarlos a la segunda intentona. Al final de su carrera, sobre una puntuación máxima de 6 puntos, obtuvo 4,91. Por otra parte, su tesis doctoral, un trabajo de 29 páginas titulado «Una nueva determinación de las

*Albert Einstein junto al matemático Kurt Gö-
del, que resolvió algunos problemas matemáti-
cos planteados por Einstein en su teoría de la
relatividad.*

dimensiones moleculares», fue evaluado por el tribunal examinador como irrelevante.

Por aquel tiempo tenía la costumbre de pasear-
se con un viejo violín con el que interpretaba a
menudo fragmentos de su compositor preferido, Mozart, y frecuentaba el rincón de un café
donde pasaba largas horas solo y ensimismado,
fumando siempre en pipa, como un Sherlock
Holmes infatigable que resolviera mentalmen-
te enigmas de física teórica.

El peor enemigo, el ejército

Tras licenciarse en Física a los veintiún años y habiéndose nacionalizado suizo en febrero de 1901,
perdió sucesivamente tres empleos como profesor a causa de su heterodoxa manera de enseñar. Se casó muy joven con una estudiante de ciencias, Milena Maríc, una muchacha serbia que
cojeaba a causa de una enfermedad de origen tu-
berculoso, y tuvo con ella dos hijos, Hans y

Eduard, pero el matrimonio no tardó en separarse. A los veintitrés años todo lo que había logrado era un puesto de examinador en una oficina de patentes de Berna, y sin embargo, dos años
después, en 1905, revolucionaría el mundo científico con su teoría de la relatividad restringida.
En el célebre artículo en que dio a conocer su
teoría, «Sobre la electrodinámica de los cuerpos
en movimiento», postuló que la velocidad de la
luz es constante para todos los sistemas de referencia y que, como consecuencia de ello, el
tiempo es relativo al estado de movimiento del
observador. Y en nuevo artículo publicado poco después para clarificar la estructura matemática de la teoría de la relatividad restringida,
«¿Depende la inercia de un cuerpo de su energía?», dedujo su conocida fórmula $E = m c^2$, la
energía es igual a la masa multiplicada por el
cuadrado de la velocidad de la luz en el vacío.
Lo que a efectos prácticos significaba que si se
lograra liberar la energía condensada en una pequeña masa la potencia resultante sería equipa-
rable a millones de toneladas de TNT. Sólo faltaba resolver técnicamente esta dificultad para
que pudiera desencadenarse la más colosal de
las galernas, el cataclismo más aterrador del planeta. Y a esta orgía apoteósica se entregó la humanidad en Hiroshima el año 1945.

La responsabilidad de tamaño desafuero recae en
parte en Einstein, porque, aunque no participó
en el desarrollo de la bomba de fisión en Los
Alamos (Nuevo México), en 1939 escribió a
Roosevelt señalando las inmensas posibilidades
de obtener buenos resultados en la investigación
atómica con el uranio, y en la misma carta indi-
caba que «este nuevo fenómeno permitiría la fabricación de bombas». Bien es verdad que su actitud venía impuesta por la carrera armamentística
iniciada por Alemania, muy interesada en la ob-
tención de este formidable instrumento de destrucción, pretensión que, de haberse visto satisfecha, hubiera sin duda decantado la balanza de
la Segunda Guerra Mundial del lado nazi. Einstein,
que como judío había tenido que exiliarse de
Berlín cuando comenzaron las persecuciones an-
tisemitas, odiaba la política hitleriana y naturalmente apoyaba los esfuerzos armados de las democracias aliadas para poner fin a su programa
expansionista. No obstante, antes y después de la
célebre carta que decidió al presidente estadounidense a dar luz verde a las investigaciones en la

Arriba, Congreso de Solvay, en 1911, que reunió a físicos como Rutherford, Einstein, Poincaré, Curie, Planck o De Broglie. Muchos de los logros de la física del siglo XX se deben a la genialidad de Albert Eisntein, que en 1921 recibió el Premio Nobel de Física.

dirección que apuntaba el reputado físico y Premio Nobel, Einstein fue un ferviente antimilitarista que llegó a escribir: «Quiero hablar del peor engendro que ha salido del espíritu de las masas: el ejército, al que odio. Que alguien sea capaz de desfilar muy campante al son de una marcha basta para que merezca todo mi desprecio, pues ha recibido cerebro por error: le basta con la médula espinal. Habrá que hacer desaparecer lo antes posible a esa mancha de la civilización. Cómo detesto las hazañas de los mandos, los actos de violencia sin sentido y el dichoso patriotismo. Qué cínicas, qué despreciables me parecen las guerras. ¡Antes dejarme cortar en pedazos que tomar parte en una acción tan vil!»

Una fama relativa

Las condiciones de vida de Einstein no mejoraron gran cosa a partir de 1905, pese a que hoy sepamos que las diversas aportaciones científicas que realizó ese año han resultado decisivas en la historia de la humanidad. En 1908 explicó en la Universidad de Berna una compleja asignatura llamada «Teoría de la radiación», pero en ella sólo se matricularon cuatro alumnos, y al año siguiente sólo uno, por lo que juzgó conveniente renunciar. En octubre de 1909 ingresó como profesor ayudante en la Universidad de Zurich, si bien para impartir asignaturas elementales como Introducción a la mecánica, y hasta 1911 no pudo ofrecer su primera conferencia sobre la teoría de la relatividad. Por fin, en 1916 publicó su artículo «Fundamentos de la teoría de la relatividad generalizada», donde formulaba una nueva teoría de la gravitación.

El 2 de junio de 1919 contrajo matrimonio con su prima Elsa, quien había estado casada previamente y cuidaba de dos hijos. Era una mujer dulce y amable que no tenía, felizmente según Einstein, ni la más remota idea de cuestiones científicas, a diferencia de su primera esposa, la inquieta Milena.

Ese mismo año, el 29 de marzo, una expedición científica ratificó experimentalmente, observando un eclipse de sol, las predicciones de Einstein sobre la influencia del campo gravitatorio respecto a la propagación de la luz, lo que suponía la primera verificación de la teoría de la relatividad generalizada. El inmediato Premio Nobel de Física que le fue concedido en 1921 terminó por encauzarlo hacia una celebridad mundial que no acabaría de aquilatarse hasta los años treinta.

El último sabio

Ningún sabio ha sido glorificado en vida como lo fue Einstein en sus últimas décadas. Su nombre aparecía frecuentemente en los periódicos, su imagen se difundió en carteles antimilitaristas, llegó a convertirse en el símbolo de su raza oprimida cuando los nazis comenzaron sus atroces depuraciones... Y todo ello pese a que por su natural sencillez lo violentaban extraordinariamente este tipo de lisonjas, y hubiese preferido sin duda permanecer en el anonimato a ser pasto de una incómoda popularidad que, por entonces, recaía igualmente en su amigo Charles Chaplin, quien en cierta ocasión le dijo: «A usted le aplauden las gentes porque no le entienden, y a mí me aplauden porque me entienden demasiado.»

Instalado desde 1933 en el Instituto de Estudios Avanzados de Princeton, obtuvo la nacionalidad estadounidense en 1940, y en 1952, tras la muerte del presidente Chaim Weizmann se le ofreció, por acuerdo unánime de los israelíes, la presidencia del Estado de Israel, recientemente constituido. Einstein, no obstante la magnitud de la propuesta, rechazó el honroso requerimiento en una carta donde hacía constar: «Estoy triste y avergonzado de que me sea imposible aceptar este ofrecimiento... Esta situación me acongoja aún más porque mi relación con el pueblo judío ha llegado a constituir para mí la obligación humana más poderosa desde que adquirí la conciencia plena de nuestra difícil situación entre los otros pueblos... Deseo de todo corazón que encuentren un presidente que por su historia y su carácter pueda aceptar responsablemente esta difícil tarea.»

Pocos años después, tras su muerte, acaecida en Princenton en 1955, millares de hombres que lo habían conocido personalmente y otros que sólo habían oído hablar de él, lloraron su pérdida. Entre las celebridades que trató en vida se contaron personalidades de la talla de Franz Kafka, Madame Curie, Rabindranath Tagore, Alfonso XIII de España.

El músico catalán Pau Casals escribió al enterarse de su fallecimiento: «Siempre sentí por él la mayor estimación. Ciertamente era un gran sabio, pero aún mucho más que eso. Era, además, un pilar de la conciencia humana en unos momentos en los que parece que se vienen abajo tantos valores de la civilización.»

1879	17 de mayo: **Albert Einstein** nace en Ulm, Alemania, en el seno de una familia judía.
1896	Estudia en el Instituto Politécnico de Zurich.
1900	Adopta la nacionalidad suiza. Se casa con Milena Maric.
1902	Obtiene un trabajo en la Oficina Confederal de la Propiedad Intelectual en Berna.
1905	Formula la teoría de la relatividad restringida.
1913	Profesor del Instituto Kaiser Wilhelm de Berlín. Ingresa en la Academia de Ciencias de Prusia.
1916	Publica «Fundamentos de la teoría de la relatividad generalizada».
1919	2 de junio: se casa en segundas nupcias con su prima Elsa.
1921	Obtiene el Premio Nobel de Física.
1933	Abandona Alemania a causa de las persecuciones contra los judíos.
1940	Es nombrado director del Instituto de Estudios Superiores de Princeton, New Jersey.
1952	Rechaza la presidencia del Estado de Israel.
1955	18 de abril: muere en Princeton a los 76 años.

Pablo Picasso
(1881-1973)

Pablo Ruiz Picasso es el pintor más representativo del siglo XX. Ningún otro artista fue capaz de transformar la naturaleza del arte como lo hizo Picasso.

L os admiradores de Picasso, que son legión, conocen por la menuda las incidencias de la biografía del genio y saben de su vida itinerante, desde Málaga a La Coruña, de aquí a Barcelona, luego París, más tarde Antibes... También conocen sus escándalos amorosos, se asombran de su portentosa vitalidad, recuerdan sus declaraciones provocativas, lo identifican con su militancia en el Partido Comunista y, naturalmente, no ignoran la versatilidad de su arte, tanto en las técnicas que empleó —óleos, aguatintas, dibujos, escenografías teatrales, esculturas, cerámicas, collages, etc.— como en los numerosos estilos que practicó a lo largo de su existencia, sustituido uno por otro a capricho, sin remordimiento, con un sentido de la libertad creadora que acabaría por convertirlo en el artista más representativo del siglo XX. Pero acaso constituya para muchos curiosos una pequeña sorpresa saber que Picasso también ejerció de literato. Valgan como muestra estos versos de 1935, donde se descubre su afición a los toros, tema omnipresente en su obra, desde el célebre *Guernica* hasta la serie de aguatintas de 1957 titulada *Tauromaquia*:

«*recogiendo limosnas en su plato de oro
vestido de jardín*

*aquí está ya el torero
sangrando su alegría entre los pliegues
de la capa
y recortando estrellas con tijeras
de rosas.*»

Entre sus obras se cuentan dos piezas teatrales —*El deseo atrapado por la cola*, escrita en cuatro días de enero de 1941, y *Las cuatro doncellitas*, una desenfadada comedia de 1952—, así como algunos poemas rebosantes de audacia.

El pintor recibe la alternativa

Picasso recibió las primeras lecciones artísticas de su padre, José Ruiz Blasco. Este modesto profesor de dibujo pronto descubrió la maravillosa facilidad del muchacho y se cuenta que un día, tras comprobar que Pablo había ejecutado a la perfección unos ejercicios que le había encomendado, con poco contenida emoción le regaló sus pinceles y su paleta y se decidió a abandonar para siempre la pintura. Esta significativa anécdota, en la que el joven pintor, como los toreros, recibía la alternativa de manos de un experimentado maestro de la lidia, sucedía en La Coruña, donde la familia se había trasladado en 1891, diez años después de que Picasso naciera en Málaga, a las nueve y media de la noche de un 25 de octubre.

No obstante, los Ruiz no tardarían tampoco en abandonar la ciudad gallega, y ya en 1895 se instalan en Barcelona, a cuya Escuela de Bellas Artes ha sido destinado el cabeza de familia como profesor y donde prosige sus estudios el joven Pablo. En estos años todavía de aprendizaje traba amistad con artistas catalanes de su generación, como Manuel Pallarés y Grau, Torres García o el escultor Manolo, con quienes forma un círculo artístico que se reúne en un café recién bautizado con el nombre de «Els 4 Gats» (Los cuatro gatos).

El más célebre cuadro de aquella época es un óleo de gran tamaño, excelente técnica y bastante académico, conocido como *Ciencia y caridad*, que en 1897 recibió una Mención Honorífica en la Exposición de Bellas Artes de Madrid. Pese a este éxito precoz, que parecía augurar una convencional y brillante carrera, es precisamente entonces cuando Picasso, por influencia del impresionismo francés que le ha llegado a través de artistas catalanes como Rusiñol, Casas o Nonell, se decide a romper con los viejos corsés estilísticos y va ganando en libertad de expresión y explorando sus singulares dotes artísticas. También aquel mismo año de 1897 mantiene un romance fugaz, que duró lo que duró el veraneo en Málaga, con su prima Carmen Blasco.

El creador del cubismo

En 1904 se instala en París, pero sus comienzos en la seductora capital del arte son muy duros, y en ocasiones no encuentra compradores para sus telas y acaba por quemar dibujos y estudios para no helarse de frío en su pobre habitación alquilada. En estas penosas circunstancias llega a un acuerdo con el industrial catalán Pedro Mañach, quien le ofrece ciento cincuenta francos mensuales a cambio de toda su producción, y por entonces nace su primer estilo personal, la llamada época azul, ese desfile de equilibristas, arlequines y otros personajes excéntricos que constituyen una soberbia galería de retratos, uno de los cuales, el de la escritora vanguardista Gertrude Stein, suscitó la perplejidad de la modelo, que reprochó al pintor que el cuadro no se le parecía, a lo que Picasso respondió: «No se preocupe, ya se parecerá». Poco después, su insolencia y creatividad llegaron al paroxismo con *Les demoiselles d'Avignon*, cuadro que supuso la superación del impresionismo y el inicio de la revolución artística picassiana. Es una pintura que une ciertas huellas del arte primitivo africano con la sutil presencia de las formas grecoibéricas, y que fue incomprendida por sus más allegados, lo cual hizo que Picasso la archivara

en su taller. Sin embargo abrió el camino que el pintor transitó inmediatamente después, el cubismo, el estilo que hizo furor durante la segunda década del siglo XX y al que se convirtieron enseguida Georges Braque, Juan Gris y Ferdinand Léger.

Los amores del genio

Para entonces la situación económica de Picasso es mucho más desahogada pero su vida sentimental permanece tan voluble como lo será siempre. De hecho, en 1911 rompe sus relaciones con su amante oficial, Fernande, y comienza un apasionado idilio con Eve, malogrado precozmente por el fallecimiento de la enfermiza muchacha cuatro años después. Después, la lista conocida de las posteriores mujeres de Picasso es larga. La encabeza su esposa Olga Koklova, bailarina de los ballets rusos

El Guernica *(Casón del Buen Retiro, Museo del Prado, Madrid), posiblemente la obra más conocida de Picasso, fue presentado, en 1937, en la Exposición Universal de París. El cuadro es un enorme lienzo en blanco y negro inspirado en el brutal bombardeo de la villa vasca de Guernica por la aviación alemana.*

que actuaban por aquella época en París, con la que contrajo matrimonio en 1918 y de la que tuvo un hijo, Pablo, en 1921. Poco a poco estas relaciones fueron deteriorándose, y en 1927 conoce a la joven suiza de diecisiete años Marie-Thérèse Walter, quien propiciará que el pintor inicie una doble vida que se refleja tanto en la nueva sensualidad de su pintura como en la violencia de su arte, hija esta última también, naturalmente, de las terribles amenazas que se ciernen sobre la Europa prebélica. De 1935, por ejemplo, data su gran composición titulada *Minotauromaquia*, donde reúne elementos de la mitología mediterránea —el toro otra vez— y aparece una mujer violada ante espectadores indiferentes. Dos años después esta figura desencajada del toro se halla igualmente presente en el más celebrado de sus cuadros, el *Guernica*, realizado desde la indignación por el bombardeo de la aviación nazi, al servicio de la causa del general Franco, de una pequeña aldea vasca.

Pero el estímulo de Marie-Thérèse, a quien llegó a poner un piso en el Boulevard Henri IV, sólo le duró hasta 1936, poco tiempo después de que diera a luz a la hija de ambos, Maia. Picasso conoció entonces a Dora Maar, amiga del poeta Paul Eluard, que era de origen croata, pero que hablaba muy bien castellano porque había nacido en Argentina. Mantuvo relaciones con ambas durante algún tiempo, aunque pronto se fue a vivir con Dora y con ella permaneció los dolorosos años de la guerra civil española y de la Segunda Guerra Mundial.

A la izquierda, Picasso con Jacqueline Roque, la mujer con la que compartió los últimos diecinueve años de su vida y que fue una cariñosa compañera.

En Fábrica en Horta de Ebro *(Museo del Ermitage de San Petersburgo, Rusia) Picasso aplicó el análisis cubista a esta vista del pueblo de Tarragona, donde pasó el verano de 1909.*

Precisamente en 1945, año del final de la contienda, Dora fue sustituida por una muchacha de veintitrés años que quería ser pintora y que se llamaba Françoise Gilot, la cual le daría dos hijos, Claude en 1947 y Paloma en 1949. La conoció una noche durante una cena en el restaurante Le Catalan, donde Picasso estaba acompañado por Dora y por la vizcondesa de Noailles. Ello no impidió que el artista, impresionado por la gracia deslumbrante de la bella desconocida, le hiciera enviar a su mesa un frutero lleno de cerezas.

Pese a tan románticos comienzos y a los muchos días de felicidad que vivieron juntos, Françoise Gilot declaró en 1953 que estaba harta de «vivir con un monumento nacional» y lo abandonó, de modo que Picasso hubo de buscar, y no tardó en encontrar, una nueva compañera sentimental. Esta fue Jacqueline Roque, con la que pasó los últimos diecinueve años de su vida y de la que el historiador del arte Alexandre Cirici, que conoció a la pareja, escribió: «Jacqueline era muy diferente de las otras: no era ni la atractiva

Fernande, ni la bonita Eve, ni la elegante Olga, ni la deportiva Marie-Thérèse, ni la brillante Dora, ni la joven y alegre Françoise. Era una mujer no muy alta, de cabellos negros, reposada, que vendía cerámica en una tienda y que comprendió que sería una buena colaboradora y una compañera eficiente.»

Consagración y mito

A Jacqueline no pareció importarle demasiado vivir con un «monumento nacional», con ese genio prolífico que en los últimos años de su vida asistió, probablemente divertido, a su propio endiosamiento. Aclamado como el gran animador de las vanguardias, Picasso vivía al final en la opulencia. Todo lo que tocaban sus lápices, como en el caso del rey Midas, se convertía en oro. En 1955, el magnífico director de cine francés Henri-Georges Clouzot realizó una película titulada *Mystère Picasso* que vino a acrecentar más si cabe la fama del creador del cu-

Les demoiselles d'Avignon *(Museo de Arte Moderno, Nueva York), pintado en la primavera y
verano de 1907, fue el anuncio de una de las
rupturas estéticas* *capitales del arte occidental. Picasso lo presentó
a sus amigos André Derain y Georges Braque,
que se mostraron confusos y sorprendidos ante
la gran tela.*

bismo. Además, en 1957 se le dedicaba una gran
retrospectiva en Nueva York, en 1960 se abría
el Museo Picasso en Barcelona y en 1966 tenía
lugar una importante exposición de homenaje
en París. Mientras tanto, Picasso estaba en dis-

posición en 1958 de adquirir un lujoso castillo en Vauvernagues para sumarlo a su residencia señorial en Cannes, y desde 1961 pudo residir tranquilamente en su casa de campo de
Nôtre-Dame-de-Vie, en Mougins. Allí acabó sus

días el 1 de abril de 1973 a los 91 años, pero hasta el último momento mantuvo una actividad creadora febril, y precisamente en esa época postrera es cuando su obra muestra una mayor alegría de vivir, un erotismo más radiante y un universo personal más inocente y feliz. Su himno a la libertad, a veces elevado con agresividad y resentimiento, en el fragor de las batallas y entre las ruinas de las guerras, se entonaba por última vez con limpia esperanza, profetizando un paraíso terrenal de ninfas y sátiros en gozosa armonía con una naturaleza providencial.

La obra artística de Picasso no puede encuadrarse en una corriente determinada, porque sin remordimiento alguno pasaba de una a otra.

1881	25 de octubre: nace **Pablo Picasso** en Málaga (España).
1897	Obtiene una mención en la Exposición de Bellas Artes por su obra *Ciencia y caridad*.
1900	Expone en «Els 4 gats» de Barcelona. Primer viaje a París.
1901-1904	Primer período «azul»: *Mujer en azul*.
1905-1906	Época «rosa»: *Cortesanas en el bar, La vida*.
1907	Abre las puertas del cubismo con *Les demoiselles d'Avignon*.
1913	Relaciones apasionadas con Eve, que morirá en 1915.
1918	Se casa con la bailarina Olga Koklova.
1925	Adhiere a la primera exhibición surrealista en París.
1930	Se vuelca a la escultura, la cerámica y la litografía.
1937	Pinta el *Guernica*, en respuesta al bombardeo de los nazis.
1944	Se afilia al Partido Comunista Francés.
1954	Conoce a la compañera de sus últimos años, Jacqueline Roque.
1957	Termina los estudios completos de *Las meninas*.
1969	Inaugura una gran exposición de Personajes en el Palacio de los Papas de Aviñón.
1973	8 de abril: muere en su casa de Nôtre-Dame-de-Vie, en Mougin (Francia).

Franklin Delano Roosevelt
(1882-1945)

El presidente Franklin Delano Roosevelt superó la crisis económica con su doctrina del New Deal *e indujo a su pueblo a recuperar la confianza en sí mismo.*

L os Estados Unidos de América, la nación más poderosa de la tierra, despertó de su sueño de prosperidad a principios de los años treinta encontrándose sumida en una dramática crisis económica: trece millones de parados, la industria colapsada, la mayoría de los bancos en quiebra y una agricultura incapaz de sobrevivir a la catástrofe. El presidente Herbert Hoover se limitaba a asegurar que nada grave ocurría y que muy pronto se reactivaría la economía nacional. No obstante sus iniciativas para superar la crisis se revelaron insuficientes. La nación había perdido la confianza en sí misma y las tensiones sociales parecían conducirla irremisiblemente hacia una situación cada día más caótica. Fue en ese momento crucial cuando entró en escena un hombre que supo devolver al país el optimismo que necesitaba e insuflarle nuevas fuerzas. Ese hombre era un político peculiar y que, por encima de todo, estaba dispuesto, como lo estuvo para superar la enfermedad que lo había condenado a sostenerse en muletas, a que su pueblo venciera todas las contrariedades. Ese hombre era Franklin Delano Roosevelt.

Dinero y simpatía

Su nacimiento tuvo lugar el 30 de enero de 1881, en Hyde Park, estado de Nueva York. Primo lejano de Theodore Roosevelt, que había sido presidente del país entre 1901 y 1909, el joven Franklin creció en el seno de una familia acomodada; James, su padre, era terrateniente y administraba varias sociedades, y la familia de Sara, su madre, poseía minas y una flota de barcos mercantes.

Sus estudios fueron elitistas: primero ingresó en Groton, centro similar al exclusivo Eton británico, y luego siguió Derecho en la prestigiosa Universidad de Harvard. Finalmente obtuvo el título de abogado en Columbia. Pero no era un alumno brillante; por ese entonces se interesaba más por los negocios navieros y los caballos que por los estudios o la política. Sin embargo, por su espíritu emprendedor y arrolladora simpatía, se destacó como el más popular entre sus compañeros y profesores. En 1905, casó con una prima lejana, Anna Eleanor, sobrina del entonces presidente Theodore Roosevelt, líder del viejo Partido Republicano, con el cual Franklin no se sentía identificado. Cinco años más tarde, aceptó la propuesta de los demócratas para presentarse a las elecciones para el Senado por el estado de Nueva York, e invirtió en su campaña su dinero y todo su entusiasmo. Elegido senador a los veintiocho años, poco después fue nombrado secretario adjunto de Marina por el nuevo presidente demócrata Woodrow Wilson.

Una tragedia personal

Durante este período, Roosevelt hizo gala de una encomiable lealtad hacia su presidente, aconse-

El presidente Rooselvelt marcó un período fundamental en la historia de Estados Unidos, al tener que asumir la crisis del 1929, con su doctrina del New Deal.

do una sorprendente entereza y una gran fortaleza moral. «Me he pasado dos años en la cama intentando mover el dedo pulgar de mi pie. Les aseguro que, en mi situación, es la empresa más difícil que pueda imaginarse. Después de esto, todo lo demás me parece sencillo», dijo Roosevelt al intervenir en 1924, en la primera asamblea del partido tras su enfermedad.

La Casa Blanca como meta

Cuatro años más tarde, después de una espectacular campaña, en la que su encanto y su capacidad de persuadir a la opinión pública brillaron por encima de todo, Roosevelt fue elegido gobernador del estado de Nueva York. Su programa de reformas sociales se reveló muy pronto como el más idóneo para paliar los efectos de la crisis y remediar sus causas. Asimismo, supo reunir un eficaz equipo de colaboradores y aparecer ante el pueblo como el único que podía salvar al país del desastre económico en el que estaba inmerso desde 1929. Así fue como la convención demócrata reunida en Chicago, en julio de 1932, lo designó candidato del partido a la Casa Blanca. A pesar de su invalidez, su sueño político estaba a punto de cumplirse.

La campaña electoral demócrata fue modélica y serviría de ejemplo para elecciones posteriores. Empleando toda clase de medios de locomoción, Roosevelt viajó del Atlántico al Pacífico y de la frontera de Canadá a la de México, atrayéndose al electorado con su mensaje esperanzador, su cordialidad y sus ansias de vivir. El mejor aval de sus palabras era él mismo.

Las elecciones, celebradas el 8 de noviembre de 1932, supusieron un rotundo éxito para Roosevelt, quien obtuvo cerca de veintitrés millones de votos contra los quince millones de su rival, el republicano Herbert Hoover.

El *New Deal*

La única cosa que hemos de temer es al temor mismo, ese temor sin nombre ni fundamento que paraliza los esfuerzos necesarios para transformar en avance una retirada», declaró Roosevelt al tomar posesión del cargo e inmediatamente se dispuso a materializar sus proyectos en un país

jándolo en todo momento con gran lucidez y alineándose con sus posiciones en los asuntos más conflictivos. Cuando Wilson decidió retirarse de la política, Franklin fue instigado por sus amigos a presentarse como candidato demócrata a la vicepresidencia. La victoria correspondió a los republicanos, pero Roosevelt supo aprender de la derrota: se dio a conocer entre el pueblo norteamericano y pudo desentrañar los secretos y los riesgos de la mecánica electoral.

Poco después de acabada la campaña, la tragedia se abatió sobre la persona de Franklin Delano Roosevelt. En agosto de 1921 un ataque de poliomielitis lo mantuvo varias semanas entre la vida y la muerte y paralizó por completo sus piernas durante dos largos años. Todo parecía indicar que la carrera política de Franklin había llegado a su fin y que terminaría sus días en una silla de ruedas como un propietario acomodado. Pero no fue así. El que llegaría a ser elegido cuatro veces presidente de los Estados Unidos, apoyado por la recia personalidad de su esposa Eleanor, volvió a la escena política demostran-

El presidente Roosevelt pronunciando un discurso durante la campaña electoral de 1936 en Brooklyn ante más de trescientas mil personas. Al igual que en *las elecciones de 1932, la campaña electoral de 1936 se saldó también con un gran éxito para Roosevelt, con más de diez millones de votos de diferencia.*

que se encontraba en el punto más crítico de su depresión económica.

Su programa de gobierno fue bautizado con el nombre de «New Deal», que literalmente significa «nuevo reparto», en referencia a la necesidad de redistribuir la riqueza de una manera más justa entre todos los ciudadanos. Por primera vez, la política de un presidente estadounidense estaba teñida de un innegable contenido social y hacía hincapié en desarrollar la igualdad de oportunidades bajo la tutela del estado, consagrando un moderado intervencionismo frente al salvaje individualismo liberal y proponiendo dar al pueblo una parte de los beneficios que sólo disfrutaban unos pocos privilegiados. También por primera vez en la historia del país, la administración federal intervino en un vasto programa de obras públicas, apoyó financieramente a los campesinos, estableció códigos de ética empresarial, combatió la especulación, legalizó los sindicatos en las empresas, instauró un primer sistema de seguridad social, acometió un plan de empleo juvenil y abolió la Ley Seca.

Todos los estamentos sociales lo apoyaron sin reservas, excepto los grandes empresarios, los republicanos y los grupos fascistas agrupados en torno al senador Huey Long. Las medidas de Roosevelt, a quien acusaron de izquierdista y de tener pretensiones dictatoriales, les resultaban difíciles de digerir.

Estados Unidos en el exterior

Desde los inicios de su primer mandato, Roosevelt se mostró partidario de terminar con el aislacionismo estadounidense. En la práctica mejoró sus relaciones con Iberoamérica a través de una política de buena vecindad; concedió la plena independencia a Cuba en 1934 y renunció a intervenir en los asuntos internos de Panamá. Asimismo, Roosevelt tomó la inteligente decisión de reconocer diplomáticamente a la Unión Soviética en noviembre de 1933. En su opinión, esta medida debía neutralizar la política rusa de promover la revolución comunista en otros países. Al mismo tiempo, alertó a la opinión pública sobre el peligro que el fascismo y los expansionismos alemán y japonés suponían para la seguridad mundial. Sin embargo, debido a una ley de neutralidad, no intervino en los conflictos que precedieron a la contienda mundial, como la invasión italiana de Abisinia en 1935 y la guerra civil española al año siguiente.

Fue a partir de septiembre de 1939, después que Francia y Gran Bretaña declararan la guerra a Alemania, cuando Roosevelt intervino en el campo internacional, suministrando ayuda a los combatientes contra el totalitarismo y activando la producción del armamento que constituiría el «arsenal de la democracia».

El ataque japonés a Pearl Harbor en diciembre de 1941 fue la chispa que puso en marcha la maquinara bélica estadounidense. Roosevelt organizó una total movilización económica y humana del país y se erigió en líder de los aliados, determinando un cambio en el signo de la lucha. Lamentablemente, el presidente no pudo ver el fin de la guerra ni presenciar la victoria a la que tanto había contribuido. Murió el 12 de abril de 1945, poco más de dos meses después de participar en la Conferencia de Yalta. Las últimas palabras que escribió para un discurso que debía pronunciar días más tarde, pueden servir de epi-

Franklin D. Roosevelt y Winston Churchill a bordo del Prince of Wales, *en una de las reuniones de las que nació la Carta Atlántica.*

tafio a su vida ejemplar: «El único límite a nuestras realizaciones del mañana son nuestras dudas de hoy. Avancemos hacia el futuro con fe positiva y vigorosa.»

1882	30 de enero: **Franklin Delano Roosevelt** nace en Nueva York (EEUU).
1904	Se gradúa en Harvard y estudia derecho en la Universidad de Columbia.
1905	Contrae matrimonio con Anna Eleanor Roosevelt.
1913-1920	Desempeña el cargo de secretario adjunto de Marina.
1920	Roosevelt, candidato derrotado a la vicepresidencia.
1921	En agosto sufre un ataque de poliomilitis.
1928	Es elegido gobernador de Nueva York.
1932	Es elegido presidente de los Estados Unidos.
1933	Reconoce a y establece relaciones con la Unión Soviética.
1936	Es reelegido por primera vez.
1940	Segunda reelección.
1941	Hace intervenir a los EE UU en la Segunda Guerra Mundial.
1945	Participa en la Conferencia de Yalta. Es reelegido presidente para un cuarto mandato. 12 de abril: muere a causa de una hemorragia cerebral, siendo sucedido por el vicepresidente Truman.

Adolf Hitler
(1889-1945)

El antisemitismo de Adolf Hitler, que cobró forma en la ideología nazi y en la fundación del Tercer Reich marcó la historia del siglo XX.

En nuestro siglo, ningún nombre ha sido tan denostado como el suyo, ninguno se emparenta tan perfectamente con la crueldad y el terror. Invocando ese fatídico nombre se asesinó a millones de inocentes en los campos de concentración, se sacrificaron legiones de jóvenes soldados en los campos de batalla, se destruyeron países enteros y se aniquilaron culturas de un plumazo. Las imágenes de espanto y bestialidad producidas por el nazismo han conmovido durante décadas al mundo entero y así seguirá siendo mientras quede un ápice de cordura en la mente de los hombres o una sombra de sentimiento en sus corazones. Pero, ¿quién fue realmente Adolf Hitler? ¿Un loco perverso, un espíritu delirante, un megalómano insaciable o una simple víctima de los acontecimientos?

A mediados de los años setenta, un profesor universitario estadounidense realizó una interesante prueba a sus alumnos. Tras entregarles una copia del testamento del *Führer* sin firma alguna, les pidió que imaginasen al autor. Amparada en el anonimato, la personalidad de Hitler fue calificada de profundamente honesta, sensible e incluso admirable. Esta paradoja quizás explique por qué Hitler llegó a ser un líder querido e indiscutido para muchos que no reconocieron sus horribles actos hasta que fue demasiado tarde, pues no hay duda de que en su complejo carácter no faltaba una innata capacidad para atraer a las masas y un considerable poder de sugestión.

Un niño apaleado

Adolf Hitler nació el 20 de abril de 1889 en Braunau, una pequeña ciudad austríaca situada junto a la frontera con Alemania. Su padre, un funcionario de aduanas llamado Alois, era hijo ilegítimo de la soltera Maria Anna Schickelgruber y había llevado el apellido de su madre durante años antes de tomar prestado de un pariente el más honroso nombre de Hitler. La incertidumbre que rodeaba a la personalidad de su abuelo persiguió e inquietó durante toda su vida a Adolf, sobre todo cuando se desataron ciertos rumores sobre el posible origen judío de su antecesor: paradójicamente, el *Führer* nunca pudo presentar pruebas de que su sangre aria no estuviera contaminada.

Adolf no tuvo una infancia feliz. Su padre fue un hombre de carácter atrabiliario, orgulloso y despótico que educó a aquel «insolente pilluelo» con la máxima rigidez, propinándole con frecuencia brutales palizas auxiliado por una fusta. La madre, Klara Pölzl, era la tercera esposa de Alois y tenía veintitrés años menos que él. Dulce, tierna y permanentemente angustiada, volcó todo su amor en Adolf, el primero de sus hijos que sobrevivió a la niñez. Muy pronto, entre madre e hijo se estableció una íntima relación de complicidad que provocó muchas veces tremendos arrebatos de cólera paternal. Fue la humillante impotencia que Adolf experimentaba frente a la brutalidad de su pro-

Cartel de propaganda nazi en el que puede leerse: «La juventud sirve al Führer». Las ideas de Hitler sedujeron a las masas alemanas, incluyendo a los jóvenes, que eran considerados el futuro del partido.

El haragán soñador

A su padre, que ambicionaba hacer de su hijo un probo funcionario del Estado, estas ideas lo disgustaron enormemente. Los enfrentamientos entre ambos conmovieron los cimientos de la casa familiar, pero el joven no cedió en su empeño e incluso hizo patente su rebeldía desatendiendo sus estudios en la escuela católica de Linz, donde había ingresado en 1900, y propiciando la repetición del primer año. La muerte de su padre en 1903 le permitió entregarse por completo a la pereza y a fantasear sin tasa, su entretenimiento favorito. Poco después, una pulmonía lo obligó a abandonar la escuela por un tiempo, pero él decidió aprovechar la ocasión para dar por finalizada su formación escolar. De este modo, Adolf pasaría dos años dibujando indolentemente y haraganeando a conciencia, retirado por completo en su mundo interior mientras llenaba su cabeza de fantasías que muy pronto empezó a confundir con la realidad.

No obstante, esta ceguera no le impidió percibir en todo su dramatismo los fracasos que estaban a punto de cosechar sus vanas ilusiones. Rechazado por la Academia de Bellas Artes de Viena, a la que se había presentado seguro de su talento arrollador, no quiso aceptar el veredicto y se dedicó a estudiar pintura con ahínco para volver a la carga un año después, pero su solicitud fue denegada por segunda vez. Abatido por este nuevo revés y profundamente afectado por la muerte de su madre en 1907, Adolf reanudó su vida mortecina y ociosa. Sólo las representaciones de las obras wagnerianas, a las que asistía impresionado y conmovido, pudieron sacarlo de su sopor y ofrecerle nuevas perspectivas para sus delirios, favoreciendo su inclinación hacia el heroísmo y la grandeza a través de las brillantes imágenes de la mitología germánica.

Ardor guerrero

Debido a que las autoridades militares austríacas lo buscaban por negarse a cumplir el servicio militar, Hitler pasó tres años prácticamente escondido en Viena. Despreciaba al ejército de su país, al que consideraba débil e irrelevante en el concierto europeo, y admiraba el poderío ale-

genitor lo que hizo crecer en su corazón un odio sanguinario y un poderoso deseo de venganza.

En la escuela, el muchacho mostró una sorprendente facilidad para superar todas las asignaturas con las mejores calificaciones, lo que favoreció una tendencia innata hacia la pereza y la arrogancia. A consecuencia de los frecuentes traslados de domicilio, pasó por diversos colegios y no tuvo oportunidad de consolidar amistades; introvertido y solitario, gustaba de ensimismarse en gloriosos sueños sobre una futura carrera de pintor, pues el dibujo era su materia preferida. A los once años, Adolf había ya decidido y planeado en secreto cómo iba a desarrollarse su destino de artista.

Arriba, Mussolini en una reunión con Hitler en 1938, en la ciudad alemana de Munich, donde se firmaron unos acuerdos en los que Italia se comprometió a crear un consejo superior para el estudio de la población y la raza, y aprobar medidas discriminatorias contra los judíos.

mán, por lo que en 1913 se trasladó a Munich y desde allí escribió a la comisión militar que lo perseguía una llorosa carta en la que aseguraba humildemente llevar una miserable existencia y estar obligado a ganarse penosamente el pan, aunque en realidad vivía confortablemente de su pensión de huérfano y con los ingresos obtenidos por la venta de algunos de sus dibujos. La comisión se dejó impresionar pero lo obligó a pasar un examen médico para guardar las apariencias, al que el joven se presentó en un estado tan lamentable que fue declarado inútil. Un año más tarde, Hitler se incorporaba como voluntario al ejército alemán para defender a su patria adoptiva en la Primera Guerra Mundial. Adolf Hitler fue un excelente soldado, pues no temía el peligro y se encontraba a sus anchas rodeado de hombres rudos. Durante los cuatro años que duró la contienda, actuó con frecuencia allí donde las batallas eran más duras y sangrientas, se le encomendó la difícil tarea de llevar personalmente los mensajes, recibió diversas condecoraciones y se ganó el respeto de sus compañeros. De aquella camaradería hizo, precisamente, uno de sus ideales sagrados; más tarde, cuando organice las Juventudes Hitlerianas, el compañerismo será la primera ley y el primer deber para los muchachos. Destacado en Francia con su regimiento, Hitler fue herido dos veces. La primera en octubre de 1916, cuando una bala enemiga le atravesó la pierna y lo mantuvo alejado de los frentes todo el invierno. La segunda, en octubre de 1918, cuando sufrió una grave intoxicación por gases que lo dejó ciego durante varios meses.

La ronca voz de la nación

El fin de la contienda, humillante para los alemanes, lo sumió en la decepción. No sólo se desvanecían sus sueños nacionalistas de una Alemania poderosa, sino que también vio concluida su vida aventurera como soldado.

Mediante la evocación del pasado glorioso alemán, la propaganda nazi (arriba, cartel en el que se puede leer: «Hoy como ayer seamos camaradas») introdujo el clima bélico que caracterizaría al régimen de Hitler.

del racismo y del expansionismo pangermánico, Hitler encontró el camino para plasmar sus hasta entonces difusas ideas. En poco tiempo fue capaz de convertirse en el líder absoluto del partido, al que rebautizó con el nombre de Partido Obrero Nacionalsocialista Alemán (*Nationalsozialistische Deutsche Arbeiterpartei*, NSDAP) o partido nazi, implantó el culto a la personalidad del jefe, se dio a sí mismo el título de *Führer* e instituyó el uso de dos símbolos tristemente célebres: la bandera con la cruz gamada y el saludo, (*Heil!*), con el brazo derecho en alto.

Bien pronto cada alemán conoció la voz exaltada y bronca de Adolf Hitler, entregado a una actividad febril que lo llevó a recorrer el país para reunir tras de sí a un mayor número de seguidores. Y puesto que sus arengas conmovían incuestionablemente a las masas, pensó que había llegado el momento de tomar el poder por la fuerza; el 8 de noviembre de 1923 los nazis intentaron derrocar al gobierno, pero fracasaron ante la oposición del ejército y Hitler fue condenado a cinco años de prisión en la fortaleza de Landsberg.

El germen de la dictadura

El *Führer* no se dejó vencer por este revés y continuó creyendo en su misión política con la misma testarudez que había manifestado en su adolescencia. Aprovechando su estancia en Landsberg dictó a Rudolf Hess, uno de sus más fieles colaboradores, la primera parte del libro *Mein Kampf* (Mi lucha), obra autobiográfica impregnada de antisemitismo donde desarrollaba su visión de la Alemania ideal y trataba de vulgarizar sus bien conocidas tesis en torno al pangermanismo, el espacio vital, la selección racial y el exterminio sistemático de las razas consideradas inferiores. Todo lo que el dictador puso en práctica diez años más tarde se encontraba perfectamente expuesto en este libro, pero a pesar de ello nadie se sintió tan amenazado como para intentar detener, antes de que fuera demasiado tarde, al peligroso fanático que se anunciaba en sus páginas.

Así pues, no sorprende que, en diciembre de 1924, Hitler recobrase la libertad y poco después procediese a la «segunda fundación» del partido nazi, introduciendo en su programa el

Desorientado, permaneció en el cuartel de Munich en espera de una oportunidad. Ésta se presentó cuando los militares le ofrecieron trabajar para ellos como espía y propagandista. Su misión, consistente en velar por los sentimientos patrióticos de la nación introduciéndose en los círculos políticos, lo puso en contacto con el Partido Obrero Alemán (*Deutsche Arbeiterpartei*, DAP), a cuyos dirigentes conmovió con su brillante oratoria. El 19 de octubre de 1919, Hitler se adhería al partido y comenzaba su carrera política.

El DAP era un pequeño partido ultraderechista, antisemita y radical. En su abierta oposición al tratado de Versalles y en su exaltada defensa

Arriba, Benito Mussolini y Adolf Hitler analizan un mapa militar junto a sus respectivos estados mayores en el castillo de Klessheim, Salzburgo, en 1943.

Göring (a la izquierda de Hitler) esperaba que en este encuentro Mussolini convenciera al líder alemán del interés de plantear una paz negociada a los aliados.

principio de la dictadura de la raza aria pero asegurando estar dispuesto a conquistar el poder exclusivamente por la vía legal. Había aprendido la lección y estaba seguro de que un golpe de estado no podía culminar con éxito. Por lo tanto, decidió emplear una discreta táctica política consistente en simular seriedad ante la opinión pública y al tiempo preparar a su partido para el asalto definitivo a las urnas, una vez que la sociedad alemana estuviese bajo su poder. En estos años, Adolf Hitler es el líder infatigable que parece realmente estar en varios sitios a la vez, un día en Berlín y esa misma tarde en Munich, dejando oír por doquier sus arengas de visionario aparentemente paciente e invadiendo con su imagen toda ciudad de Alemania.

El *Führer* no parece ser un hombre de carne y hueso; se le desconoce toda relación privada, nada se sabe de sus diversiones, sus amistades o sus debilidades íntimas; tan sólo sus colaboradores —Hess, Goebbels, Göring y otros que más tarde ocuparán los cargos importantes del *Reich*— tienen acceso a su persona y lo acompañan como sombras.

Locura y megalomanía

La trágica historia protagonizada por Hitler es bien conocida. La crisis mundial de 1929, con sus efectos de ruina de la clase media, paro masivo y temor a la revolución comunista, decidió la suerte política del nazismo e hizo posible el auge imparable del NSDAP. Aunque en las elecciones de marzo de 1932 fue derrotado por Hindenburg, Hitler consiguió trece millones de votos y meses después fue nombrado canciller. La implantación de un régimen de terror en toda Alemania, la disolución de los partidos políticos y las organizaciones obreras, las purgas masivas de los sectores contestatarios, los campos de concentración y, por último, la más terrorífica guerra que el mundo ha conocido, fueron las consecuencias directas de su megalomanía y su locura. Pero curiosamente, una vez que ha logrado su objetivo, Hitler regresa en cierto modo a su juventud y renueva algunas actitudes características de sus primeros años. El muchacho perezoso, soñador y caprichoso sale de nuevo a flote mientras el

Führer pasea por las espléndidas montañas de Baviera, donde dispone de varias residencias. Los asuntos de Estado le desagradan y con frecuencia los deja en manos de sus ministros, para luego premiar a éstos con medallas o degradarlos de modo infame si los resultados no convienen a sus veleidades del momento. En su despacho se amontona el trabajo y las decisiones más urgentes quedan aplazadas mientras él es paseado en triunfo por las calles, se reúne con los arquitectos para dar instrucciones precisas sobre las construcciones monumentales que se erigen en su honor y organiza pequeñas veladas mostrándose un anfitrión amable, galante con las damas, simpático e incluso indulgente.

Su principal afición es tomar el té con su gran amor, Eva Braun, a la que había conocido en Berchtesgaden en 1929, cuando ella contaba diecisiete años. Se trata de una joven rubia y sonrosada, de aspecto fresco y sano, tal como le gustan a Hitler y como conviene a su ideal ario. Su carácter alegre y despierto hizo que esta mujer se convirtiese en compañera inseparable del *Führer*, aunque nunca llegaría a ser oficialmente la primera dama de Alemania porque el mito del dictador solitario, abnegado y absorbido en cuerpo y alma por su pueblo no admitía una esposa. Tan sólo al final de la guerra, cuando fuera de los refugios subterráneos de la Cancillería del Reich en Berlín tenía lugar la hecatombe, Adolf Hitler contrajo matrimonio con Eva Braun. Era el 29 de abril de 1945, el mismo día en que redactó su testamento. Veinticuatro horas más tarde, Hitler y su mujer estaban muertos: él la envenenó con una cápsula de cianuro y luego se disparó un tiro en la boca. Física y psíquicamente destrozado, el *Führer* no quiso asistir al catastrófico fin de su obra y mucho menos caer en manos de sus enemigos: se sustrajo con ello, como siempre, a toda responsabilidad.

1889	20 de abril: **Adolf Hitler** nace en Braunau (Austria).
1907	Es rechazado por la Academia de Bellas Artes de Viena.
1913	Se traslada a Munich.
1914-1918	Participa como voluntario en la Primera Guerra Mundial integrado en el ejército alemán.
1919	Se inscribe en el Partido Obrero Alemán (DAP) y se hace cargo de la propaganda.
1921	El DAP se convierte en Partido Obrero Nacionalsocialista Alemán (NSDAP) con Hitler al frente.
1923	En noviembre intenta tomar el poder mediante un golpe de estado.
1924	Es encarcelado en la fortaleza de Landsberg. Dicta el libro *Mein Kampf (Mi lucha)*.
1929	Crisis mundial. El NSDAP comienza su ascenso definitivo.
1933	Hitler es nombrado canciller.
1939	Inicio de la Segunda Guerra Mundial con la declaración de guerra de Francia e Inglaterra después de los ataques alemanes a Polonia.
1941	Fracaso de la campaña de Rusia.
1944	En junio resulta herido leve tras un atentado.
1945	29 de abril: casa con Eva Braun y redacta su testamento. Al día siguiente, ambos se suicidan en la Cancillería del Reich. 7 de mayo: se produce la capitulación de Alemania.

Mao Tse-tung
(1893-1976)

Mao Tse-tung, líder influente y carismático, fue el guía espiritual de la Revolución China y uno de los padres de la República Popular.

Poeta, erudito, político revolucionario, estratega militar, fundador del Partido Comunista Chino, presidente de la República Popular China y promotor de la Revolución Cultural, este hombre longevo y saludable, tres veces esposo y progenitor de una nutrida prole, Mao Tse-tung, fue uno de los líderes más carismáticos e influyentes de nuestro siglo, no sólo en su país sino también en los partidos radicales en todo el mundo. Nació en el seno de una familia relativamente pudiente, hijo de un propietario rural, en 1893, cuando China era un vasto territorio administrado por un opresivo régimen feudal y con una fuerte dependencia imperialista en política exterior. Antifeudalismo y antiimperialismo fueron las primeras consignas de las que partió para transformar su país en una potencia moderna inspirada en los principios del socialismo; más tarde iría elaborando un pensamiento notablemente más sofisticado, siempre paralelo a una práctica revolucionaria que hubo de soslayar toda suerte de circunstancias adversas y afrontar asombrosos desafíos y siempre también conciliando las más antiguas raíces culturales chinas, el confucianismo, con las nuevas ideologías que traían los «vientos del Oeste».

La forja de un rebelde

La revolución china de 1911 no había transformado el país tanto como se esperaba, pero tuvo la virtud de abolir el imperio y así mismo de introducir ideas occidentales en la enseñanza tradicional. De este nuevo eclecticismo se benefició Mao durante sus estudios en la escuela normal de magisterio en la ciudad de Changsha, donde se graduó en 1918. Más tarde se trasladó a la capital, Pekín, para ejercer de bibliotecario auxiliar en la universidad, y allí entró en contacto con activistas políticos tales como Li Tachao y Shen Tu-hsiu. Juntos crearon un grupo germinal para el estudio del marxismo que los llevaría a participar algunos años después en la primera conferencia del Partido Comunista Chino, que tuvo lugar en julio de 1921 en Shanghai y en la que Mao actúa ya en calidad de delegado. En 1923, durante el tercer congreso, sería nombrado miembro del comité central. El año anterior, el Partido Comunista había entrado a formar parte del Kuomintang de Sun Yat-sen —quien, en calidad de presidente provisional, había proclamado en enero de 1912 en Nankín el gobierno provisional de la República China— con objeto de formar un amplio Frente Unido Democrático que se convirtió, en 1923, en Frente Unido Revolucionario. Esta frágil alianza quedó rota cuando Chang Kai-shek, representando a los terratenientes y a la burguesía dependiente de las potencias extranjeras, aplastó a los obreros y estudiantes en Shanghai y encabezó un gobierno nacional en Nankín que se autoproclamó anticomunista. En 1930, el Kuomintang, partido de los aliados de ayer y a

Mao Tse-tung comprendió que la Revolución China, a diferencia de la Rusa, no debía asentarse en el proletariado industrial, sino en el campesinado. Para llevar a cabo su estrategia se instaló en

Kiangsi, pero el empuje del ejército nacionalista lo obligó a iniciar su épica Larga Marcha, en la que participaron casi cien mil campesinos. A la derecha, manifestación de jóvenes por la ciudad.

la sazón el más implacable de los enemigos del socialismo, se hizo responsable de la ejecución de la primera esposa de Mao, Yang Kai-hui, hija de un antiguo profesor de Ética del líder político, con la que, sin embargo, no vivía desde 1928, año en que entabló relaciones con la que, ahora, se convertiría en su segunda esposa, Ho Tzu-chen. El tercero de los matrimonios de Mao, contraído en 1939 tras el divorcio de su anterior esposa, sería el más sonado, pues su nueva compañera era una conocida y popular actriz, mucho más joven que él, y que se hacía llamar Chiang Ching, pese a que su verdadero nombre era Lang Ping.

La Larga Marcha

Durante los años veinte, Mao se había revelado como un brillante estratega al postular la rebelión en las zonas rurales —para, progresivamente, ir cercando las ciudades— en contra de las tesis preconizadas en el comité central de su partido por Li Li-san.

Así, tras los reveses sufridos en la guerra contra Chang Kai-shek, organizó la Larga Marcha del Ejército Rojo en octubre de 1934. El 16 de octubre de este año unas ochenta mil personas iniciaron en Riuchin la audaz campaña, y aunque hubieron de librar duros combates en

Kiangsi, Fukien y Kuangtung, treinta y cinco mil hombres alcanzaron la ciudad de Tsun-yi en enero de 1935. En octubre, los partidarios de Mao, que encabezaba ya el comité central del Partido Comunista, tomaban Shansi.

Habida cuenta de la guerra que se libraba en el exterior contra los japoneses, en 1937 el Kuomintang de Chang Kai-shek hubo de firmar una tregua con los comunistas para organizar la Guerra Popular de Resistencia, pacto que duró hasta el final de la Segunda Guerra Mundial y la definitiva derrota japonesa, en 1945, pero que inmediatamente después demostró su inviabilidad, desatando la guerra civil al año siguiente.

La República Popular China

Derrotados Chang Kai-shek y su partido, los comunistas se instalaron en Pekín. Mao proclamó en 1949 la República Popular China y fue nombrado presidente del consejo de gobierno por la Asamblea Nacional del Pueblo Chino, pero el título de presidente no lo ostentaría hasta el 30 de diciembre de 1954, como consecuencia de la promulgación de la nueva constitución. Para entonces ya había firmado la decisiva alianza con la URSS en 1950 y se había convertido en el máximo inspirador de la política de su país.

Por otra parte, la reforma agraria que tuvo lugar entre 1950 y 1952 en China fue consecuencia de un verdadero combate, aldea por aldea, de los campesinos pobres contra los antiguos privilegios de los señores feudales, y se adelantó a la campaña de 1955 para el desarrollo de la cooperación agrícola. Esta acción política programada desde el estado socialista provocó, no obstante, una escisión en el Partido Comunista, y aunque la línea predominante fue la de Mao —articulada en su libro *Sobre el desarrollo de la cooperación agrícola*— terminaría por provocar intensas contradicciones que llevarían a una aguda crisis de la revolución china en los años inmediatos.

Saliendo al paso de ella, Mao hizo público su discurso *Sobre la justa resolución de las contradicciones en el seno del pueblo* en 1957, en el que propone la dialéctica entre unidad y crítica, para regresar después a la unidad, como alternativa para mantener la necesaria cohesión frente a los enemigos del socialismo. Pese a todo, al año siguiente, a causa de las dificultades de llevar a cabo su proyecto político, bautizado con el nombre de «gran salto hacia adelante», y del enfriamiento de las relaciones con la URSS, hubo de abandonar la presidencia de la República aunque retuvo el máximo poder en el seno del partido como secretario general.

Desde ese privilegiado puesto de mando, Mao se concentró en el control del ejército, destituyó al ministro de defensa Peng Ten-huai y lo sustituyó por su fiel Lin Piao, ganando de ese modo a las fuerzas militares como eficaces sostenedoras de su línea política.

La Revolución Cultural

Durante los años sesenta Mao destacó dentro de la política mundial como uno de los más originales líderes en el área socialista, especialmente a partir de la teorización en 1963 del «movimiento de educación socialista», que fijaría las bases de la Revolución Cultural Proletaria. Este viejo comunista había entrevisto por aquellos años el riesgo real de restauración del capitalismo, inherente a la desmovilización ideológica de las masas, por lo que se impuso la tarea del rearme cultural mediante espectaculares medidas que incluyeron su rup-

Manifestación de jóvenes pertenecientes a izquierda de Roma, algunos con el célebre libro rojo en la mano, y pancartas con la imagen de Mao, en la convulsionada Italia de 1969.

tura, en septiembre de 1965, con el gobierno de Pekín y su paso, con la fracción disidente, a Shanghai, desde donde dirigió personalmente la primera fase de su plan. Dicha estrategia triunfó en agosto de 1966, fecha en que se hicieron públicos los dieciséis puntos de la «gran revolución proletaria» que habían sido impuestos de hecho gracias a la lealtad de los guardias rojos y al apoyo de las masas trabajadoras descontentas.

Los objetivos principales que se pretendía cubrir con este proceso eran, en primer lugar, la persecución y derrota de todos aquellos que, detentando el poder, seguían la vía capitalista; en segundo lugar, la destitución de las autoridades académicas burguesas y la abolición de su ideología; y, por último, la transformación de aspectos de la superestructura —lugar donde se sitúa la ideología en la teoría marxista— que habían quedado desfasados después de la implantación de la economía socialista. Aquel mismo año de 1966 se hizo público el célebre *Libro rojo*, recopilación de citas de Mao que sintetizan lo fundamental de su pensamiento y que se extendió entre las masas chinas con el propósito de que sirviera de instrumento para que asumieran el protagonismo de su propia revolución. El libro, traducido a numerosos idiomas, corrió de mano en mano por todo el mundo y se convirtió en un auténtico *best-seller* político de la década siguiente.

Después del noveno congreso del Partido Comunista, celebrado en abril de 1969, el pensamiento maoísta se consolidó como eje de la Revolución China, pero veinte años después, las disidencias internas, sacadas a la luz por la descomposición generalizada de los regímenes imperantes en los países del llamado «socialismo real», y especialmente representadas por los jóvenes estudiantes y la población descontenta de las grandes concentraciones urbanas, fueron violentamente reprimidas en la plaza de Tiananmen. Para entonces, el último de los supervivientes que fundaron el Partido Comunista, Mao Tse-tung, había fallecido en 1976.

Pese al imprevisible desmoronamiento de su gran obra, aún hoy el mundo recuerda con fascinación la asombrosa energía de que hizo gala el maestro chino durante su larguísima existencia. Siendo joven, cuando caía la helada lluvia traída por el vien-

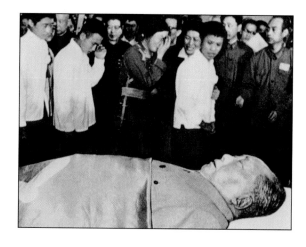

La muerte de Mao Tse-tung parecía destinada a provocar grandes cambios en el sistema político del país más poblado del mundo. Sin embargo, pocas cosas cambiaron.

to de Mongolia, Mao se desnudaba para recibirla con objeto de, según sus propias palabras, «domar el esqueleto». Con el mismo rigor espartano y abnegado mantuvo un pulso con la Historia.

1893	**Mao Tse-tung** nace en Shaoshan, una aldea de la provincia de Hunan (China).
1918	Se gradúa en la escuela provincial de Changsha.
1921	Participa como delegado en el primer congreso nacional del Partido Comunista, celebrado en Shanghai a partir del 1 de julio.
1930	Pierde a su primera esposa, Yang Kai-hui, con la que tuvo dos hijos, al ser ejecutada por el Kuomintang. Contrae matrimonio con Ho Tzu-chen, que le dio cinco hijos.
1934	16 de octubre: se inicia la Larga Marcha.
1935	Mao es elegido máximo dirigente del comité central del Partido Comunista, tras la liberación en enero de la ciudad de Tsun-yi.
1937	Escribe *Acerca de la práctica* y *Acerca de la contradicción*.
1939	Tras su divorcio, se casa con la popular actriz Chiang Ching.
1949	1 de octubre: se instaura el nuevo régimen socialista.
1958	Abandona la presidencia de la República, pero no la del partido.
1963	Mao promueve la Revolución Cultural China.
1966	Se publica el *Libro rojo*.
1976	Muere Mao Tse-tung.

Alfred Hitchcock
(1899-1980)

Alfred Hitchcok conocía a la perfección los mecanismos psicológicos del público y los utilizaba para mantenerlo en vilo ante un suceso inminente y fatal.

El maravilloso secreto que hizo de Hitchcock el *Tusitala* del cine — *Tusitala*, contador de cuentos, era el nombre con que bautizaron a Stevenson los indígenas de los Mares del Sur— se llamaba *Mac Guffin*. Lo descubrió accidentalmente en un tren. Otro viajero portaba un extraño equipaje. Por curiosidad, Hitchcock preguntó: «¿Qué es ese paquete que ha colocado en la red?» A lo que el otro contestó: «Oh, es un *Mac Guffin*». Naturalmente, aquello requería una explicación. «¿Qué es un *Mac Guffin*?» La respuesta fue contundente: «Pues un aparato para atrapar a los leones en las montañas de Adirondaks». *Hitch* cayó en la cuenta enseguida de que no había leones en las Adirondaks, pero, entonces, ¿qué había en el paquete?

El suspense

Probablemente el mejor libro de cine jamás escrito lo compusieron al alimón François Truffaut y Alfred Hitchcock, el primero preguntando sagazmente al maestro del suspense por los pormenores de su larga carrera y el segundo legando a la posteridad con sus respuestas no sólo las claves de su propio trabajo sino una impagable lección, rebosante de gracia y de sentido común, de cómo hacer interesante una historia, ese arte para el cual quizás nadie como él estuvo mejor dotado en la ya casi centenaria existencia del cine. Aunque Alfred Hitchcock no inventó el suspense, nadie supo manejarlo con mayor habilidad. Para explicarlo puso un ejemplo, muy clarificador, que aparece en el libro citado: «Nosotros estamos hablando, acaso hay una bomba debajo de la mesa y nuestra conversación es muy anodina, no sucede nada especial y de repente: bum, explosión. El público queda sorprendido, pero antes de estarlo se le ha mostrado una escena anodina, desprovista de interés. Examinemos ahora el suspense. La bomba está debajo de la mesa y el público lo sabe, probablemente porque ha visto que un anarquista la ponía. El público sabe que la bomba estallará a la una y es la una menos cuarto (hay un reloj en el decorado); la misma conversación anodina se vuelve de repente muy interesante porque el público participa de la escena. Tiene ganas de decir a los personajes que están en la pantalla: 'No deberías contar cosas tan banales; hay una bomba debajo de la mesa y pronto va a estallar'. En el primer caso se le ha ofrecido al público quince segundos de sorpresa en el momento de la explosión. En el segundo caso le hemos ofrecido quince minutos de suspense.»

El miedoso

El hombre que sabía en cada película cómo meterse al público en el bolsillo, aquel para quien el cine era un montón de salas vacías que llenar, ese gordinflón flemático y lúcido cuya

Fotograma del filme Marnie la ladrona, *dirigido por Alfred Hitchcock en 1964 y protagonizado por Tippi Hedren. Hitchcock demuestra aquí una vez más su interés por los personajes femeninos y su habilidad para asomarse a los entresijos de la conducta humana.*

tro o cinco años su padre lo mandó a la comisaría de policía con una carta. El comisario la leyó y lo encerró en una celda durante algunos minutos diciéndole: «Esto es lo que se hace con los niños malos.»

Nunca comprendió la razón de esta broma siniestra, porque su padre lo llamó su «ovejita sin mancha» y vivió una infancia disciplinada, aunque algo excéntrica y solitaria, escudriñando siempre desde su rincón, con los ojos muy abiertos, todo lo que pasaba a su alrededor. Fue educado con severidad por los jesuitas en el Saint Ignatius College de Londres, donde se imponían castigos corporales con una palmeta de goma muy dura. Su administración, no obstante, no era inmediata, sino que el condenado debía esperar todo el día, después de escuchar la sentencia, para pasarse al final de la jornada por el despacho del cura. Esta práctica acentuó el miedo del pequeño Alfred a todo lo prohibido y le descubrió los condimentos más emocionantes del suspense, esa turbia confusión sadomasoquista que florece ante lo inminente y fatal.

No fue un alumno muy brillante, aunque destacaba en Geografía. Comenzó los estudios de ingeniero en la School of Engineering and Navigation y al mismo tiempo siguió cursos de dibujo en la sección de Bellas Artes de la Universidad de Londres. Desde los dieciséis años leía con avidez revistas de cine y no se perdía las películas de Chaplin, Buster Keaton, Douglas Fairbanks y Mary Pickford. Pudo admirar, cuando aquellos films constituían una auténtica revelación de las ilimitadas posibilidades del cine, *El nacimiento de una nación* (1915) e *Intolerancia* (1916), apabullante éxito y estrepitoso fracaso respectivamente del gran Griffith. Años después le impresionó vivamente un film de Fritz Lang, *Der müde Tod* (*Las tres luces*, 1921), historia fantástica que desarrolla el tema romántico de la lucha entre el amor y la muerte mediante tres episodios que suceden en China, Bagdad y Venecia, y que decidió así mismo la vocación cinematográfica del español Luis Buñuel.

En 1920 comienza a trabajar en Inglaterra como dibujante de títulos para el cine mudo y ya en 1922 trabaja como director en *Always tell your wife* y deja inacabada la película *Number thirteen*. Pasa ese mismo año a ser adaptador,

silueta caricaturesca ha dado la vuelta al mundo, ese demiurgo de la emoción que jugaba frívolamente con el terror de los espectadores, se confesaba muy miedoso. Nació un 13 de agosto de 1899 en el neblinoso Londres de Sherlock Holmes, Jack el Destripador y Scotland Yard. Era hijo de un comerciante de aves al por mayor y numerosas fueron también las aves que acosaron siniestramente a los personajes Mitch Brenner (Rod Taylor) y Melanie Daniels (Tippi Hedren) en un film estremecedor titulado *Los pájaros*. Cuando tenía cua-

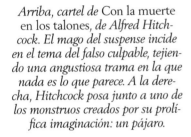

Arriba, cartel de Con la muerte
en los talones, *de Alfred Hitchcock. El mago del suspense incide
en el tema del falso culpable, tejien-
do una angustiosa trama en la que
nada es lo que parece. A la derecha, Hitchcock posa junto a uno de
los monstruos creados por su prolífica imaginación: un pájaro.*

dialoguista, decorador y ayudante de dirección
en *De mujer a mujer* (*Woman to woman*), dirigida por Graham Cutts, y durante el rodaje conoce a la que será su futura esposa, madre de
sus hijos y fiel compañera de toda la vida, la
entonces *script* y montadora Alma Reville. En
1925 dirige en Munich para el inteligente y fecundo productor Michael Balcon *The pleasu-
re garden* y *The mountain eagle*, pero no obtiene el éxito definitivo hasta 1926 con *The lodger*,
primera película en la que él mismo aparece
fugazmente, lo que se convertirá luego en un
guiño y una costumbre siempre esperada por
el público.

Falso culpable

Esta película, estrenada en el ámbito hispanoparlante como *El inquilino, El vengador* o
El enemigo de las rubias, preanuncia los méritos más sobresalientes de Hitchcock. Él mismo
manifestó repetidamente que las películas mu-
das eran la forma más pura de cine y que éste
fue su primer film personal. Está narrado des-

de el punto de vista de una mujer que alquila
una habitación amueblada a un misterioso personaje, de quien sospecha que sea el sórdido
«Vengador», una suerte de Jack el Destripador
a quien se le imputan horrorosos crímenes
siempre perpetrados contra jóvenes rubias. En
este clima amenazante, numerosos indicios falsos acusan al inquilino, y la trama, progresivamente más dramática, alcanza su clímax en un
intento de linchamiento del inocente. El tema es, pues, el de casi todos sus films: el hombre acusado injustamente de un crimen que no
ha cometido, lo que produce una mayor sensación de peligro en los espectadores que si éste fuera culpable y permite una emocionante
identificación con el protagonista. Es el caso de
Inocencia y juventud (1937), *Sospecha* (1941),
Falso culpable (1957), *Frenesí* (1972), etc., aunque en *La sombra de una duda* (1953), Charlie
Oakley (Joseph Cotten), el encantador tío de
la candorosa Charlie Newton (Teresa Wright),
es efectivamente un despiadado asesino de viu-
das ricas, lo cual atestigua que no hay que fiar-
se nunca tratándose del malicioso Alfred
Hitchcock.

El hombre que sabía demasiado

En 1929 dirigió su primera película sonora, *Blackmail* (*La muchacha de Londres*), donde incluyó una célebre persecución trucada por el Museo Británico; en *Murder*, película de 1930 con guión de su esposa, utiliza por primera vez, simultáneamente a *L'age d'or* de Buñuel, la voz en *off* como monólogo interior de un personaje. Una muchacha es hallada culpable de haber asesinado a una de sus amigas, pero uno de los miembros del jurado, sir John (Herbert Marsall), cree en su inocencia.

Se trata de una típica película con enigma, lo que los ingleses llaman un *whodunit* (¿quién lo hizo?), fríos rompecabezas a lo Agatha Christie basados siempre en quién es el asesino, que a Hitchcock nunca le interesaron porque pensaba que carecían de emoción. Al respecto el cineasta comentaba una anécdota: «Cuando empezó la televisión había dos cadenas rivales que competían entre sí. La primera cadena anunció una emisión *whodunit*. Y justo antes de esta emisión, un locutor de la cadena rival anunció: 'Podemos decirles ya que en el *whodunit* que emitirá la cadena rival el culpable es el criado'.»

Su última película en Inglaterra, aunque luego regresaría para rodar alguna más, fue *Posada Jamaica* (1939). Finalizada ésta firmó un contrato por siete años, tras arduas negociaciones, con el encumbrado productor norteamericano David O'Selznick, que ese mismo año batía todos los récords de taquilla con un film mítico al que había entregado todas sus energías durante mucho tiempo: *Lo que el viento se llevó*. Pese a que había sido llamado para rodar una historia sobre el siniestro del *Titanic*, la primera realización norteamericana de Hitchcock, —que por aquella época, cosa rara en un director, era ya garantía de diversión entre el público como podría serlo una de las grandes estrellas del firmamento de Hollywood— fue *Rebeca* (1940), una historia morbosa acaecida en la vieja mansión de Manderley, en la que la amenazada señora de Winter (Joan Fontaine), que había ocupado el lugar de la primera esposa de lord Winter (Laurence Olivier), llamada Rebeca y muerta en circunstancias oscuras, vestía una característica chaqueta de punto que desde entonces se denominó *rebeca*.

Su actitud beligerante frente a las atrocidades nazis que estaban poniendo en peligro la seguridad de su patria británica es notoria en films como *Enviado especial* (1940) o *Náufragos* (1943), película esta última que constituye todo un reto, porque se desenvuelve íntegramente en un ámbito claustrofóbico y en un espacio rigurosamente acotado que recrea una suerte de microcosmos de la guerra: un bote salvavidas donde ocho personajes, uno de ellos el capitán del submarino alemán agresor, luchan angustiosamente para sobrevivir al naufragio. ¿Cómo se las ingeniaría Hitchcock para llevar a cabo su habitual aparición fugaz en la pantalla dadas estas condiciones tan especiales? Pues muy sencillo, su popular estampa es fácilmente identificable en una fotografía de un periódico que, por un milagroso azar, se cuenta entre los escasos objetos rescatados de la catástrofe.

Con la muerte en los talones

Liberado del acuerdo que lo ligaba a O'Selznick, fundó su propia productora con Sidney Bernstein, opulento distribuidor cinematográfico en Inglaterra, e inmediatamente intentó con precocidad anticipatoria lo que luego sería el estilo clásico de rodaje en televisión, y que se llamó el T.M.T. (*Ten Minutes Take*). Consiste en agotar los trescientos metros de la bobina de una cámara —unos diez minutos de duración— en una sola toma, lo que exige un rodaje férreamente programado y un estilo caracterizado por el plano secuencia.

Esta innovación técnica había sido prevista para abaratar costes y obtener el máximo rendimiento industrial, pero con este método produjo una singularísima, aunque muy discutida, obra maestra, *La soga* (1948), que está narrada en tiempo real y supuestamente —porque la verdad es que tiene que recurrir a trucos para cambiar las bobinas— rodada en un solo plano-secuencia de ochenta minutos.

Durante los años cincuenta Hitchcock realizó algunas de sus películas más célebres: *Extraños en un tren* (1951), sobre una novela de Patricia Highsmith y guión de Raymond Chandler, donde se lleva a cabo un pacto siniestro para intercambiar dos asesinatos y que los crímenes resulten impunes; *Yo confieso* (1952), que describe el

Con Psicosis Hitchcock logró un clásico del suspense; el apuñalamiento de Janet Leigh en la ducha es una de las secuencias más perfectas de la historia del cine. Arriba, la mítica mansión de Alan Bates (Anthony Perkins), el protagonista, y su inquietante silueta.

drama de conciencia del padre Michel Logan, espléndidamente interpretado por Montgomery Clift; *La ventana indiscreta* (1954), impagable reflexión sobre el lugar del espectador cinematográfico; *Atrapa a un ladrón* (1955), último filme con su actriz preferida, Grace Kelly, que después de interpretar a Frances Stevens conduciendo endiabladamente por unas sinuosas carreteras de la Costa Azul lo abandonó para casarse con el príncipe de Mónaco y más tarde encontrar la muerte en un accidente de tráfico en ese mismo lugar; *Pero ¿quién mató a Harry?* (1956), extrañísima comedia con cadáver donde se dio a conocer Shirley McLaine y que resulta desconcertante por absurdamente lógica; y, en fin, *Falso culpable*, *Vértigo*, *Con la muerte en los talones*..., todas historias que mantienen una inusual frescura pasados los años y que siguen avalándolo como el mago indiscutido del suspense.

Trabajó como productor de televisión en los programas *Alfred Hitchcock presenta* y *La hora de Alfred Hitchcock*, algunos de los cuales dirigió, pero que presentó invariablemente entre 1955 y 1965, salvo en una ocasión en la que, por enfermedad, fue sustituido por James Stewart.
En los años sesenta realizó dos films terroríficos, *Psicosis* (1960), donde se cuentan los locos crímenes de Norman Bates (Anthony Perkins) que han seguido proliferando en segundas y terceras partes, y el arriba mencionado *Los pájaros* (1963), sobre una novela de Daphne Du Maurier. Su última película fue *La trama* (1976), aunque la muerte lo sorprendió el 29 de abril de 1980 preparando ansiosamente, con su rigor y meticulosidad habituales, un nuevo guión de hierro para su película número cincuenta y cuatro, sobre la novela de Ronald Kirkbride titulada *The Short Night*.

Sin embargo, pese al homenaje brindado el 7 de marzo de 1979 por el American Film Institute en Beverly Hills y a ser nombrado «sir» en 1980 por la reina Isabel II de Inglaterra, sus postreros años fueron tristes. Para entonces ya se sabía víctima del cáncer, era la sombra de sí mismo y no temía acelerar su muerte con algunos vodkas prohibidos. Hitchcock, que había dicho «mi amor por el cine es más fuerte que cualquier moral», ya no podía hacer cine.

Vértigo final

Y ahora volvamos al *Mac Guffin*. Se recordará que resultaba muy improbable que se tratara de «un aparato para atrapar a los leones en las montañas de Adirondaks», dado que es sabido que no se encuentran leones en esa región. ¿Se decidió por fin Hitchcock a interrogar de nuevo al pasajero sobre el contenido del paquete? Sí. «¡Pero si no hay leones en Adirondaks!», exclamó. A lo que respondió su interlocutor impasible: «En ese caso no es un *Mac Guffin*.»
Con esta anécdota trataba de ilustrar el vacío del *Mac Guffin*, la nada del *Mac Guffin*, y, sin embargo, Hitchcock construía la mayoría de sus films alrededor de esa cláusula secreta, de ese

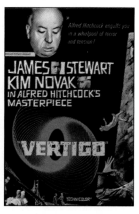

A la izquierda, James Stewart y Kim Novak en una escena de Vértigo, *de Alfred Hitchcok. A la derecha, cartel de esta película, una de las más extrañas y fascinantes de la filmografía del cineasta.*

algo —una botella conteniendo uranio, unos documentos privados, un misterio cualquiera— que debía poseer una enorme importancia para los personajes de la película, pero que era sólo un truco, un mero pretexto que carecía completamente de interés para el infalible narrador Alfred Hitchcock.

1899	13 de agosto: nace en Londres **Alfred Hitchcock**.
1926-1940	Primer gran éxito: *El inquilino* (1926). Primera película sonora: *La muchacha de Londres* (*Blackmail*, 1929). *El hombre que sabía demasiado* (1934). *39 escalones* (1935). *Alarma en el expreso* (1938). *Posada Jamaica* (1939), última película del período inglés.
1940	*Rebeca*, primera película norteamericana, para el productor David O'Selznick, con Laurence Olivier y Joan Fontaine.
1941-1976	*Sospecha* (1941), *Sabotaje* (1942), *La sombra de una duda* y *Náufragos* (1943), *Recuerda* (1945), *Encadenados* (1946), *El proceso Parradine* (1947), *La soga* (1948), *Atormentada* (1949), *Pánico en escena* (1950), *Extraños en un tren* (1951), *Yo confieso* (1952), *Crimen perfecto* y *La ventana indiscreta* (1954), *Atrapa a un ladrón* (1955), *Pero ¿quién mató a Harry?* y *El hombre que sabía demasiado* (1956), *Falso culpable* (1957), *Vértigo* (1958), *Con la muerte en los talones* (1959), *Psicosis* (1960), *Los pájaros* (1963), *Marnie, la ladrona* (1964), *Cortina rasgada* (1966), *Topaz* (1969), *La trama* (1976).
1980	29 de abril: fallece cuando estaba preparando su película número cincuenta y cuatro.

Pablo Neruda
(1904-1973)

Pocos poetas han logrado escribir versos tan sonoros, íntimos e irreverentes como el chileno Neftalí Reyes Basoalto, Pablo Neruda.

Diseminada en miles de versos ha quedado para la posteridad la biografía, íntima y pública, secreta y militante, del gran poeta chileno Pablo Neruda. Así mismo, nos legó la crónica de sus días agitados y viajeros en unas líricas memorias tituladas *Confieso que he vivido*, y sobre su figura han escrito numerosos amigos del escritor, su apasionada viuda Matilde Urrutia y centenares de críticos e historiadores. La abrumadora personalidad de este hombre de credo comunista, resuelta y tozuda hasta el sacrificio por todo aquello en lo que creía, estalla en su obra con un aliento vital que apenas deja entrever las muchas tribulaciones y las muchas horas sombrías que hubo de atravesar. Para algunos que lo conocieron, especialmente para aquellos que compartieron con él la lucha contra la miseria y la opresión de los pueblos, Pablo Neruda gozó del carisma excepcional de aquellos elegidos a quienes encaja como un guante la palabra ejemplaridad; pero para la mayoría de los lectores que no gozaron de la fortuna de su abrazo, el poeta será siempre aquel personaje tímido, invisible y agazapado que se ocultaba tras los barrotes horizontales y tenues de sus lindas canciones de amor.

El poeta secreto

Quien nació en Parral con el nombre de Neftalí Reyes Basoalto, estuvo durante toda su vida profundamente enraizado en su tierra chilena pese a haber llevado una existencia de viajero incansable. Su madre, Rosa Basoalto, murió de tuberculosis poco después de dar a luz, y su padre, conductor de un tren que cargaba piedra, José del Carmen Reyes Morales, se casó dos años después con Trinidad Cambia Marverde, de quien Neruda escribiría: «Era una mujer dulce y diligente, tenía sentido del humor campesino y una bondad activa e infatigable». Para el pequeño Neftalí fue su nueva madre como el hada buena, y tuteló al muchacho con una solicitud incluso mayor que su auténtico padre, con quien, en su adolescencia, no tardaría en mantener graves disputas.

Residiendo en Temuco, ingresó en el Liceo de la ciudad en 1910, y cuando aún no había salido de esta institución, el 18 de julio de 1917, pudo leer emocionadamente en un periódico local, *La Mañana*, el primero de sus artículos publicados, que tituló «Entusiasmo y perseverancia». Para entonces había tenido la suerte de conocer a una imponente señora, «alta, con vestidos muy largos», que no era otra sino la célebre poetisa Gabriela Mistral, quien le había regalado algunos libros de Tolstoi, Dostoievski y Chéjov, decisivos en su primera formación literaria.

No obstante, su padre se oponía abiertamente a que siguiera esta vocación, de modo que cuando el 28 de noviembre de 1920 obtuvo el premio de la Fiesta de Primavera de Temuco ya firmaba sus poemas con seudónimo, un ardid para desorientar a su progenitor. El nombre elegido, *Neruda*, lo había encontrado por azar en una revista y era

Tras sus inicios en el modernismo, Pablo Neruda compone Canto general, *influido por su adscripción al comunismo.*

A la derecha, el poeta junto a su esposa Matilde Urrutia, entrevistado poco después de recibir el Premio Nobel de Literatura de 1971.

de origen checo, pero el joven poeta no sabía que se lo estaba usurpando a un colega, un lejano escritor que compuso hermosas baladas y que posee un monumento erigido en el barrio de Mala Strana de Praga.

Cuando concluye sus estudios en el Liceo pasa a Santiago para seguir la carrera de profesor de francés en el Instituto Pedagógico, pero continúa preparando libros de versos. Al poco tiempo se vincula a la revista *Juventud* de la Federación de Estudiantes, donde toma contacto con el movimiento anarquista y, en particular, con uno de los líderes del grupo, formidable y valeroso, llamado Juan Gandulfo.

En 1922, habiendo trabado una buena amistad, que se revelaría fecunda y duradera, con el director de la revista *Claridad*, se incorpora a la redacción, y así comienza a escribir como un poseso hasta cinco poemas diarios. Al año siguiente edita a sus expensas su primer libro de poemas, *Crepusculario*.

Para poder pagarse esta publicación, Pablo Neruda, por entonces un joven ávido de lecturas y vida, extravagante y delgado, vestido a lo poeta bohemio del siglo XIX con un traje negro, debe vender sus muebles, empeñar el reloj que le ha regalado su padre y recibir la ayuda in extremis de un crítico generoso. Este último, un tal

Allone, se prestó a saldar la deuda cuando el editor se negó a entregar un solo ejemplar antes de que estuviera satisfecha completamente la factura.

Una canción desesperada

Crepusculario fue en realidad una miscelánea de otros proyectos, una reordenación precipitada de poemas que inmediatamente dejaron insatisfecho al autor. A partir de entonces, Neruda se entregó, con más ahínco si cabe, a la confección de otro libro, éste sí, orgánico y mucho más personal, que terminaría publicándose en 1924 con el título *Veinte poemas de amor y una canción desesperada.* La última de las canciones de amor es la que, con el tiempo, se ha hecho más famosa, y arranca de este modo:

«*Puedo escribir los versos más tristes
esta noche.
Escribir por ejemplo: 'La noche está estrellada,
y tiritan, azules, los astros, a lo lejos'.
El viento de la noche gira en el cielo y canta...*»

Luego relata la desolación del amante ante el amor perdido y al final concluye brillantemente:

«*Ya no la quiero, es cierto, pero tal vez la quiero.*
Es tan corto el amor, y es tan largo el olvido.
Porque en noches como ésta la tuve entre mis brazos,
mi alma no se contenta con haberla perdido.
Aunque éste sea el último dolor que ella me causa
y éstos sean los últimos versos que yo le escribo.»

A partir de esta época la politización de la poesía de Neruda será progresivamente mayor y, paralelamente, su vida se verá enfrentada a adversas circunstancias económicas. De momento, al abandonar sus estudios, su padre le retira toda ayuda material, por lo que abraza la esperanza de conseguir algún cargo diplomático. Sin embargo, todo lo que obtiene en 1927 es un oscuro y remoto destino consular en Rangún, Birmania. Allí, en aquellas tierras fantásticas, «entre hombres que adoran la cobra y la vaca», conoció Pablo Neruda a la tan bella como peligrosa Josie Bliss, una nativa que sin embargo vestía a la manera inglesa. Tras visitar en su compañía los más exóticos rincones de aquellas tierras, se trasladó a vivir a casa de ella, pero pronto la muchacha trocó su dulzura en celos, y la vida de la pareja se hizo intolerable. «Sentía ternura hacia sus pies desnudos», escribió el escritor, pero también contó cómo Josie le escondía las cartas y cómo, en una ocasión, se despertó sobresaltado y la encontró vestida de blanco, al otro lado del mosquitero, tenebrosa, blandiendo un cuchillo mortífero y sin determinarse a asestar el golpe fatal: «Cuando te mueras se acabarán mis temores», balbuceó con amargura la mujer enferma. Asustado, Pablo Neruda no tardó en huir de aquella situación que cada vez se volvía más amenazante, y cuando recibió un telegrama en el que se le comunicaba su traslado a Ceilán, preparó el viaje en el más absoluto secreto y se marchó sin despedirse, abandonando en el desolado hogar de Josie sus ropas y sus libros.

El destierro y el éxito

En 1930, Pablo Neruda se casó con María Antonieta Agenaar, una joven holandesa con la que regresó a Chile dos años después y que le

El Premio Nobel de Literatura en 1971 (arriba, momento en que lo recibe) consagró a Neruda internacionalmente.

dio una hija, Malva Marina, el 4 de octubre de 1934. Por estos años, y tras conocer a Federico García Lorca en Buenos Aires, se trasladó a España, donde llevó a cabo una intensa actividad cultural y conoció a poetas como Miguel Hernández, Luis Cernuda, Vicente Aleixandre, Manuel Altolaguirre, etc.; pero al estallar la guerra civil española en 1936 tuvo que trasladarse a París. Su pesadumbre por los infames asesinatos perpetrados por las fuerzas insurrectas, entre ellos el de su amigo García Lorca, lo movieron a escribir un libro de poemas titulado *España en el corazón* y a editar la revista *Los Poetas del Mundo Defienden al Pueblo Español*.

A partir de 1946, su actividad política se desarrollaría en su propia patria, donde fue elegido senador de la República por las provincias de Tarapacá y Antofagasta. Ese mismo año obtuvo también en Chile el Premio Nacional de Literatura, pero no tardarían en complicársele las cosas cuando hizo pública su enérgica protesta por la persecución desencadenada contra los sindicatos por el presidente González Videla. La lectura ante el Senado de su alegato *Yo acuso*, motivó que se ordenara su detención y sólo gracias al refugio que le ofrecieron sus allegados logró Neruda evitarla y salir del país el 24 de febrero de 1949. Durante el tiempo que estuvo oculto escribió otra de sus obras mayores, *Canto general*, que, aparte de distribuirse clandestinamente en Chile, se editará en México con ilustraciones de los grandes muralistas Siqueiros y Diego Rivera, en 1950, poco antes de que se le conceda, junto a Picasso y al poeta turco Nazim Hikmet, el Premio Internacional de la Paz. Comienzan entonces los dolorosos años del destierro, cuya tristeza apenas puede ser enjugada por los numerosos homenajes, calurosas recepciones e importantes galardones con que se reconocen sus méritos como poeta y como hombre íntegro. Sin embargo, una mujer, la que sería su compañera hasta su muerte, viene en su auxilio, Matilde Urrutia; con ella vivirá casi clandestinamente, a veces en circunstancias patéticas, hasta que Neruda se separe definitivamente en 1956 de su anterior mujer, Delia del Carril. En 1958 aparece editada otra de sus obras más notables, una de las preferidas del poeta, *Estravagario*, que «por su irreverencia —escribió Neruda— es mi libro más íntimo». Durante los años sesenta siguió escribiendo incansablemente memorias, testimonios, nuevos versos, e incluso dramas, como *Fulgor y muerte de Joaquín Murieta*, y en el último año de la década fue proclamado candidato para la presidencia de Chile.

«Mi razón ha vivido a la intemperie»

En 1970 Salvador Allende logra una trascendental victoria política y llega al poder en Chile, pero este triunfo se transformaría en siniestra derrota cuando el legítimo presidente fue destituido por un golpe militar el 11 de septiembre de 1973. Doce días después moría Pablo Neruda, que había obtenido el Premio Nobel de Literatura en 1971, y el mundo no tardó en enterarse, entre la indignación, el estupor y la impotencia, de que sus casas de Valparaíso y de Santiago habían sido brutalmente saqueadas y destruidas.

En *Confieso que he vivido* había dejado escrito: «Cada uno tiene su debilidad. Yo tengo muchas. Por ejemplo, no me gusta desprenderme del orgullo que siento por mi inflexible actitud de combatiente revolucionario». Pero su destino había estado quizás mejor descrito en unos versos de su libro *Aún*:

> *«Nosotros, los perecederos, tocamos los metales,*
> *el viento, las orillas del océano, las piedras,*
> *sabiendo que seguirán, inmóviles o ardientes,*
> *y yo fui descubriendo, nombrando todas las cosas:*
> *fue mi destino amar y despedirme.»*

1904	12 de julio: nace Neftalí Reyes Basoalto, **Pablo Neruda**, en Parral, Chile.
1917	18 de julio: primer artículo periodístico, «Entusiasmo y perseverancia».
1920	28 de noviembre: premio de poesía de la Fiesta de Primavera de Temuco (Chile), con el seudónimo Pablo Neruda, que legalizará en 1946.
1923	Primer libro de poemas: *Crepusculario*.
1924	*Veinte poemas de amor y una canción desesperada*.
1927	Viaje a Birmania. Relación amorosa con Josie Bliss.
1933	*Residencia en la tierra*.
1934	Viaje a España. Comienza a ser conocido en Europa.
1946	Ingresa en el partido comunista.
1950	Publica en México *Canto general*. 22 de noviembre: recibe, junto a Picasso, el Premio Internacional de la Paz.
1958	*Estravagario*.
1971	Obtiene el Premio Nobel de Literatura.
1973	11 de septiembre: un golpe militar derriba al presidente constitucional Salvador Allende. 23 de septiembre: muere Pablo Neruda.

Teresa de Calcuta
(1910-1997)

Por una abnegada labor humanitaria desarrollada en la India, la monja de origen albanés Teresa de Calcuta recibió en 1979 el premio Nobel de la Paz.

L a tarde del 5 de septiembre de 1997 moría en Calcuta (India) una anciana que había entregado su vida a los desheredados de la tierra. El corazón de la madre Teresa había dejado de latir a los 87 años, en el asilo de ancianos de Woodlands. Teresa de Calcuta, nombre que había adoptado en 1928 debido a su devoción a Santa Teresa del Niño Jesús, nació en la ciudad macedonia de Skopje el 27 de agosto de 1910, con el nombre de Agnes Gonxha Bojaxhiu. Hija de un rico comerciante albanés, realizó sus primeros estudios en su ciudad natal, mostrando muy pronto su vocación religiosa. Impulsada por ésta y conmovida por las crónicas de un misionero cristiano en Bengala, a los dieciocho años ingresó en la congregación de Hermanas de Nuestra Señora de Loreto, cuya casa madre se halla en Rathfernham, Irlanda. Pasado un año, marchó a la India a hacer el noviciado en Darjeeling y apenas hechos los votos pasó a Calcuta, la ciudad con la que habría de identificar su vida y su vocación de entrega a los más necesitados.

Vocación por los pobres

En Calcuta, Teresa cursó magisterio y durante casi veinte años impartió clases en la Saint Mary's High School. Sin embargo, la profunda impresión que le causó la miseria que observaba en las calles de la ciudad la movió a solicitar a Pío XII la licencia para abandonar la orden y entregarse por completo a la causa de los pobres. Enérgica y decidida en sus propósitos, Teresa de Calcuta pronunció por entonces el que sería el principio fundamental de su mensaje y de su acción: «Quiero llevar el amor de Dios a los pobres más pobres; quiero demostrarles que Dios ama el mundo y que les ama a ellos».

En 1948, poco después de proclamada la independencia de la India, mientras estudiaba enfermería con las Hermanas Misioneras Médicas de Patna, Teresa de Calcuta abrió su primer centro de acogida de niños. Un año más tarde, fundó la congregación de las Misioneras de la Caridad, cuyo reconocimiento encontraría numerosos obstáculos, antes de que Pablo VI lo hiciera efectivo en 1965, y en 1950 adoptó la nacionalidad india.

Al tiempo que su congregación, cuyas integrantes debían sumar a los votos tradicionales el de dedicarse totalmente a los pobres, abría centros en diversas ciudades del mundo, ella atendía a miles de pobres y moribundos sin importarle a qué religión pertenecían: «Para nosotras —decía—, no tiene la menor importancia la fe que profesan, o dejan de profesar, las personas a quienes prestamos asistencia. Nuestro criterio de ayuda no es de creencias, sino de necesidad, por ello jamás debemos permitir que alguien se pueda alejar de nosotras sin sentirse mejor y más feliz, pues hay en el mundo otra pobreza peor que la material. El desprecio que los marginados reciben de la sociedad por su situación es la más insoportable de las pobrezas.» Coherente con esta idea, subastó un automóvil Lincoln Continental, regalo de Pablo VI en su visita a la India en 1964, para fundar un leprosario en Bengala, y más tarde movió a Juan Pablo II a abrir una residencia para menesterosos en el mismo Vaticano.

El reconocimiento internacional

El enorme prestigio moral que la madre Teresa supo acreditar con su labor en favor de «los pobres más pobres» llevó a la Santa Sede a designarla representante ante la Conferencia Mundial de las Naciones Unidas celebrada en México en 1975 con ocasión del Año Internacional de la Mujer, donde formuló su ideario basado en la acción por encima de las organizaciones. Cuatro años más tarde, santificada no sólo por aquellos a quienes ayudaba sino también por gobiernos, instituciones internacionales y poderosos personajes, recibió el premio Nobel de la Paz. Consciente del respeto que inspiraba, el papa Juan Pablo II la designó en 1982 para mediar en el conflicto del Líbano, si bien su intervención se vio relativizada por la complejidad de los intereses políticos y geoestratégicos del área.

Desde posiciones que algunos sectores de opinión consideraron excesivamente conservadoras, participó en el debate sobre las cuestiones más cruciales de su tiempo. Así, en 1983, en el Primer Encuentro Internacional de Defensa de la Vida defendió con vehemencia la doctrina de la Iglesia, conceptiva, antiabortista y contraria al divorcio. En los años siguientes, aunque mantuvo su dinamismo en la lucha para paliar el dolor ajeno, su salud comenzó a declinar y su corazón a debilitarse. En 1989, fue intervenida quirúrgicamente para implantarle un marcapasos, y en 1993 contrajo la malaria, enfermedad que se complicó con sus dolencias cardíacas y pulmonares. Finalmente, tras superar varias crisis, cedió su puesto de superiora a sor Nirmala, una hindú convertida al cristianismo. Pocos días después de celebrar sus 87 años, ingresó en la unidad de cuidados intensivos del asilo de Woodlands, de Calcuta, donde murió.

En 2003, coincidiendo con el 25° aniversario del pontificado de Juan Pablo II, la madre Teresa fue beatificada en una multitudinaria ceremonia a la que acudieron fieles de todas partes del mundo.

1910	27 de agosto. **Teresa de Calcuta** nace en Skopje, Macedonia.
1928	Ingresa en la congregación Hermanas de Nuestra Señora de Loreto, en Rathfernham, Irlanda.
1929	Marcha a Darjeeling, India, a realizar su noviciado.
1949	Abandona la orden con licencia de Pío XII y funda en Calcuta la congregación de las Misioneras de la Caridad.
1950	Adopta la nacionalidad india.
1965	Pablo VI, quien ha visitado la India el año anterior, aprueba los estatutos de la congregación de las Misioneras de la Caridad.
1975	Asiste, como representante de la Santa Sede, a la Conferencia Mundial de las Naciones Unidas, en México, con ocasión del Año Internacional de la Mujer.
1979	Recibe el premio Nobel de la Paz.
1982	Juan Pablo II le encarga mediar en el conflicto del Líbano.
1993	Contrae la malaria.
1996	Adopta la nacionalidad estadounidense.
1997	13 de marzo. Cede el cargo de superiora a sor Nirmala. Muere en Calcuta víctima de un infarto.
2003	Octubre. Es beatificada por el papa Juan Pablo II.

John Fitzgerald Kennedy
(1917-1963)

Su imagen de brillante joven universitario y un mensaje liberal lleno de optimismo granjearon a J. F. Kennedy la presidencia de los Estados Unidos de América.

L a historia norteamericana del clan Kennedy se remonta a 1848, cuando un irlandés llamado Patrick Kennedy llegó a la prometedora tierra de los Estados Unidos y se estableció como tonelero. Uno de sus nietos, Joseph Patrick Kennedy, se hizo cargo más de medio siglo después del discreto patrimonio reunido por su abuelo y por su padre y construyó con él una de las mayores fortunas de Norteamérica.

Joseph Patrick, llamado familiarmente Joe, mostró desde la infancia una gran aptitud para los negocios y un decidido deseo de medrar. Casado con Rose, una emprendedora joven hija de John Fitzgerald, ex alcalde de Boston, comenzó a amasar su patrimonio en esta ciudad, cimentándolo en la administración de viviendas, la especulación en Bolsa y la industria cinematográfica. Joe era astuto, frío y en extremo inteligente para los asuntos de dinero; como había ayudado a Roosevelt durante su campaña presidencial, consiguió durante el período de Ley Seca un permiso especial de importación de licores para «fines terapéuticos»; cuando sus bodegas estaban repletas, la ley fue derogada y Joe pudo despachar todo el licor comprado a bajo precio como si fuera oro. Al desatarse la crisis económica de 1929, fue de los pocos que salió a flote e incluso pudo conseguir algunas ganancias. Uno de sus hijos, llamado John Fitzgerald como su abuelo materno, había nacido el 29 de mayo de 1917 en Brookline (Massachusetts).

La sombra de Joe

John era el segundo hermano de una larga prole compuesta por Joe, Rosemary, Kathleen, Eunice, Pat, Jean, Bobby y Teddy. Con el fin de prepararlos desde la más tierna infancia para convertirse en verdaderos Kennedy, el padre se encargó de fomentar en todos ellos una firme disciplina y un sano espíritu de competencia: «No me importa lo que hagáis en la vida, pero hagáis lo que hagáis, sed los mejores del mundo. Si habéis de picar piedra, sed los mejores picapedreros del mundo.»

Para John, pronto estuvo claro que no tenía nada que hacer frente a su hermano Joe, un muchachote musculoso, inteligente, de brillante verbo y gran magnetismo personal. Por el contrario, él era más bien debilucho, tímido e introvertido. Mientras estudiaba en la Canterbury School de Connecticut y luego en la Universidad de Harvard, la sombra de Joe, «el preferido», planeó continuamente sobre la conciencia de John Fitzgerald Kennedy. Al mismo tiempo que su hermano cosechaba triunfos académicos en Gran Bretaña, él contrajo la hepatitis y se vio obligado a interrumpir sus estudios durante largas temporadas. Aunque acabó por reponerse, a pesar de sus esfuerzos por destacar nunca consiguió demasiados éxitos en las aulas.

En 1937 su padre fue nombrado embajador en Gran Bretaña. Aquel descendiente de inmigrantes, ferviente católico y siempre ambicioso, había hecho una enorme fortuna y ahora triunfaba también en el ámbito de la política. Sus dos hijos mayores lo acompañaron a Europa en calidad de ayudantes y John pudo viajar a la URSS, Turquía, Polonia y otros países de cuya situación informó puntualmente al patriarca de la familia. Fue a raíz de esta gira cuando John empezó a interesarse seriamente por la política. De regreso a los EE UU se volcó sobre sus estudios y logró que sus calificaciones académicas mejoraran considerablemente. Al comenzar la Segunda Guerra Mundial su hermano se alistó en la aviación y él quiso ingresar en la marina, para lo que hubo de vencer los obstáculos médicos derivados de una lesión en la espalda que había sufrido de niño. Tenía veinticinco años cuando recibió el nombramiento de comandante de una lancha torpedera que actuaba en el Pacífico.

El nacimiento del político

Los dos oficiales y diez soldados a sus órdenes compartieron con él numerosos éxitos combatiendo contra los japoneses. Pero el día 2 de agosto de 1943, mientras cumplía una misión para la que se había ofrecido voluntario, un destructor japonés los abordó en medio de la noche y partió la patrullera en dos mitades. Varios tripulantes murieron en el encuentro. Los supervivientes naufragaron durante quince horas y John se comportó encomiablemente al arrastrar hasta la costa a uno de sus soldados herido en las piernas. Aunque hay quien ha atribuido el percance a una imprudencia de John, lo cierto es que el joven comandante Kennedy fue considerado un héroe de guerra.

La convalecencia fue larga. Su lesión dorsal se había agravado y John pensó que su maltrecho físico no estaba para demasiados sueños de gloria política. Sin embargo, el destino salió a su encuentro: su hermano Joe murió el 12 de agosto de 1944, en un accidente aéreo cuando intentaba destruir las bases alemanas de las bombas volantes V-1 y V-2. El patriarca volvió sus ojos hacia él y decidió que ocupase la vacante de Joe en la lucha por conquistar la presidencia de los Estados Unidos.

John tuvo que aprender a dominar su timidez y su retraimiento para convertirse en un político profesional. Estrechar las manos de desconocidos, sonreír ante los periodistas y tener siempre en los labios una frase más o menos ingeniosa para ellos comenzó a ser su pan de cada día. Su amplia sonrisa, su aspecto de niño y sus ojos melancólicos pronto encontraron adeptos en el seno del Partido Demócrata y entre los electores, fascinados por su juventud y por su imagen de brillante y honrado universitario.

Elegido congresista a los veintinueve años y senador a los treinta y cinco, John ocupó rápidamente un lugar descollante en la escena política estadounidense. En septiembre de 1953 contrajo matrimonio con una joven esbelta y culta llamada Jacqueline Lee Bouvier, por aquel entonces redactora del *Washington Times-Herald*. Poco después publicaría el libro *Perfiles de coraje*, en el que narraba el sacrificio de muchos prohombres de América por el bienestar de la nación. Esta obra lo haría merecedor del Premio Pulitzer.

La Alianza para el Progreso

En 1956 creyó llegado el momento de optar por la vicepresidencia de los Estados Unidos, pero su partido lo rechazó por escaso margen. El patriarca Kennedy no permitió que cayera en el desaliento y lo animó a volver a la carga, esta vez por la presidencia. Tras ser nominado candidato oficial por su partido, se enfrentó en las urnas al republicano Richard Nixon en 1960.

El núcleo de su campaña electoral cristalizó en torno a la idea de una nueva época que había de iniciar América, la denominada «Nueva Frontera», que evocaba el espíritu pionero de la conquista del Oeste. Con su sola presencia Kennedy empezó a infundir esperanzas de renovación a un país cansado de una administración anquilosada desde el *New Deal* de Roosevelt. Frente al empuje de John, Nixon no pudo hacer nada.

El 8 de noviembre de 1960 Kennedy fue elegido presidente de los EE UU. Rápidamente puso manos a la obra y trató de formar un equipo competente que materializase las orientaciones de su «Nueva Frontera». Su programa, de corte liberal, se basó en la recuperación económica, la mejora de la Administración, la diversificación de los medios de defensa y el establecimiento de una alianza para el desarrollo integral del continente.

Este último objetivo se plasmó en la formación de un frente común con los países de Centro y

La política democrática y antitrust de J. F. Kennedy, unida a su compromiso en la lucha por los derechos civiles, le valió una fuerte resistencia de los sectores sociales más conservadores. En la imagen, firmando el embargo de todo el comercio con Cuba en 1961.

Sudamérica, la llamada Alianza para el Progreso, cimentada en los siguientes puntos: 1) apoyo a las democracias contra las dictaduras; 2) concesiones de créditos a largo plazo; 3) estabilización de precios en la exportación; 4) programas de reforma agraria; 5) estímulos a la inversión privada; 6) ayuda técnica e intercambio de información y estudiantes; 7) control de armas, y 8) fortalecimiento de la Organización de Estados Americanos.

Para llevar adelante esta política, Kennedy convocó a los dirigentes del hemisferio invitándoles a unirse formalmente a la Alianza. Todos quedaron deslumbrados por aquel joven cargado de ilusiones y de ideas de regeneración y reforma. Pero uno no acudió a la cita: Fidel Castro, que desde 1959 era jefe del gobierno cubano.

Problemas con Cuba

Con Eisenhower como presidente, la CIA ya había preparado un plan de invasión de la isla de Cuba, al tiempo que se adiestraban en Guatemala guerrillas anticomunistas. Lo cierto es que la ineptitud de los gobernantes norteamericanos había cerrado las puertas al dirigente cubano empujándolo a radicalizar su revolución. Los EE UU no hicieron nada para ayudar a Cuba en su necesidad de progreso económico y cuando Kennedy llegó al poder era ya demasiado tarde.

El presidente se resistió a aceptar el plan de ataque de la CIA en varias ocasiones, pero acabó cediendo ante las presiones de los militares. En abril de 1961 la operación comenzó, pero la resistencia de las tropas castristas y del pueblo de Cuba convirtieron el desembarco en la Bahía de Cochinos en un estrepitoso fracaso. Kennedy y su administración sufrieron un duro golpe y Castro anunció que Cuba se había convertido en una república democrática socialista; la invasión tuvo, pues, un efecto completamente opuesto al deseado.

Respecto a la URSS, Kennedy intentó un cierto acercamiento que se plasmó en junio de 1961 en una entrevista con Nikita Jruschov realizada en Viena. Pero la invasión abortada de la Bahía de Cochinos, la erección del muro de Berlín y, sobre todo, el descubrimiento de una base de misiles con carga nuclear en Cuba instalada por los soviéticos interrumpieron las negociaciones. El temple de Kennedy se puso de manifiesto cuando exigió al dirigente soviético el desmantelamiento de aquellas bases; durante varios meses angustiosos se temió que el conflicto desencadenara una guerra nuclear, pero Jruschov terminó por ceder y «la crisis de los misiles» acabó constituyendo un éxito indudable para el presidente norteamericano. A pesar de todo, posteriormente se produciría un entendimiento definitivo entre las dos superpotencias, plasmado en 1963 con la firma del Tratado de Moscú sobre el control y disminución de las pruebas nucleares en la atmósfera. En cuanto a la Alianza para el Progreso, destinada en principio a favorecer el surgimiento y consolidación de regímenes democráticos en el hemisferio americano, no impidió la extensión del militarismo ni el apoyo de los EE UU a los gobiernos dictatoriales que respaldaron las posiciones de Washington.

En 1963, Kennedy comenzó a preparar el terreno para las siguientes elecciones e inició una gira por diversas ciudades del país. En noviembre llegó a Dallas y, cuando recorría sus calles en un coche descubierto, unos disparos sonaron por encima de los vítores y segaron su vida. Poco después moría en el hospital, desatando la consternación del mundo entero.

Kennedy y su esposa Jacqueline en el coche en el que poco después fue alcanzado por los disparos presuntamente efectuados por Lee Harvey Oswald.

Según el informe Warren, el autor del magnicidio fue Lee Harvey Oswald, que desde lo alto de un edificio disparó con un fusil de repetición dotado de mira telescópica. Sin embargo subsistieron serias dudas sobre la exactitud de esta versión, y desde entonces han sido señalados como culpables desde la mafia hasta la sociedad racista Ku Klux Klan, pasando por los trust petrolíferos y armamentistas o la propia CIA. El enigma sigue abierto y probablemente nunca llegará a resolverse.

1917	29 de mayo: nace **John Fitzgerald Kennedy** en Brookline (Massachusetts).
1929	Se matricula en la Canterbury School de Connecticut.
1937	Viaja a Europa con su padre, nombrado embajador en Gran Bretaña.
1943	Es herido en el Pacífico durante la Segunda Guerra Mundial.
1946	Consigue su acta de congresista.
1952	Es elegido senador demócrata por Massachusetts.
1953	Se casa con Jacqueline Lee Bouvier.
1956	Intenta sin éxito ser designado a la vicepresidencia de los EE UU.
1960	8 de noviembre: Kennedy presidente de los EE UU.
1961	Desembarco estadounidense en la Bahía de Cochinos (Cuba), que termina en fracaso. Kennedy se entrevista con Jruschov en Viena.
1962	«Crisis de los misiles»: Kennedy consigue que los soviéticos desmantelen sus bases de misiles nucleares en Cuba.
1963	En agosto, firma del Tratado de Moscú sobre limitación de pruebas nucleares. 22 de noviembre: es asesinado en Dallas.

Nelson Mandela

(1918)

La historia actual de Sudáfrica no sería la que es si la pena de muerte solicitada para Nelson Mandela por el fiscal, en 1962, se hubiera ejecutado. La sentencia de cadena perpetua, que en la práctica se convirtió en veintisiete largos años de prisión, permitió al líder del Congreso Nacional Africano (CNA) salir más templado, más hábil políticamente, más sabio en sus decisiones. Pero no hay duda de que esto no hubiera sucedido, posiblemente todo lo contrario, de no ser Mandela el hombre que era, de no haber tenido las cualidades que tenía.

Hoy en día nadie discute que el proceso para acabar con el apartheid no se hubiera podido llevar a cabo de no haber existido una figura aglutinadora, carismática y generosa como la de Nelson Mandela.

Al luchador infatigable contra el apartheid le gusta decir en términos jocosos que, de no haber conocido al africanista Walter Sisulu a poco de llegar a Johanesburgo en 1941, que vislumbró sus dotes de líder y lo introdujo en el CNA, su vida habría sido menos complicada.

Sisulu, además de ejercer sobre él una gran influencia en sus ideas políticas, le facilitó conseguir trabajo en un despacho de abogados e ingresar en la Universidad de Witwatersrand, una de las pocas que en esa época aceptaba estudiantes negros.

Walter Sisulu también le presentó a su prima Evelyn Mase, con quien Mandela se casaría muy poco después apenas cumplidos los 26 años.

Líder carismático de la mayoría negra sudafricana y luchador infatigable contra el apartheid, Nelson Mandela fue elegido presidente de su país en 1994.

De la tribu al Congreso Nacional Africano

Nelson Mandela había nacido el 18 de julio de 1918 en el seno de una familia acomodada; su padre era jefe de la tribu thembu de la aldea de Mvezo. Se le puso el nombre de Rolihlahla, que significa revoltoso, pero a los 7 años, con el fin de que pudiera asistir a la escuela metodista, fue bautizado en la iglesia de Transkei, donde recibió el nombre de Nelson. A la muerte de su padre, cuando él tenía 9 años, quedó bajo la tutoría de un primo suyo, el gran jefe Jongintaba; con él que se aficionó a escuchar a los jefes tribales y tomó conciencia del sentido de la justicia. A los 16 años pasó a formar parte del consejo de la tribu; pero siete años después Nelson Mandela abandonó su aldea escapando de una boda que le había concertado su tutor. Tanto Sisulu como la infinidad de personas que han tenido contacto con Mandela a lo largo de su vida coinciden en señalar sus rasgos de seducción, confianza en sí mismo, capacidad de trabajo, valentía e integridad. Estas cualidades permitieron que el joven aldeano destacara rápidamente en el CNA y, en 1944, pasara a formar parte del comité ejecutivo, junto con Sisulu y Oliver Tambo. En 1952 abrió con este último un despacho de abogados laboralistas en Johanesburgo y fue elegido presidente de una sección del CNA. La política de resistencia pacífica ante el apartheid de las décadas de 1940 y 1950 tuvo en Mandela un protagonista indiscutido.

Paulatinamente había ido abandonando su postura africanista y adoptado la ideología del humanismo internacionalista que sostendría durante toda su vida. Junto con Tambo y Sisulu, se enfrentó dentro del Congreso a los africanistas proponiendo la creación de un movimiento de liberación integrado por blancos de izquierda, indios y negros.

Mientras tanto, había tenido con Evelyn tres hijos; pero otra mujer irrumpió con fuerza en su vida, la asistente social Nomozano Winnie Madikizela, dieciséis años menor que él, después conocida como Winnie Mandela. Nelson dejó a Evelyn y se unió a Winnie en 1958; posteriormente tuvo con ésta dos hijas.

En 1960 sostuvo, enfrentándose a los viejos líderes del Congreso Nacional Africano, que el movimiento debía analizar la posibilidad de volcarse a la lucha armada, después de que el gobierno declarara el estado de emergencia e ilegalizara el Congreso.

Consecuente con su postura, Nelson Mandela, el líder carismático de la mayoría negra, creó el ala «Esperanza de la Nación» y se pasó a la clandestinidad. Un año después esta agrupación protagoniza los primeros atentados contra organismos gubernamentales. Sus seguidores dan a Mandela el nombre de «El Pimpinela Negro», y se convierte en el hombre más buscado del país, hasta que el 5 de agosto de 1962 es detenido y condenado a cadena perpetua.

La entereza de un detenido

Los veintisiete años que pasó en diferentes prisiones, en condiciones muy duras, lo convirtieron en el símbolo de la lucha contra el apartheid y en la encarnación del sufrimiento de toda una raza. La presión internacional determinó que el prisionero político más famoso de esos años fuera puesto en libertad el 11 de febrero de 1990, pero antes él ya había pactado con el entonces presidente de Sudáfrica, Frederick de Klerk, la convocatoria de unas elecciones presidenciales multirraciales para 1994.

En los años que mediaban hasta esa fecha Mandela manejó con una maestría singular la cantidad de desafíos que se le presentaban, entre los más importantes la unificación del CNA, para lo que tuvo que enfrentarse a los líderes negros africanistas; ganarse la confianza de los blancos y, en 1992, someterse a una penosa situación: anunciar en una rueda de prensa que se separaba de Winnie (acusada de corrupción), a la cual, aseguró, seguía queriendo. Ella había sido su pilar en los años de prisión.

En 1993 le fue concedido el Premio Nobel de la Paz compartido con De Klerk. El 27 de abril de 1994 Nelson Mandela se convirtió en el primer presidente democrático de Sudáfrica; el apartheid ya no existía. En 1999 abandonó la política activa y fue sustituido en el cargo de presidente por Thabo Mbeki.

1918	18 de julio: nace **Nelson Mandela** en la aldea de Mvezo.
1941	Se traslada a Johanesburgo y conoce a Sisulu, que lo introduce en el CNA (Consejo Nacional Africano).
1943	Se casa con Evelyn Mase.
1944	Pasa a formar parte del ejecutivo del CNA.
1952	Abre su despacho de abogado en Johanesburgo asociado con Olivier Tambo.
1958	Se casa con Nomozamo Winnie Madikizela.
1960	Propone al CNA pasar a la lucha armada.
1962	5 de agosto: es detenido.
1990	11 de febrero: sale en libertad.
1994	27 de abril: asume como presidente de Sudáfrica.
1999	Deja el cargo de presidente.

Juan Pablo II

(1920 - 2005)

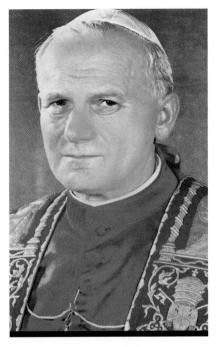

Durante su pontificado, Juan Pablo II abogó por la solidaridad con los países más pobres del mundo desde la óptica de un catolicismo tradicional.

La multitud reunida en la plaza de San Pedro la tarde del 16 de octubre de 1978 ve con júbilo la *fumatta* blanca. Poco después, escucha con asombro al cardenal camarlengo proclamar que el nuevo Papa se llama Karol Wojtyla. Por primera vez en cuatro siglos, el Sumo Pontífice que ocupará la silla de San Pedro no será italiano. En aquel emocionante momento, los fieles católicos perciben que comienza una nueva era para la Iglesia Católica.

Camino de perfección

En la primavera de 1920, el Ejército polaco, al mando del general Józef Pilsudski es recibido triunfalmente en Varsovia, capital de la recién independizada Polonia. Por esos mismos días, en Wadowice, una pequeña población del sur del país, nace en el hogar de los Wojtyla un niño a quien bautizan con el nombre de Karol Józef. Ni sus modestos padres pudieron imaginar entonces que aquel niño se convertiría en Papa de la Iglesia Católica.

Lolek, como le llamaban cariñosamente, pronto dio muestras de ser un niño despierto, aplicado en los estudios y con una gran afición por la música y los deportes. También se mostró devoto, y apenas tuvo la edad, se convirtió en monaguillo de su iglesia. Por ese entonces *Lolek* quería ser filósofo y actor. Siguiendo este impulso, a los dieciocho años, concluido ya su bachillerato, inició estudios de filosofía, literatura y oratoria en la Universidad de Cracovia e ingresó al mismo tiempo en un grupo de teatro. Para Karol, fue una época maravillosa y quizás entonces comenzó a pensar en *El taller del orfebre*, la pieza dramática que escribió siendo ya obispo. Sin embargo, en 1939, la felicidad del muchacho y el mundo entero parecieron estallar. Centenares de tanques de la Alemania de Hitler invadieron Polonia dando inicio a la Segunda Guerra Mundial.

Durante el período de dominación nazi, Karol Wojtyla trabajó en las canteras de Zakrzowek, cerca de Cracovia, participó en reuniones universitarias clandestinas y fundó el Teatro Rapsódico, con la idea de mantener vivas la lengua y la patria amenazadas. En tales circunstancias, la muerte de su padre le causó un profundo dolor. La lectura de San Juan de la Cruz, que entonces buscó como consuelo, y la heroica conducta de los curas católicos que morían en los campos de concentración nazi fueron decisivas para que decidiera seguir el camino de la fe.

En 1944 Karol Wojtyla ingresó en el seminario clandestino fundado por el arzobispo Stefan Sapieha en plena guerra y, dos años más tarde, fue ordenado sacerdote. Tras estudiar teología en Roma, regresó a Polonia para ejercer como vicario en la parroquia de Niegowic. Comenzó entonces una fulgurante carrera eclesiástica en la que, como sacerdote, arzobispo y cardenal, desplegó una soberbia fuerza espiritual y gran dosis de diplomacia para superar las duras condiciones impuestas por el régimen comunista de la URSS. En este medio opresivo, Karol Wojtyla forjó su personalidad y su disposición para luchar sin descanso por el triunfo de sus convicciones y de la fe cristiana.

El gran diplomático

Desde 1978, y durante casi veintisiete años, Juan Pablo II hizo de su pontificado un baluarte del ecumenismo. Consiguió que su mensaje de fe y esperanza evangélica alcanzara los más remotos rincones del mundo y que se convirtiera en la voz de los que no tienen voz. La firmeza de sus convicciones como vicario de Cristo le reportó una autoridad moral y un valor de estadista mundial que no se atribuyó de manera unánime a ningún otro hombre en el último tercio del siglo XX.

Juan Pablo II fue el primer Papa que hizo de la doctrina pastoral una vía de contacto con los fieles de todos los continentes. Durante su pontificado realizó centenares de viajes, aun cuando su salud ya estaba evidentemente mermada, y fue aclamado por multitudes, especialmente por jóvenes. Su apostolado se centró en combatir tanto al comunismo como al capitalismo salvaje como sistemas perversos e injustos para la sociedad humana, y al mismo tiempo revitalizó los valores esenciales de la familia. Éstos son los dos pilares de lo que él dio en llamar «Nueva Evangelización» y que constituyó un impulso pastoral, un movimiento de fe y religiosidad sin precedentes en el siglo XX.

En mayo de 1981, mientras era aclamado en la plaza de San Pedro del Vaticano, Juan Pablo II sufrió un grave atentado perpetrado por Ali Agca, un joven turco, a quien más tarde visitó en prisión y perdonó. Su pontificado no ha estado exento de sombras y muchos de los progresos logrados por Juan XXIII y el Concilio Vaticano II quedaron relegados en beneficio de las posiciones conservadoras en el seno de la Iglesia. Su defensa de la abstinencia sexual como forma de lucha contra el sida y su condena del aborto y del matrimonio entre homosexuales no han sido totalmente comprendidas por amplios sectores de la comunidad católica. Aun así, sus demostraciones de fortaleza espiritual y física, que le permitieron luchar contra el mal de Parkinson y mantenerse activo hasta último momento, le granjearon la admiración de creyentes y no creyentes en todo el planeta. Juan Pablo II murió el 2 de abril de 2005 dejando una Iglesia libre de viejos enemigos ideológicos, como el comunismo, a los que combatió con extrema decisión.

1920	18 de mayo: **Karol Wojtyla, Juan Pablo II,** nace en Wadowice (Polonia).
1938	Inicia en la Universidad de Cracovia estudios de filosofía.
1944	Ingresa en el seminario clandestino organizado por el arzobispo Stefan Sapieha.
1946	El 1 de noviembre es ordenado sacerdote.
1950	Regresa a Polonia para ejercer de vicario en la parroquia de Niegowic.
1958	Es consagrado obispo de Cracovia por el Papa Juan XXIII.
1967	Pablo VI le nombra cardenal.
1978	El 16 de octubre, Karol Wojtyla es elegido papa con el nombre de Juan Pablo II.
1979	Da a conocer la encíclica *Redemptor hominis*.
1980	Encíclica *Dives in misericordia*.
1981	Sufre un atentado en la plaza de San Pedro del Vaticano.
1982	Sufre un nuevo atentado cuando visita Fátima (Portugal).
1987	Encíclica *Redemptoris Mater*.
1992	Difunde un nuevo Catecismo.
1995	Encíclica *Evangelium Vitae*.
2000	Juan Pablo II viaja a Tierra Santa con ocasión del Jubileo.
2005	El 2 de abril fallece en Roma.

Marilyn Monroe
(1926-1962)

La frágil Norma Jean Baker logró con su belleza física y su provocadora frivolidad convertirse en Marilyn Monroe, el mayor sex-symbol del cine.

Hija sin padre de Gladys, una pobre mujer que pasó la mayor parte de su vida en un manicomio, Norma Jean Baker fue acogida por caridad en diversos hogares adoptivos a los que el estado de California subvencionaba con veinte dólares mensuales. Con el tiempo no habrá hogar donde no haya estado alguna vez el fantasma y la voz de Marilyn Monroe: en fotografías, en pósters, en la televisión, en la radio, en el tocadiscos. Bob Dylan denunció su suicidio, al que la indujo el desamor y la cruel maquinaria hollywoodense, en una inolvidable canción:

«¿Quién mató a Norma Jean?
'Yo', respondió la ciudad,
'Como deber cívico,
yo maté a Norma Jean'.»

Desde 1962, año en que se quitó la vida con una sobredosis de nembutal dos horas después de llamar insistente e infructuosamente a la Casa Blanca reclamando unas migajas de ternura, han corrido ríos nostálgicos de tinta para llorar a la estrella vulnerable, a la diosa incomprendida, a la bella muchacha de los calendarios que flameará por siempre en la imaginación de las generaciones enfundada en un vestido rojo, cerca de las cataratas del Niágara, o con las faldas de un radiante vestido blanco alzadas por el viento hasta la pantorrilla en medio de cualquier noche imprevisible.

El cuerpo de nadie

Parece ser que cuando, siendo una niña, mataron a su perro Tippy, fue víctima de una repentina pérdida del habla que se tradujo más tarde en una insuperable tartamudez. Fue violada a los nueve años por un extraño, un hombre no identificado que pasaba por ser un «amigo de la casa» o acaso uno de sus eventuales padrastros. Los otros «amores» de su vida fueron sus tres esposos, James Dougherty, un tipo grandullón que acabó como policía retirado; Joe Di Maggio, un deportista que enfermó de celos hasta convertir el matrimonio en un infierno, y, por último, Arthur Miller, el venerado intelectual, el dramaturgo íntegro e inclemente, al que se aferró con desesperación hasta sucumbir a la locura. Se supone que también jugaron con sus sentimientos coleccionistas de bellas y famosas como Frank Sinatra o Robert Kennedy, y que se acostó con numerosos hombres; quizás porque, como ella misma declaró con su deslumbrante superficialidad: «El sexo es una parte de la naturaleza, y yo estoy del lado de la naturaleza.» Precisamente su irreprimible franqueza fue la causa de muchas de sus desgracias, del fracaso de sus matrimonios y de la incomodidad que provocaba entre los poderosos de Hollywood. Su precoz relación con James Dougherty, iniciada en 1942, concluirá abruptamente cuatro años después, pero durante esos años juveniles ya se ha convertido en modelo profesional posando para fotografías destinadas a la propa-

Arriba, cartel de la versión francesa de Río sin retorno, *protagonizada por R. Mitchum y M. Monroe. Abajo, imagen de la sensual M. Monroe, mito erótico por excelencia de los años cincuenta. Sus papeles como actriz quedan encasillados en el personaje de la bella algo ingenua y perversa a la vez. Su empeño por conseguir papeles dramáticos fructifica tardíamente.*

ganda del ejército. A los diecinueve años, Earl Moran le hizo unas célebres fotografías semidesnuda que luego utilizó para pintar aquellos excitantes pasteles para calendarios que hicieron furor en la época. El 16 de agosto de 1946 cambia su nombre por el de Marilyn Monroe, y poco después Tom Kelley la fotografía desnuda sobre fondo rojo, confeccionando una imagen emblemática de la historia del erotismo que fue el primer desplegable de la revista *Play Boy*. También por aquellos años se rodaron películas de Marilyn desnuda, pero éstas permanecieron secretas y ocultas durante más de cuarenta años hasta que por fin fueron desenterradas en 1990. Y con ello, su cuerpo frágil, sensual, procaz, festivo, apoteósico, su cuerpo de todos y de nadie, de algún modo misterioso ha desafiado al tiempo, ha resucitado en la misma forma en que vivió para tantos millones de espectadores, reencarnada, igual que el halcón maltés de Houston, en «la materia de los sueños».

Un burdel abarrotado

Con esas credenciales y apenas veinte años llega la inestable y seductora Marilyn a Hollywood, ese «burdel abarrotado», como alguien lo definió. Allí es descubierta por el multimillonario Howard Hughes, y el productor Zanuck le hace unas pruebas para la 20th Century Fox. Su primera oportunidad le llega en 1947 con un papel en el que debe aparecer como figurante entre una multitud. Se trata de la olvidada película de Frederick Hugh Herver *Scudda Hoo, Scudda Hay*, con June Harver; y en un momento del film, Marilyn se separaba del grupo para saludar a la actriz principal. Sin embargo esta escena se cortó luego en el montaje, y Marilyn recordaba algunos años después: «Una parte de mi espalda es visible en un plano, pero nadie lo supo aparte de mí y algunos amigos íntimos.»

En *Ladies of the Chorus* (Phil Karlson, 1948), Marilyn era una modesta bailarina de *strip-tease* llamada Peggy Martin y cantaba dos canciones. Para preparar este papel recibe lecciones del director musical de la Columbia, Fred Karger, con quien se cree que mantuvo relaciones íntimas. Luego interviene en una película de los Marx, *Amor en conserva* (David Miller, 1948), donde contonea sus caderas con tanta donosura que Groucho, quien interpreta al detective Sam Grunion, manifiesta por ella con su proverbial histrionismo un bullicioso deseo.

Pero su verdadera consagración vino de manos de John Houston, quien en *La jungla del asfalto* (1950) la dirigió en el papel de Angela, la falsa «sobrina» de un gángster mucho mayor que ella, pródiga en ademanes infantiles y provocativos, que termina por traicionar ingenuamente a su protector. Por el contrario, lo único memorable relacionado con su aparición en la gran película de Fritz Lang *Clash by Night* (1952), con Barbara Stanwyck, fue que la futura gran estrella se mostraba por primera vez vistiendo *blue jeans*.

En *Niebla en el alma* (1953), una interesante película de Roy Baker con Richard Widmark como protagonista, Marilyn está espléndida en su papel de Neill, una eventual niñera que ha intentado suicidarse en el pasado, desesperada y medio loca tras haber perdido a su gran amor, y que se disfraza ahora con las joyas de su señora para seducir a un atractivo piloto. La niña a la que debe cuidar aquella noche, Benny, interviene negativamente en sus planes, por lo que la alucinada muchacha primero la amenaza con destriparla con tanta facilidad como a una muñeca y más tarde la amordaza y la ata a la cama. En esta sádica y desquiciada relación con la pequeña, Marilyn dio muestras de una convincente crueldad que, al tiempo que desvelaba sus excelentes dotes dramáticas, tal vez le trajo a la memoria los horrores sufridos durante su propia infancia. Neill, la suicida, fue uno de los mejores papeles de su carrera.

Triste y solitario final

Marilyn fue la gran intérprete de comedias de los años cincuenta: el irresistible objeto del deseo que recibía una ráfaga de sifón en sus redondas posaderas en *Me siento rejuvenecer* (Howard Hawks, 1952), esa parte de su anatomía que también quedaba atascada en el ojo de buey de un barco en *Los caballeros las prefieren rubias* (Howard Hawks, 1953). En *Cómo casarse con un millonario* (Jean Negulesco, 1953), bor-

Marilyn Monroe (a la derecha) y Jane Russell, en un número musical de Los caballeros las prefieren rubias *(1953), de Howard Hawks. Hollywood moldeó a M. Monroe a su manera para explotarla como símbolo sexual de toda una generación de estadounidenses.*

da su papel de tonta fenomenal, ambiciosa y miope, pero es en *La tentación vive arriba* (Billy Wilder, 1955) donde su arrolladora naturaleza erótica se convierte en mito perdurable en escenas tan famosas como aquella en que una accidental ventolera desnuda sus piernas o en la otra en que se descubre que refresca su ropa interior en la nevera.

Billy Wilder también dirigió a Marilyn en *Con faldas y a lo loco*, donde intervenía Toni Curtis, el cual declaró luego groseramente que besar a la Monroe era como besar a Hitler. Por el contrario, el director justificó los continuos retrasos con que llegaba al trabajo la estrella, comportamiento que al convertirse en habitual fue ganándole toda suerte de enemistades: «Llegaba muchas veces tarde al rodaje, pero no porque se le pegaran las sábanas. Era porque debía forzarse a sí misma a presentarse en el estudio. Se sentía trastornada emocionalmente todo el tiempo...». Durante el rodaje de *El multimillonario* (1960), Marilyn tuvo un romance con el protagonista masculino que compartía con ella la cabecera del cartel, Ives Montand, quien estaba casado por entonces con la actriz Simone Signoret. De hecho, las relaciones de la estrella con Arthur Miller, con quien había contraído matrimonio en 1956, estaban deteriorándose a marchas forzadas, aunque el dramaturgo preparaba, a modo de cínico epitafio, un guión para lucimiento de su esposa, *The Misfits* (*Vidas rebeldes*), que dirigirá John Houston.

Fue acaso ésta la película más accidentada de todas cuantas rodó Marilyn, desgarrada por su divorcio, que se hizo efectivo en enero de 1961. La operadora del film era una tal Inge Morath, que se casó con Arthur Miller en febrero del año siguiente. Antes incluso de rodar el primer plano, el film fue atacado por la prensa a causa de su argumento progresista. Todos los dardos fueron lanzados inclementemente contra Marilyn, que había sido ingresada en un psiquiátrico a finales de 1960 y a quien incluso se llegó a acusar de la muerte de Clark Gable, acaecida inmediatamente después del final del rodaje.

Tampoco tardaría mucho en quitarse la vida la actriz, dejando inacabado un film de George Cukor, una comedia musical con Cyd Charisse y Dean Martin que debía titularse *Something's Got to Give* donde aparecía Marilyn desnuda bañándose en una piscina. Esta escena llegó a rodarse, y las fotografías que la muestran poniéndose un albornoz azul se han hecho justamente célebres.

Pero el sueño, el rentable producto de la fábrica de sueños, el sueño de papel o celuloide, la frágil existencia imaginaria de Marilyn cayó de repente en el abismo de la realidad, se vio arrastrada por el torbellino del vacío, se trocó inesperadamente en pesadilla. En una cálida noche de agosto, aquella mujer que había contestado a un periodista que sólo se ponía Chanel número 5 para dormir, abofeteó al mundo con la siniestra imagen de su cadáver desnudo.

1926	1 de junio nace Norma Jean Baker, verdadero nombre de **Marilyn Monroe**, en el antiguo Hospital General de Los Ángeles (EE UU).
1935	Es violada a los nueve años por un «amigo de la familia».
1947	Actúa como figurante en el film *Scudda Hoo, Scudda Hay* de F. H. Herbert.
1948	Aparece con los Hermanos Marx en *Amor en conserva*.
1950-1962	Principales películas: *La jungla del asfalto* (John Huston, 1950), *Eva al desnudo* (Joseph L. Mankiewicz, 1951), *Me siento rejuvenecer* (Howard Hawks, 1952), *Niágara* (Henry Hathaway, 1953), *Los caballeros las prefieren rubias* (Howard Hawks, 1953), *Cómo casarse con un millorario* (Jean Negulesco, 1953), *Río sin retorno* (Otto Preminger, 1954), *La tentación vive arriba* (Billy Wilder, 1955), *Bus Stop* (Joshua Logan, 1956), *El príncipe y la corista* (Laurence Olivier, 1957), *Con faldas y a lo loco* (Billy Wilder 1959), *El multimillonario* (George Cukor, 1960), *Vidas rebeldes* (John Huston, 1961).
1956	En julio se casa con el dramaturgo Arthur Miller.
1960	A fines de este año ingresa en un hospital psiquiátrico.
1961	Se divorcia de Arthur Miller.
1962	La noche del 4 de agosto se suicida con una sobredosis de nembutal.

Gabriel García Márquez
(1928)

Después del éxito de Cien años de soledad, *Gabriel García Márquez se convirtió en un escritor famoso de proyección internacional.*

Gabriel García Márquez nació en Aracataca (Magdalena), el 6 de marzo de 1928. Creció como niño único entre sus abuelos maternos y sus tías, pues sus padres, el telegrafista Gabriel Eligio García y Luisa Santiaga Márquez, se fueron a vivir, cuando Gabriel sólo contaba con cinco años, a la población de Sucre, donde don Gabriel Eligio montó una farmacia y donde tuvieron a la mayoría de sus once hijos. Gabriel García Márquez aprendió a escribir a los cinco años, en el colegio Montessori de Aracataca. En ese colegio permaneció hasta 1936, cuando murió el abuelo y tuvo que irse a vivir con sus padres al sabanero y fluvial puerto de Sucre, de donde salió para estudiar interno en el colegio San José, de Barranquilla, donde a la edad de diez años ya escribía versos humorísticos. En 1940, gracias a una beca, ingresó en el internado del Liceo Nacional de Zipaquirá, una experiencia realmente traumática: el frío del internado de la «ciudad de la sal» lo ponía melancólico, triste. Permaneció siempre con un enorme saco de lana, y nunca sacaba las manos fuera de sus mangas, pues le tenía pánico al frío. Sin embargo, a las historias, fábulas y leyendas que le contaron sus abuelos, sumó una experiencia vital que años más tarde sería temática de la novela escrita después de recibir el premio Nobel: el recorrido del río Magdalena en barco de vapor. En 1946 terminó sus estudios secundarios con magníficas calificaciones.

Estudiante de leyes

En 1947, presionado por sus padres, se trasladó a Bogotá a estudiar derecho en la Universidad Nacional, donde tuvo como profesor a Alfonso López Michelsen y donde se hizo amigo de Camilo Torres Restrepo. El estudio de leyes no era propiamente su pasión, pero logró consolidar su vocación de escritor, pues el 13 de septiembre de 1947 se publicó su primer cuento, *La tercera resignación*, en el suplemento *Fin de Semana*, n° 80, de *El Espectador*, que estaba dirigido por Eduardo Zalamea Borda (Ulises), quien en la presentación del relato escribió que García Márquez era el nuevo genio de la literatura colombiana; las ilustraciones del cuento estuvieron a cargo de Hernán Merino. A las pocas semanas apareció un segundo cuento: *Eva está dentro de un gato*.

En la Universidad Nacional permaneció sólo hasta abril de 1948, pues a consecuencia del «Bogotazo» la Universidad se cerró indefinidamente. García Márquez perdió muchos libros de literatura y manuscritos en el incendio de la pensión donde vivía y se vio obligado a pedir traslado a la Universidad de Cartagena, donde siguió siendo un alumno irregular. Nunca se graduó, pero inició una de sus principales actividades periodísticas: la de columnista. Manuel Zapata Olivella le consiguió una columna diaria en el recién fundado periódico *El Universal*.

GABRIEL GARCÍA MÁRQUEZ

EDICIONES S. L. B.
Bogotá, D. E. Colombia

LA HOJARASCA

Macondo es el pueblo convertido en mito donde transcurre su primera novela, La hojarasca *(arriba), y la mayoría de sus obras. Allí lo real y lo fantástico se unen en un maravilloso microcosmos.*

El Grupo de Barranquilla

A principios de los años cuarenta comenzó a gestarse en Barranquilla una especie de asociación de amigos de la literatura que se llamó el Grupo de Barranquilla; su cabeza rectora era don Ramón Vinyes. El «sabio catalán», dueño de una librería en la que se vendía lo mejor de la literatura española, italiana, francesa e inglesa, orientaba al grupo en las lecturas, analizaba autores, desmontaba obras y las volvía a armar, lo que permitía descubrir los trucos de que se servían los novelistas. La otra cabeza era José Félix Fuenmayor, que proponía los temas y enseñaba a los jóvenes escritores en ciernes (Álvaro Cepeda Samudio, Alfonso Fuenmayor y Germán Vargas, entre otros) la manera de no caer en lo folclórico.

En esa época del Grupo de Barranquilla, García Márquez leyó a los grandes escritores rusos, in-gleses y norteamericanos, y perfeccionó su estilo directo de periodista, pero también, en compañía de sus tres inseparables amigos, analizó con cuidado el nuevo periodismo norteamericano. La vida de esos años fue de completo desenfreno y locura. Fueron los tiempos de La Cueva, un bar que pertenecía al dentista Eduardo Vila Fuenmayor y que se convirtió en un sitio mitológico en el que se reunían los miembros del Grupo de Barranquilla a hacer locuras: todo era posible allí, hasta las trompadas entre ellos mismos. También fue la época en que vivía en pensiones de mala muerte, como El Rascacielos, edificio de cuatro pisos, ubicado en la calle del Crimen, que alojaba también un prostíbulo. Muchas veces no tenía el peso con cincuenta para pasar la noche; entonces le daba al encargado sus mamotretos, los borradores de *La hojarasca,* y le decía: «Quédate con estos mamotretos, que valen más que la vida mía. Por la mañana te traigo plata y me los devuelves».

Los miembros del Grupo de Barranquilla fundaron un periódico de vida muy fugaz, *Crónica,* que según ellos era para darle rienda suelta a sus inquietudes intelectuales. El director era Alfonso Fuenmayor, el jefe de redacción Gabriel García Márquez, el ilustrador Alejandro Obregón, y sus colaboradores fueron, entre otros, Julio Mario Santodomingo, Meira del Mar, Benjamín Sarta, Juan B. Fernández y Gonzalo González.

La hojarasca

A principios de 1950, cuando ya tenía muy adelantada su primera novela, titulada entonces «La casa», acompañó a doña Luisa Santiaga al pequeño, caliente y polvoriento Aracataca, con el fin de vender la vieja casa en donde él se había criado. Comprendió entonces que estaba escribiendo una novela falsa, pues su pueblo no era siquiera una sombra de lo que había conocido en su niñez; a la obra en curso le cambió el título por *La hojarasca,* y el pueblo ya no fue Aracataca, sino Macondo, en honor de los corpulentos árboles de la familia de las bombáceas, comunes en la región y semejantes a las ceibas, que alcanzan una altura de entre treinta y cuarenta metros.

En febrero de 1954 García Márquez se integró en la redacción de *El Espectador,* donde inicial-

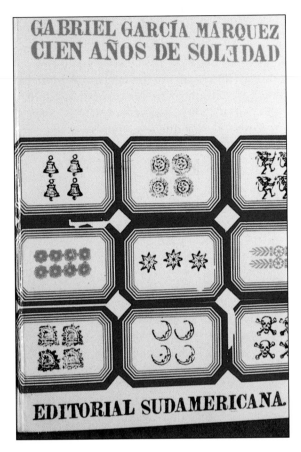

Portada de una edición de Cien años de soledad, la obra maestra de García Márquez publicada en 1967. Esta novela se encuentra, sin
duda, entre las más leídas en lengua española.

Después del éxito de Cien años de soledad, este hombre sencillo y sin complicaciones ceremoniales
se fue convirtiendo sin quererlo en un escritor de proyección internacional y en un personaje célebre.

mente se convirtió en el primer columnista de
cine del periodismo colombiano, y luego en brillante cronista y reportero. Gabriel García
Márquez publicó dos trabajos en la revista: un
capítulo de La hojarasca, «Monólogo de Isabel
viendo llover en Macondo» (1955), y El coronel no tiene quien le escriba (1958). El año siguiente apareció en Bogotá el primer número
de la revista Mito, bajo la dirección de Jorge
Gaitán Durán.

En ese año de 1955, García Márquez ganó el
primer premio en el concurso de la Asociación
de Escritores y Artistas; publicó La hojarasca y
un extenso reportaje, por entregas, Relato de un
náufrago, el cual fue censurado por el régimen
del general Gustavo Rojas Pinilla, por lo que las
directivas de El Espectador decidieron que
Gabriel García Márquez saliera del país rum-

bo a Ginebra, para cubrir la conferencia de los
Cuatro Grandes, y luego a Roma, donde el papa Pío XII aparentemente agonizaba. En la capital italiana asistió, por unas semanas, al Centro
Sperimentale di Cinema.

Rondando por el mundo

Vivió una larga temporada en París, y recorrió
Polonia y Hungría, la República Democrática
Alemana, Checoslovaquia y la Unión Soviética.
Continuó como corresponsal de El Espectador,
aunque en precarias condiciones, pues si bien
escribió dos novelas, El coronel no tiene quien le
escriba y La mala hora.

Su vivencia de Europa le permitió a García Márquez ver América Latina desde otra perspecti-

Portada de la primera edición de la novela de García Márquez, El amor en los tiempos del cólera, *considerada una de las más bellas historias de amor de la literatura universal.*

va. Le señaló las diferencias entre los distintos países latinoamericanos, tomó además mucho material para escribir cuentos acerca de los latinos que vivían en la ciudad luz. Aprendió a desconfiar de los intelectuales franceses, de sus abstracciones y esquemáticos juegos mentales, se dio cuenta de que Europa era un continente viejo, en decadencia, mientras que América, y en especial Latinoamérica, era lo nuevo, la renovación, lo vivo.

A finales de 1957 fue vinculado a la revista *Momento* y viajó a Venezuela, donde pudo ser testigo de los últimos momentos de la dictadura del general Marcos Pérez Jiménez. En marzo de 1958, contrajo matrimonio en Barranquilla con Mercedes Barcha, unión de la que nacieron dos hijos: Rodrigo (1959), bautizado en la Clínica Palermo de Bogotá por Camilo Torres Restrepo, y Gonzalo (1962). En 1959 fue nombrado director de la recién creada agencia de noticias cubana Prensa Latina. En 1960 vivió seis meses en Cuba y al año siguiente fue trasladado a Nueva York, pero enfrentó grandes problemas con los cubanos exiliados y finalmente renunció. Luego de recorrer el sur de Estados Unidos se fue a vivir a México, donde ha vivido muchos años de su vida.

Cien años de Macondo

En 1967 apareció *Cien años de soledad*, novela cuyo universo es el tiempo cíclico, en el que suceden historias fantásticas: pestes de insomnio, diluvios, fertilidad desmedida, levitaciones... Es una gran metáfora en la que, a la vez que se narra la historia de las generaciones de los Buendía en el mundo mágico de Macondo, desde la fundación del pueblo hasta la completa extinción de la estirpe, se cuenta de manera insuperable la historia colombiana después del Libertador hasta los años treinta del presente siglo. De ese libro Pablo Neruda, el gran poeta chileno, opinó: «Es la mejor novela que se ha escrito en castellano después del Quijote». Con tan calificado concepto se ha dicho todo: el libro no sólo es la *opus magnum* de García Márquez, sino que constituye un hito en Latinoamérica, como uno de los libros que más traducciones tiene y que mayores ventas ha logrado, convirtiéndose en un verdadero *best seller* mundial.

Luego del éxito de *Cien años de soledad*, García Márquez se radicó en Barcelona y por temporadas ha vivido en Bogotá, México, Cartagena y La Habana. Durante las tres décadas siguientes, escribió cuatro novelas más, se publicaron tres volúmenes de cuentos y dos relatos, así como importantes recopilaciones de su producción periodística y narrativa. Varios elementos marcaron ese periplo: se profesionalizó como escritor literario; sólo después de casi 23 años reanudó sus colaboraciones en *El Espectador*. En 1985 cambió la máquina de escribir por el computador. Su esposa Mercedes Barcha siempre ha colocado un ramo de rosas amarillas en su mesa de trabajo, flores que García Márquez considera de buena suerte. Un vigilante autorretrato de Alejandro Obregón que el pintor le regaló

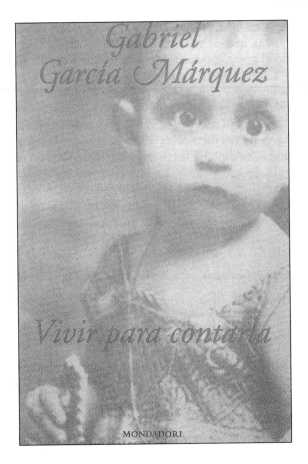

De entre las últimas obras de García Márquez desta-ca la primera entrega de sus memorias titulada Vivir para contarla.

y que quiso matar en una noche de locos con cinco tiros del calibre 38, preside su estudio. Tras años de silencio, en 2002 García Márquez presentó la primera parte de sus memorias, *Vivir para contarla*, en la que rememora los primeros treinta años de su vida. La publicación de esta obra supuso un auténtico acontecimiento editorial con el lanzamiento simultáneo de la primera edición (un millón de ejemplares) en todos los países hispanohablantes. En 2004 vio la luz la novela *Memoria de mis putas tristes*.

Premio Nobel de Literatura

En 1982, la Academia Sueca le otorgó el ansiado premio Nobel de Literatura, noticia que el autor recibió en su exilio de México. A la ceremonia de entrega, acudió vestido con un clásico liquili-qui de lino blanco, traje de etiqueta caribeño. El otorgamiento del Nobel fue todo un aconteci-miento cultural en Colombia y Latinoamérica. El escritor Juan Rulfo opinó: «Por primera vez des-pués de muchos años se ha dado un premio de literatura justo». Según se supo después, disputó el galardón con Graham Green y Gunter Grass. Con el discurso «La soledad de América Latina» intentó romper los moldes o frases gastadas con que tradicionalmente Europa se ha referido a

La decisión de García Marquez de recibir el premio Nobel de Literatura vestido con un liquiliqui en lugar del acostumbrado frac rompió la austeridad de la etiqueta en la ceremonia de entrega de los premios de 1982.

Latinoamérica, y denunció la falta de atención de la superpotencia al continente. Así mismo, confirmó su compromiso con Latinoamérica, convencido desde siempre de que el subdesarrollo total, integral, afecta a todos los elementos de la vida latinoamericana. Por lo tanto, los escritores de esta parte del mundo deben comprometerse con la realidad social total.

Luego del Nobel, García Márquez se ratificó como figura rectora de la cultura nacional, latinoamericana y mundial. Sus conceptos sobre diferentes temas pesan mucho. Durante el gobierno de César Gaviria Trujillo (1990-1994), junto con otros sabios como Manuel Elkin Patarroyo, Rodolfo Llinás y el historiador Marco Palacios, formó parte de la comisión encargada de diseñar una estrategia nacional para la ciencia, la investigación y la cultura. Pero una de sus más valientes actitudes ha sido el apoyo permanente a la revolución cubana y a Fidel Castro, la defensa del régimen socialista impuesto en la isla y su rechazo al bloqueo norteamericano.

1928	6 de marzo. Nace **Gabriel García Márquez** en Aracataca.
1947	Se publica en *El Espectador* el cuento *La tercera resignación*.
1955	Publica su primera novela, *La hojarasca*.
1958	En la revista *Mito* publica *El coronel no tiene quien le escriba*, libro que terminó en enero de 1957 en París.
1962	Publica *La mala hora* y *Los funerales de la Mamá Grande*.
1967	Publica en Buenos Aires la novela *Cien años de soledad*.
1970	Publica *Relato de un náufrago*.
1973	Publica el volumen *La increíble y triste historia de la Cándida Eréndira y de su abuela desalmada*.
1975	Publica *El otoño del patriarca*, novela que escribió en ocho años y para la cual leyó durante diez años sobre la historia de América Latina y sus dictadores.
1981	Publica *Crónica de una muerte anunciada*.
1981-1982	Aparecen los volúmenes *Textos costeños* y *Entre cachacos*, recopilación periodística.
1985	Publica *El amor en los tiempos del cólera*.
1986	Publica *La aventura de Miguel Littín clandestino en Chile*.
1989	Publica la novela *El general en su laberinto*.
1992	Publica *Doce cuentos peregrinos*.
1994	Publica el monólogo *Diatriba de amor contra un hombre sentado*.
1994	Publica *Del amor y otros demonios*.
1996	Publica *Noticia de un secuestro*.
2002	Publica la primera parte de sus memorias titulada *Vivir para contarla*.
2004	Publica la *Memoria de mis putas tristes*.

Martin Luther King

(1929-1968)

Con la fuerza de su palabra y el ejemplo de su valor, Martin Luther King enseñó a la gente de su raza que la libertad no era una vana esperanza.

No fue un soñador aunque perseguía un sueño. Bajo su dirección, millones de norteamericanos negros se liberaron de su miedo, de su esclavitud mental y de su apatía y se atrevieron a salir a las calles para proclamar sus derechos. Thomas Jefferson declaró indigno poseer esclavos y Abraham Lincoln los libró de sus cadenas, pero hubo que esperar hasta Martin Luther King, el combatiente pacífico, para que los hombres y mujeres de color fuesen conscientes de su verdadera fuerza. Él consiguió desenmascarar a los violentos y movilizar a los oprimidos con el solo poder de las palabras. Pero el líder negro más importante de la historia no fue únicamente un modelo para su pueblo, sino también para miles de blancos que aprendieron a considerar envilecedor para sí mismos la degradación a que estaban sometidos sus conciudadanos de color. El retrato de Martin Luther King puede verse hoy en muchos hogares sencillos de los Estados Unidos, cuando él mismo prohibió a su organización que lo difundiese: no quería ser idolatrado. Quería ser escuchado.

Influencias decisivas

El 15 de enero de 1929 nacía Martin Luther King Jr. en Atlanta (Georgia). Su padre era un clérigo baptista preocupado por la segregación racial existente en los Estados Unidos y a lo largo de su vida participó en muchas actividades tendentes a conseguir la igualdad entre razas. Este ejemplo iba a ser recogido por su heredero e impulsado hasta cotas jamás alcanzadas, pues Martin estaba destinado a ser uno de los dirigentes más importantes del siglo XX.

A los trece años el muchacho asistía a la escuela y ganaba algunos dólares repartiendo periódicos. Tenía un carácter equilibrado e independiente, pero también cariñoso y sensible. En 1944 inició sus estudios en el Morehouse College de Atlanta, en aquel tiempo único instituto para negros de la ciudad. Siempre por encima de la media, su inteligencia se desarrollaba a buen ritmo. Quería ser médico para ayudar a los demás, pero esta primera vocación cambió poco después a raíz de algunas lecturas, entre las que destacó el libro *Desobediencia civil*, del pensador Henry David Thoreau, donde había frases como ésta: «No puedo reconocer ni por un momento a una organización política como mi gobierno, que es también un gobierno esclavista. La prisión es el lugar adecuado para un hombre justo, la única casa donde un hombre libre puede vivir con honor en un estado esclavista.»

En 1946, Martin decidió hacerse pastor y seguir las huellas de su padre. Fue ordenado un año después, al tiempo que nuevos libros e ideas calaban en su espíritu y lo preparaban para afrontar su destino. Platón, Aristóteles, Rousseau, Hobbes, Stuart Mill y Locke le transmitieron sus tesis sobre las cuestiones sociales y éticas de la vida colectiva de los hombres. También leyó

El carisma de Martin Luther King arrastró a miles de negros y blancos en su lucha contra la segregación racial en los Estados Unidos de América.

Después de casarse y conseguir su título de doctor, Martin aceptó el cargo de pastor en una iglesia baptista de la ciudad de Montgomery, donde iba a comenzar su lucha por la integración racial. A finales de agosto de 1955, la modista negra Rosa Parks se negó a ceder su asiento en el autobús a un viajero blanco. El conductor llamó a la policía y la mujer fue detenida. El hecho puso de manifiesto una vez más las condiciones de segregación a que estaban sometidas las gentes de color, cuyo acceso estaba prohibido a piscinas, escuelas, restaurantes y un gran número de servicios públicos exclusivos para los blancos.

Martin Luther King, que poco antes se había adherido a la National Association for the Advancement of Colored People (Asociación Nacional para la Promoción de la Gente de Color, NAACP), tuvo la primera ocasión de poner en práctica sus creencias y no rehuyó su responsabilidad. Elegido por la comunidad negra presidente del movimiento de protesta suscitado a raíz de la detención de Rosa Parks, Martin aplicó las tesis de Thoreau y Gandhi, sus inspiradores principales, y exhortó a la población negra a no utilizar los autobuses ni ningún otro servicio público segregado; el término elegido no fue «huelga» ni «boicot», sino la palabra gandhiana *noncooperation* (no colaboración). El resultado de la protesta fue un éxito: Rosa Parks salió de la prisión y las autoridades se comprometieron a garantizar un tratamiento digno a los negros y no discriminarlos en los servicios públicos.

a Marx, pero en sus páginas echó de menos la figura de Dios, a quien según sus creencias el hombre pertenecía, tanto como a él mismo y por supuesto más que al estado. Pero la influencia más poderosa brotó de la vida y enseñanzas del Mahatma Gandhi. Martin quedó fascinado por los conceptos de *satyagraha*, fuerza de la verdad, y *ahimsa* o no violencia, a la vez que vio un camino a seguir en los enfrentamientos que Gandhi había sostenido con toda clase de ejércitos y policía sin hacer ni un solo gesto de violencia. Aquella actitud a la vez pacifista y enérgica sería pocos años después el fundamento de su propia actividad.

La primera batalla

Martin realizó estudios de Teología en el Seminario Teológico Crozer y en 1951 obtuvo su licenciatura, tras lo cual ingresó en la Universidad de Boston para doctorarse. En febrero del año siguiente conoció a Coretta Scott, una joven nacida en Alabama que abandonó sus estudios de concertista de piano para unir su vida a la de Martin Luther King. La boda tuvo lugar el 18 de junio de 1953.

Contra la violencia

Martin Luther King se había significado como jefe del movimiento, y los grupos racistas violentos no tardaron en pasarle la factura. El 30 de enero de 1956 estalló una bomba en su casa de Montgomery, afortunadamente sin causar daño a su esposa ni a su hija Yolanda. Por primera vez, sus principios cristianos y su teoría de la no violencia hubieron de pasar una dura prueba; el atentado suscitó las iras de la comunidad negra y algunos hombres de color se reunieron armados con palos clamando venganza, pero Martin los aplacó con estas palabras: «Por favor, regresad a casa y dejad vuestras armas. No podemos resolver este problema mediante la venganza. Hemos de tratar la violencia con la no violencia. Hemos de amar a nuestros hermanos blancos independientemente de lo que nos hagan. Hemos de transformar el odio en amor». El triunfo logrado en Montgomery dio al pastor negro fama a escala nacional. Entre 1957 y 1960 Martin Luther King asumió su papel de líder de la minoría negra y desarrolló una febril actividad organizativa plasmada en la fundación de dos grupos políticos que tendrían una enorme importancia en el futuro: la Conferencia de Dirigentes Cristianos del Sur (SCLC) y el Comité Coordinador Estudiantil No Violento (SNCC), ambos de tendencia moderada.

No fue ése el único atentado contra su vida. El 20 de septiembre de 1958 una mujer negra, al parecer desequilibrada, le clavó un abrecartas en el pecho mientras firmaba ejemplares de su primer libro, titulado *Marcha hacia la Libertad*. La herida le afectó la aorta, pero Martin tuvo suerte y pudo salvarse. En cuanto estuvo curado, realizó uno de sus más grandes sueños: viajar a la India siguiendo las huellas y el espíritu de Gandhi, muerto en un atentado diez años antes. En su lucha y en su trágico final, las existencias de estos dos hombres acabarían siendo paralelas. A su regreso comenzó un breve período de peregrinaje por las cárceles norteamericanas. Primero fue arrestado en Atlanta y luego en Albany por promover manifestaciones no autorizadas. Días después de la primera detención, el senador y candidato a la presidencia por los demócratas John F. Kennedy intervino en su favor y consiguió su liberación; era el comienzo de una amistad que se prolongó por espacio de tres años, hasta que Kennedy, elegido ya presidente de los EEUU, fue asesinado en Dallas en 1963.

En abril de 1968 tienen lugar los funerales de Martin Luther King, cuyo asesinato en Memphis, durante una de sus acciones no violentas, causa una gran conmoción en la opinión pública.

Tengo un sueño...

Fue precisamente 1963 el año de las grandes movilizaciones por los derechos civiles encabezadas por Martin Luther King. Primero tuvo lugar la campaña de Birmingham, donde, tras varios días de manifestaciones y protestas que fueron violentamente reprimidas por la policía local, se logró un amplio acuerdo según el cual quedaba abolida la segregación racial, se procedía a promocionar el empleo y el desarrollo profesional de la comunidad negra y quedaban en libertad todos los detenidos durante la campaña, al tiempo que los responsables de la policía eran relevados de sus cargos.

Como consecuencia de estos hechos, el presidente Kennedy presentó en el Congreso una nueva legislación de derechos civiles destinada a consagrar por escrito una mejora en la posición laboral, social y legal de los negros. Con objeto de apoyar esta propuesta, Martin Luther King promovió la que se llamaría Marcha sobre Washington, una gigantesca manifestación que el 28 de agosto de 1963 congregó en esa ciudad a más de doscientas cincuenta mil personas procedentes de todos los estados de la Unión. Fue allí donde King, erigido en líder moral de la nación, pronunció el más emotivo discurso salido de sus labios:

«Tengo un sueño... Sueño que mis hijos podrán vivir un día en una nación donde nadie será juzgado por el color de su piel sino según su carácter. Tengo el sueño de que un día los niños y niñas negros estrecharán las manos de los niños y niñas blancos y todos se reconocerán como hermanos y hermanas. Sueño que un día se levantarán los valles y cada montaña será sometida. Los lugares ásperos serán aplanados y los lugares desnivelados serán rectificados...»

Pocos meses después de la entrada triunfal en Washington, el asesinato del presidente Kennedy afectó duramente al movimiento por los derechos civiles. King estaba ligado personalmente al presidente y con él perdió a un amigo. El 10 de diciembre de 1964 le fue concedido el Premio Nobel de la Paz; tenía treinta y cinco años y era el hombre más joven que recibía tal honor. Pero no todo eran condecoraciones y parabienes. Edgar Hoover, a la sazón director del cuasi todopoderoso servicio secreto norteamericano FBI, había llamado a King «el mentiroso más notable del país» y lo consideraba un adversario peligroso. Si bien su política pacifista lo había apartado de los radicales del SNCC desde 1965, sus relaciones con la administración del presidente Johnson se deterioraron considerablemente a causa de sus repetidas denuncias del «genocidio de Vietnam». Al mismo tiempo, los dirigentes extremistas del SNCC renunciaron a sus principios de no violencia y fomentaron la creación del movimiento Poder Negro, que no tardaría en convertirse en brazo armado de los grupos antisegregacionistas. Graves disturbios raciales estallaron en Nueva York y Detroit, pero King no pudo hacer nada para detenerlos. Su última posibilidad consistía en aglutinar a negros y blancos en una nueva movilización, dejar de ser el representante de los negros para convertirse en representante de los pobres, fuesen del color que fuesen. Se encontraba en Memphis preparando esta nueva «marcha de los pobres» cuando un criminal profesional llamado James Earl Ray disparó sobre él y acabó con su vida. Era el 4 de abril de 1968.

Martin Luther King murió como había vivido, luchando hasta su último aliento por la justicia. En tan sólo doce años de lucha ganó para su comunidad más consideración y respeto que la conseguida en todos los siglos precedentes.

1929	15 de enero: **Martin Luther King** nace en Atlanta (Georgia, EE.UU.)
1947	Se ordena como sacerdote. Inicia sus estudios de Teología.
1951	Ingresa en la Universidad de Boston para doctorarse.
1953	Se casa con Coretta Scott el 28 de junio.
1954	Toma posesión de su cargo de pastor en Montgomery (Alabama).
1955	Se inicia en Montgomery el boicot a los transportes públicos.
1957	Funda la Conferencia de Dirigentes Cristianos del Sur (SCLC).
1958	Primer atentado contra su vida.
1959	Viaja a la India siguiendo las huellas del Mahatma Gandhi.
1960	Funda el Comité Coordinador Estudiantil No Violento (SNCC). Es detenido en Atlanta y puesto en libertad gracias a la intervención de John F. Kennedy.
1963	Impulsa la campaña de Birmingham por los derechos civiles de la población negra. Promueve la Marcha sobre Washington.
1964	Le es concedido el Premio Nobel de la Paz.
1966	Denuncia la guerra de Vietnam. Comienza el movimiento Poder Negro.
1967	Enfrentamientos raciales en Nueva York y Detroit.
1968	Prepara la «marcha de los pobres» a Washington. 4 de abril: muere asesinado en Memphis.

Mijail Gorbachov

(1931)

Nombrado secretario general del PCUS en 1985, Mijail Gorbachov emprendió las profundas transformaciones políticas que acabaron con el régimen soviético.

La entrada de Mijail Gorbachov en la historia universal fue vertiginosa, prolífica y desconcertante en su momento, como la de pocos líderes políticos del siglo XX. El tiempo transcurrido entre su designación como secretario general del Partido Comunista Soviético (PCUS), en 1985, y la desintegración de la URSS, en 1991, tras la cual presentó su renuncia como presidente de un Estado ya inexistente, es extremadamente breve. Breve, sobre todo, si se analiza la importancia de los procesos políticos que promovió y que simbólicamente pueden resumirse en la caída del muro de Berlín (1989). Ello ha llevado a algunos historiadores a situar en ese momento el final «histórico» del siglo XX.

La situación politicoeconómica de la URSS en la década de 1980 mostraba tal deterioro, que era obvia la necesidad de someter al país a un proceso de cambio. Sin embargo, pocos líderes de la cúpula del poder soviético tenían a su alcance las herramientas para iniciarlo y, menos aún, estaban capacitados para llevarlo a cabo. En este contexto la figura y la trayectoria política de Gorbachov desempeñaron un papel preponderante.

Orígenes agrarios

Gorbachov nació el 2 de marzo de 1931 en el pueblo de Privolni, región de Stavropol (extremo sur de la actual Rusia), en el seno de una familia campesina, donde aprendió sus primeros conocimientos agrícolas, tanto de labranza como mecánicos. Pronto militó en la Komsomol, organización juvenil del PCUS, y en 1950, gracias a sus méritos como mecánico agrícola, logró iniciar los estudios de leyes en la facultad de Derecho de la Universidad Estatal de Moscú, de la que salió con el título de abogado en 1955. En la escena universitaria el joven Mijail ya se mostraba carismático y comenzó a destacar como activista ideológico. En este período se afilió al PCUS (1952), trabó amistad con el futuro reformista checo Zdenek Mlynar y vivió la muerte de Stalin (1953), cuyo comunismo consideraba corroído. De regreso a su región natal, continuó conciliando su carrera política con la universitaria. Allí se graduó como ingeniero agrícola en el Instituto Agrónomo y en 1970 protagonizó su despegue definitivo como líder político: fue designado primer secretario del Comité Regional de Stavropol, diputado del Consejo de la Unión del Soviet Supremo y miembro de su Comisión de Recursos Naturales. Dos años antes, el fracaso de la Primavera de Praga, ante la aplastante entrada de los tanques soviéticos en la capital checa, le había dejado un sabor amargo en la incipiente degustación de un comunismo democrático. De hecho, aquel acontecimiento fue el último intento de transformar el sistema de las economías socialistas europeas antes de que Gorbachov pusiera en marcha su *perestroika*.

Aclamado por la opinión pública europea, Gorbachov dio pasos espectaculares de acercamiento a Occidente, como la visita al papa Juan Pablo II en 1989.

Protegido por algunos de los máximos integrantes del Comité Central del PCUS, como Mijail Suslov y Fiodor Kulakov, en 1971 es designado miembro de este órgano, en momentos en que el cargo de secretario general del partido lo desempeñaba Leonid Brezhnev. En 1977, éste sustituyó a Nikólai Podgorny como presidente del Presidium del Soviet Supremo, y ese mismo año se aprobó la nueva Constitución que remplazaba a la de 1936, establecida por Stalin. La nueva Carta Magna definía a la sociedad soviética como una «democracia auténtica», pero continuaba consagrando la omnipotencia del PCUS. De este modo, las expectativas de transformación que se iban gestando en un sector de las nuevas generaciones de políticos, a las que pertenecía Gorbachov, no terminaban de quedar satisfechas; no en vano estas generaciones de reformistas denominarían al período de gobier-

no de Brezhnev como «los años de estancamiento». A pesar de las discrepancias, durante este período Gorbachov continuó su carrera política. En 1978 fue nombrado ministro de Agricultura, tras la muerte de su protector Kulakov, y en 1980 fue designado secretario del Comité Central del PCUS.

La consolidación del liderazgo

El lustro comprendido entre 1980 y 1985 es el período que sirvió a Gorbachov de catapulta hacia el poder. Son los años en que los términos *perestroika* (reestructuración, tanto económica como política) y *glasnost* (libertad o transparencia de información) comienzan a difundirse, primero dentro de la URSS y más tarde en el ámbito internacional.

La muerte de Brezhnev y su relevo por Yuri Andropov, en noviembre de 1982, significaron para el líder reformista el inicio de la concreción de sus ideales. Andropov impulsó un proyecto basado en la disciplina laboral y la lucha contra la corrupción. En ese proyecto también participó Gorbachov, recibiendo amplios poderes para supervisar la política económica. Pero la súbita muerte del mandatario, en 1984, abrió un período de transición que desembocó en la elección del veterano Konstantin Chernenko, bajo cuyo gobierno Gorbachov pasó a dirigir la comisión de Asuntos Exteriores del Politburó. Ese mismo año realiza una visita a Gran Bretaña, que se convierte en una suerte de presentación oficial ante el mundo

A mediados de la década de 1980 la URSS se encontraba ya en un proceso de cambio irreversible, pero que no terminaba de fraguar a falta de un líder-gobernante que llevara a fondo las reformas. El 11 de marzo de 1985 moría Chernenko, quien fue sustituido en su cargo de presidente del Presidium por Andrei Gromiko. Cuatro horas después de que se hiciera pública la muerte del mandatario, el Comité Central del PCUS nombraba a Mijail Gorbachov secretario general de este órgano. Nada más asumir el cargo, el nuevo secretario anunció una serie de cambios que llevaban como lemas definitivos la *perestroika* y la *glasnost*, dos procesos que, según algunos analistas, se mostraron incompatibles y cuya implantación simultánea podría haber sido la causa de la debacle de la URSS. La reforma económica, la reestructuración política, la libertad de prensa, la carrera armamentista, los conflictos étnicos y las aspiraciones independentistas de algunas de las repúblicas que integraban en ese momento la Unión Soviética fueron parte de los problemas a los que debió hacer frente Gorbachov. Hubiese sido utópico pensar que este hombre comunista reformador, inteligente, apasionado, carismático y sincero, que a diferencia de otros líderes soviéticos había llegado al poder por la vía universitaria y no por la de la fábrica, hubiese podido resolver de forma simultánea todos los problemas que se le planteaban. Sin duda tuvo que jerarquizar a la hora de tomar decisiones, hecho que favoreció el que en el ámbito soviético se desencadenase una oposición a su política aperturista. Curiosamente, la mayor parte de sus defensores se hallaban fuera de las fronteras soviéticas.

El camino hacia el cambio y la crisis

En octubre de 1986 se celebró el primer encuentro de Gorbachov con el presidente estadounidense Ronald Reagan, en Reykjavik (capital de Islandia), y ese mismo año se pusieron en marcha las primeras pequeñas empresas privadas, que adquirieron forma de cooperativas. Algunos presos políticos vieron la libertad también en ese año, entre ellos el físico Andréi Sájarov, quien regresó a Moscú en el mes de diciembre después de haber permanecido seis años exiliado en la ciudad de Gorki por protestar por la invasión soviética en Afganistán. Todos estos hechos fueron dando cuerpo y credibilidad a la figura de Gorbachov, al tiempo que se iba gestando una crisis en el equipo que llevaba adelante la *perestroika*, al que también pertenecía Boris Yeltsin, máximo responsable del partido en Moscú. En 1987 tuvieron lugar los primeros roces entre los dos líderes, cuya rivalidad marcaría la desaparición de la URSS.

Al año siguiente Gromiko abandonó la presidencia del Presidium del Soviet Supremo y Gorbachov fue designado para sustituirlo, convirtiéndose, con 56 años de edad, en el político más joven que ocupaba el máximo cargo de la

El fallecimiento de su esposa Raísa, en 1999, acentuó el perfil trágico de un líder político que fue engullido por el torbellino de sus propias reformas.

URSS desde la época de Stalin. En el mes de septiembre se inició el proceso de reclamación de independencia en las repúblicas bálticas, en las que el sentimiento nacionalista hizo explosión primero y con más fuerza. Hubo violentas represiones y enfrentamientos, y el proceso comenzó a extenderse a otras repúblicas. El líder soviético intentó poner freno a los conflictos con nuevas medidas económicas que, sin embargo, no fueron suficientes. Recurrió entonces a la reforma constitucional, preparando el terreno para las primeras elecciones democráticas en la historia del país, que se celebraron en 1989. En estos comicios la línea renovadora triunfó sobre la conservadora, y en los primeros meses del año siguiente quedó eliminada la omnipotencia del PCUS. Este hecho coincidió, sin embargo, con las elecciones en la Federación Rusa, la más grande de todas las repúblicas que integraban la URSS, en las que Yeltsin resultó elegido presidente. El principal rival de Mijail Gorbachov pasaba, de este modo, a tener gran protagonismo en el proceso de transformación que él mismo había ideado.

Empezó así la última etapa en la vida de la URSS y el inicio del ocaso político local de Gorbachov. En 1990 el líder se encontraba ante una gran disyuntiva: por un lado, perdía adherentes en su país, debido a la imposibilidad de otorgar soluciones socioeconómicas efectivas y, por otro, en Occidente le aclamaban como un héroe por las grandes transformaciones que había promovido, incluidos el desarme nuclear y la retirada de las tropas soviéticas de Afganistán. Ese mismo año le fue otorgado el Premio Nobel de la Paz y en el anterior se le había concedido el Príncipe de Asturias. La crisis del Estado soviético llegó a su fin el 18 de agosto de 1991, con el golpe de Estado que los sectores más inmovilistas dieron a Gorbachov, quien se encontraba ese día con su familia en su *dacha* de Foros, Crimea. Por su parte, y dentro de este contexto, Boris Yeltsin se convirtió en el principal líder de la resistencia. Gorbachov continuó gobernando, pero sin poder. Finalmente, el 25 de diciembre de ese año renunció a su cargo de pre-

sidente de un país que ya no existía, porque las tres repúblicas eslavas, Rusia, Ucrania y Bielorrusia, habían firmado la fundación de la Comunidad de Estados Independientes (CEI), sucesora de la URSS.

De lo que ocurrió en su vida después de estos hechos destacan su intensa actividad como conferenciante, cuyos elevados honorarios destina a la Fundación Gorbachov; su postulación como candidato a la presidencia de la Federación Rusa en las elecciones de 1996, en las que casi no obtuvo respaldo; y su esfuerzo por mantener el optimismo, junto a su hija Irina, tras la desaparición de su esposa Raísa, en septiembre de 1999, fiel compañera en el camino que él había elegido.

Según el historiador Eric Hobsbawm, «Gorbachov fue, y así pasará a la historia, un personaje trágico, como un "zar liberador" comunista, a la manera de Alejandro II (1855-1881), que destruyó lo que quería reformar y, a su vez, fue destruido en el proceso».

1931	2 de marzo: nace **Mijail Sergueievich Gorbachov** en Privolni (actual Rusia).
1950	Inicia sus estudios de Derecho en la Universidad Estatal de Moscú.
1952	Se afilia como miembro del partido Comunista Soviético (PCUS).
1971	Es designado miembro del Comité Central del PCUS.
1978	Es designado ministro de Agricultura.
1980	Se convierte en secretario del Comité Central del PCUS.
1984	Realiza su primer viaje oficial, y lo hace a Gran Bretaña.
1985	11 de marzo: tras la muerte de Konstantin Chernenko, es nombrado secretario general del Comité Central del PCUS.
1986	Se celebra la cumbre de Reykjavik entre Gorbachov y el presidente estadounidense Ronald Reagan.
1988	Es designado presidente del Presidium del Soviet Supremo, tras la renuncia de Andrei Gromiko.
1989	Recibe el premio Príncipe de Asturias.
1990	Recibe el premio Nobel de la Paz.
1991	Tras un fallido golpe de Estado (18 de agosto), dimite como presidente de la Unión Soviética (25 de diciembre).
1996	Se presenta como candidato a la presidencia en las elecciones de la Federación Rusa y obtiene escasos votos.
1999	En septiembre muere su esposa Raísa.

Stephen Hawking

(1942)

Stephen Hawking, que sufre desde su juventud una grave dolencia degenerativa, es uno de los científicos que más ha investigado la expansión del universo.

A pesar de sus discapacidades físicas y de las progresivas limitaciones impuestas por la enfermedad degenerativa que padece, el matemático y físico Stephen William Hawking vive como un triunfador. Lo ha hecho durante toda su vida, logrando sortear la inmensidad de impedimentos que le ha planteado el mal de Lou Gehrig, una esclerosis lateral amiotrófica que le aqueja desde que tenía 20 años. Hawking es, sin duda, un caso particular de vitalidad y resistencia frente al infortunio de su destino.

El 8 de enero de 1942, en momentos en que la capital del Reino Unido sobrevivía bajo la permanente amenaza de los bombardeos alemanes, nacía Stephen en la ciudad de Oxford. Allí comenzó a estudiar en el University College, donde se licenció en 1962 con los títulos de matemático y físico. Por esa época era un chico de vida normal, cuyas particularidades consistían en su inteligencia y su gran interés por las ciencias. Pero en 1963, durante una sesión de patinaje sobre hielo resbaló y tuvo dificultades para incorporarse. De inmediato los médicos le diagnosticaron una enfermedad neurológica que, suponían, iba a acabar con su vida en pocos años. Sin embargo, se equivocaron. Naturalmente la vida de Stephen no fue la misma a partir de entonces, pero sus limitaciones físicas no interrumpieron en ningún momento su actividad intelectual que, al contrario, se incrementó.

Mientras cursaba su doctorado en el Trinity Hall de Cambridge, se casó con Jane Wilde (1965), con quien tuvo tres hijos: Tim, Lucy y Robert. Tras casi 25 años de matrimonio, en 1990, la pareja se separó y el científico se fue a vivir con Elaine Mason, una de las enfermeras que lo cuidaba, con quien cinco años más tarde contrajo matrimonio.

El apasionante universo de los agujeros negros

Tras obtener el título de doctor en física teórica (1966), su pasión por el estudio del origen del universo fue en aumento y su investigación se centró en el campo de la relatividad general, y en particular en la física de los agujeros negros. Así, sugirió la formación, como resultado del *big bang*, de miles de objetos, denominados «miniagujeros negros», que tendrían una inmensa masa pero sólo ocuparían el espacio de un protón, lo que originaría enormes campos gravitatorios. A medida que una estrella va agotando su combustible nuclear, se va transformando: primero se expande, luego se contrae y finalmente explosiona liberando parte de su masa y dando lugar a un colapso gravitacional que la convierte en un agujero negro. Ésta es la base de la teoría cuántica, que junto con la teoría de la relatividad darían forma a la teoría de las cuerdas, concepto sobre el cual el científico centraba sus investigaciones a finales del siglo XX.

En 1974 Hawking fue designado miembro de la Royal Society y, tres años más tarde, profesor de física gravitacional en Cambridge, donde se le otorgó la cátedra Lucasiana de matemáticas (1980), que había sido dictada por Isaac Newton. Pero a medida que los logros intelectuales se iban sucediendo en su vida —incluidos la publicación de numerosos libros, la entrega de innumerables premios y doctorados *honoris causa*, también avanzaba el proceso degenerativo de su enfermedad. Primero la inmovilidad de sus extremidades lo llevó a depender de una silla de ruedas; pero después la parálisis se extendió a casi todo su cuerpo y, a sus 58 años, sólo podía comunicarse mediante un sintetizador conectado a su silla.

Resulta una gran paradoja, sin duda, que un hombre que se involucró plenamente en la tarea de clarificar los conceptos científicos para el público medio —optando por la divulgación, a diferencia de la mayoría de sus colegas—, se haya tenido que enfrentar duramente con la dificultad de poder comunicarlos. No obstante, gracias a su empeño y tenacidad no ha dejado de salvar los escollos que se derivan de sus discapacidades físicas. En 1989, en ocasión de su visita a España para recibir el premio Príncipe de Asturias, decía: «Si admitimos que no es posible impedir que la ciencia y la tecnología cambien el mundo, podemos al menos intentar que esos cambios se realicen en la dirección correcta. En una sociedad democrática, esto significa que los ciudadanos necesitan tener unos conocimientos básicos de las cuestiones científicas, de modo que puedan tomar decisiones informadas y no depender únicamente de los exper-

Los agujeros negros son cuerpos de una enorme densidad capaces de absorber la masa y la energía que se encuentran en su radio de acción.

tos». Ese es el mensaje que se descubre en algunos de sus libros, como *Historia del tiempo: del big bang a los agujeros negros* (1988), que ha sido traducido a 37 idiomas y del que se han vendido más de veinte millones de ejemplares, o, más recientemente, *El Universo en una cáscara de nuez* (2002), que tiene una intención divulgativa mayor que sus anteriores libros por lo que fue escrito en un lenguaje más fácilmente comprensible.

1942	8 de enero: nace **Stephen William Hawking**, en Oxford.
1962	Se licencia en física y matemáticas por el University College de Oxford.
1963	Padece los primeros síntomas de su enfermedad (esclerosis lateral amiotrófica).
1965	Se casa con Jane Wayline.
1966	Obtiene el título de doctor en física teórica en el Trinity Hall de Cambridge.
1974	Es designado miembro de la Royal Society.
1980	Se le otorga la cátedra Lucasiana, en Cambridge.
1989	Recibe el premio Príncipe de Asturias.
1999	Defiende, durante una conferencia en Postdam (Alemania), la teoría de las cuerdas para explicar el universo.

Índices
de
Personajes

alfabético
cronológico

Índice alfabético

Índice cronológico